{ ANDRÉ MATHIEU }

D1039539

La Sa[illegible] Grégoire

Tome 7

Le cheval roux

Les Éditions
Coup d'oeil

Du même auteur, aux Éditions Coup d'œil:
La Tourterelle triste, 2012
L'été d'Hélène, 2012

La saga des Grégoire
1- La forêt verte, 2012
2- La maison rouge, 2012
3- La moisson d'or, 2012
4- Les années grises, 2012
5- Les nuits blanches, 2012
6- La misère noire, 2012
7- Le cheval roux, 2012

Aux Éditions Nathalie:
Plus de 60 titres offerts, dont *Aurore*,
la trilogie du Docteur Campagne et les Paula

Couverture: Camille Ponton et Marie-Pier S.Viger
Conception: Sophie Binette
Correction: Amélie Cusson et Catherine Côté

Première édition: © Éditions Nathalie, 2010
Pour la présente édition: © Les Éditions Coup d'œil, 2012

Téléphone: 450 653-1337

Dépôt légal: 4e trimestre 2012
Bibliothèque et Archives nationales du Québec
Bibliothèque nationale du Canada
Imprimé au Canada

ISBN: 978-2-89731-001-1

Il n'est si beau jour qui n'amène sa nuit.

Proverbe italien

Un clocher dans la forêt

Le cheval roux s'inspire de l'ouvrage intitulé *Un clocher dans la forêt,* par Hélène Jolicœur, petite-fille d'Émélie Allaire et d'Honoré Grégoire, figures centrales de cette saga familiale, et Canadiens français de bonne souche.

Hélène a elle-même basé ses écrits sur divers témoignages et fait preuve d'une grande authenticité dans sa recherche sur la famille Grégoire.

Mon regard sur ma paroisse natale où vécurent les Grégoire, s'ajoutant à celui d'Hélène sur cette grande famille beauceronne, donnent une œuvre qui tient autant du roman biographique que de la fiction. Mais ce qui compte d'abord, c'est l'esprit qui animait ces gens d'autres époques, mentalités qui furent si bien comprises par Hélène, et que j'ai tâché de rendre avec mes yeux d'enfant de 1950 et ma plume de maintenant.

J'ai dédié *La forêt verte,* premier tome de la série, à la mémoire de Berthe Grégoire, mère d'Hélène Jolicœur.

Le second, *La maison rouge,* est à la mémoire d'Alfred Grégoire, un grand personnage de mon enfance.

Le troisième, *La moisson d'or,* à celle de Bernadette Grégoire, un être exceptionnel qui a eu l'une des plus belles places dans mes ouvrages et dans mon cœur à ce jour.

Les suivants seront dédiés à la descendance.

André Mathieu

Chapitre 1

1950... 1951

Le curé Ennis promit en chaire de rapporter à chacune des familles de la paroisse un souvenir de la Terre Sainte. Car le prêtre de soixante ans, comme tant d'autres du diocèse de Québec et des autres du Québec depuis le début de la sainte année, s'envolerait le jour suivant vers Rome afin d'y baiser l'anneau papal et de ramener à ses ouailles les bénédictions de Pie XII, le pape de la deuxième guerre qui avait, comme bien des papes avant lui, tant prié pour la paix. Et tant pleuré sur les terribles malheurs du conflit que par ses prières, il s'était efforcé de soulager de son mieux.

– Je vous aurai tous dans mes bagages, dit-il en substance à la fin de son paternel sermon.

Bernadette en avait les larmes aux yeux. Elle n'était pas la seule. À Shenley, on aimait Dieu le Père, on aimait le très saint Père, et on aimait encore plus que les deux premiers le père spirituel de la paroisse, le curé Ennis.

Il prévint que son itinéraire de voyage pouvait être modifié en cours de route. Et mentionna la date de son retour en France puis au Canada. Bernadette nota tout dans sa mémoire et l'inscrivit sur un calendrier à la maison. Que de sainteté partout en cette mémorable année sainte ! Sa joie ardente ne connaîtrait-elle pas de bornes ?

Il y aurait pourtant un grand, un terrible obstacle à sa joie spirituelle : une montagne aiguille des Alpes françaises ayant pour nom l'Obiou.

Quand parvint la nouvelle de la tragédie horrible qui avait coûté la vie à 58 personnes à l'écrasement de leur avion, *Le pèlerin canadien*, on crut pendant une journée que l'abbé Ennis faisait partie de la liste funeste. Par bonheur, il n'en était rien. On le sut enfin quand tous les noms parurent dans l'édition du journal *le Soleil* du 14 novembre, lendemain de l'accident de l'Obiou.

Bernadette, qui avait promis à la Vierge d'ériger en son honneur au plus tôt la grotte dont elle rêvait si le curé avait échappé au désastre des Alpes, résolut de s'adresser à son beau-frère Stanislas Michaud afin que la succession Grégoire lui vienne en aide pour accélérer la réalisation de cette œuvre importante...

∞∞∞

Ovide conduisit son épouse à un cabaret où se produisaient deux artistes, l'un pianiste et l'autre chanteur : deux Français émigrés au Canada et qui semblaient s'y plaire, du moins, le serinaient-ils tous les soirs à l'oreille de leurs admirateurs. C'étaient Pierre Roche et son inséparable ami Charles Aznavour.

L'homme d'affaires avait à cœur que son épouse ne s'ennuie pas trop à Québec et il saisissait toutes les occasions pour la distraire. L'enfant dont elle était enceinte serait le premier à naître là-bas. Il se disait que le bébé devrait ressentir de la joie autour de lui en arrivant dans ce monde. Et peut-être même que dans sa prison de chair, il entendait déjà les notes de piano et les sons un peu rauques de la voix du chanteur.

Qui sait, on en ferait peut-être la deuxième Monique Jolicœur si ce devait être une fille ?

Ce fut une belle soirée dont elle le remercia avec cœur.

Le jour suivant : magasinage pour Noël. Il fallut s'arrêter souvent, s'asseoir quelque part. Berthe manquait de souffle. Son corps avait du mal à suivre les élans de son cœur. Mais elle choisit des cadeaux pour chacun : Odette, Christine, André et Nicole. Et pour Bernadette. Et pour Alice. Et pour Henri là-bas aux États. Et pour ces pauvres Armand et Ti-Lou à l'hôpital Laval...

Pour un temps, la femme attribua à sa nouvelle grossesse son état difficile. L'enfant exigeait sans doute beaucoup d'elle pour se bâtir une vie. Sûrement un bébé de sexe masculin ! Supputer ainsi l'aidait à se dorer la pilule, à croire que tout reviendrait à l'ordre normal des choses.

Elle s'entoura d'une clôture. Il fallait cuisiner. Voir à l'ordinaire de maison. Odette, l'aînée, n'avait même pas ses 10 ans. Ovide comptait faire venir le père Noël à la maison. Mais voilà que Berthe prit froid un jour de grand vent en attendant l'autobus. Pendant toute la période des Fêtes, elle eut le frisson sauvage, et dans la dernière semaine de l'année, se mit à cracher du sang. Elle gardait son manteau de *seal* dans la maison, et Ovide chauffait le foyer pour la réchauffer. C'est ainsi que l'année sainte se termina dramatiquement pour la famille Jolicœur de Sillery.

Le 3 janvier, Berthe se rendit à l'hôpital pour passer une radiographie pulmonaire sur la recommandation du médecin. Odette l'accompagnait. Il y avait du verglas, et elles se tenaient toutes deux bras dessus, bras dessous pour ne pas tomber.

Dès qu'elle apprit le « verdict » de tuberculose qui tomba au beau milieu de son existence, tel le couperet de la guillotine, Berthe voulut entrer au sanatorium pour soustraire le plus vite possible ses enfants aux risques de contamination.

La religieuse qui fit son admission, un être d'une drôle de gentillesse, prit Ovide à part et lui dit à mi-voix :

– Monsieur Jolicœur, ici, on entre par la porte de devant et on sort par la porte de derrière (celle de la morgue).

Berthe saisit la phrase qui lui servait un électrochoc en guise d'accueil. Mais Ovide sut cacher son désarroi et prodiguer à son épouse tout l'encouragement dont elle avait besoin en un moment aussi crucial de sa vie.

– J'ai besoin de toi ! Les enfants ont besoin de toi ! Tu vas vivre.

À ce moment, Berthe se souvint des prédictions de la Patte-Sèche. Il avait bien vu de la maladie dans son futur, mais aussi une vie longue et plutôt heureuse...

La sœur de l'accueil se serait sans doute moquée, elle, des élucubrations d'un vieux quêteux solitaire...

∞∞∞

Ce soir-là, Ovide réunit les enfants autour de lui dans le salon, devant le foyer éteint. Il lui fut impossible de leur dire plus d'une phrase mais dont le poids écrasant leur fut en partie transmis par la force des choses :

– Votre maman... elle est à l'hôpital pour... pour un bout de temps...

Il eût voulu dire : « On va aller la voir tous les dimanches », mais les sanglots lourds qui étranglaient sa gorge jaillirent en flots ininterrompus. Saisis de stupeur, les enfants ne pouvaient que se regarder les uns les autres pour essayer de comprendre l'impossible...

∞∞∞∞∞∞∞

Chapitre 2

Début 1951

– Odette, tu vas rester avec les autres dans l'auto.

– Mais... j'peux pas voir maman? protesta la fillette qui venait d'ouvrir la portière.

– Non, les enfants peuvent pas entrer à l'hôpital. Tu vas attendre ici. Vous êtes bien habillés, vous allez pas avoir de misère.

Ovide faisait ses recommandations à son aînée pour l'heure qu'il passerait avec son épouse en ce premier dimanche de son hospitalisation. La chambre de Berthe donnait sur le stationnement, et d'en haut, parfois, il jetterait un coup d'œil protecteur aux quatre enfants restés en bas.

– On va-t-il pouvoir jouer dans la neige? demanda André dont l'énergie de ses 5 ans avait besoin d'exutoires.

– Oui, mais prenez garde de pas vous éloigner de l'auto, là. Promis, Odette?

La fillette acquiesça, une larme à l'œil.

Ovide voulut la rassurer:

– Maman va venir à la fenêtre et va vous envoyer la main.

Le visage de chacun des enfants s'éclaira. Ils verraient leur mère de loin, mais ils la verraient...

Et dès que leur père fut rendu à la chambre de Berthe, la malade vint à la fenêtre. Elle souffla plein de baisers joyeux et tendres à chacun des petits en bas. Odette et Christine pleuraient à chaudes larmes. André était content de voir sa mère. Et Nicole ne réalisait pas ce qui se passait.

∞∞∞

Les trois hommes malades, issus de Saint-Honoré tout comme Berthe Grégoire, reçurent la permission spéciale pour la visiter dans la section réservée aux femmes. Ils ne pouvaient pas s'y rendre en robe de chambre et durent s'habiller comme pour sortir : en dimanche. Marcel Nadeau, le quatrième mousquetaire, demanda à les accompagner.

Et avant le départ d'Ovide, ils se présentèrent à la porte, frappèrent et entrèrent. On les accueillit à bras ouverts. Nul doute que Berthe se sentirait moins seule au monde à prendre vraiment conscience, même si elle le savait déjà, que trois autres personnes du cœur de son village natal souffraient du même mal qu'elle.

Les visiteurs se mirent debout en U autour du lit. Ovide, après les avoir salués, reprit sa place, assis auprès de son épouse. On s'échangea des banalités à propos de la douceur de janvier. On s'étonna du calme de la pièce. On parla des bons soins reçus, des chances maximales qu'on avait d'être guéri grâce à la pénicilline et la streptomycine. Puis, Armand voulut faire oublier la tristesse de la situation par son contraire, la joie :

– Berthe, on a tiré aux cartes pour savoir qui c'est de nous cinq qui va sortir en premier du sana, avec sa santé retrouvée dans ses bagages, et on a trouvé que ça va être toi...

– Contente de savoir ça !

Puis, regardant fixement le quatrième mousquetaire, elle dit :

– Monsieur Nadeau, c'est drôle, vous me rappelez quelqu'un, mais j'sais pas trop qui...

Le jeune homme trouva un crayon dans sa poche et, histoire de faire rire la malade en riant de lui-même, il se dessina vivement une moustache carrée sous le nez.

Berthe s'exclama aussitôt :

– Adolf Hitler !

– En personne, madame !

Ce fut un éclat de rire général. L'espoir chez elle remonta de plusieurs crans cet après-midi-là... Elle comprit que les malades se soignaient eux-mêmes à coups de bonne humeur...

De retour à l'auto, Ovide envoya la main à Berthe qui se tenait à la fenêtre pour le voir partir... Et les enfants firent de même. Elle leur répondit, un sourire brillant dans un œil, une larme lourde dans l'autre...

Le nœud qu'Ovide sentait dans sa gorge à l'arrivée revint se serrer tout à coup comme pour l'étouffer. Sur le chemin du retour, il pleura et pleura encore... Et pas même une de ses constructions en marche ne vint le distraire de sa douleur morale...

∞∞∞∞∞∞

Chapitre 3

1951...

– On va voir Berthe dimanche! annonça Freddé de son habituelle voix bourrue.

– Non, moi, j'y vas pas! dit sèchement Amanda qui brassait de la soupe près du poêle.

– Pourquoi c'est faire que tu viens pas?

– J'suppose que c'est pour me laisser à l'hôpital des fous encore une fois?

– L'hôpital Laval, c'est un sanatorium pour les gens qui font de la consomption.

– La consomption, la folie...

– D'abord, arrête de parler de folie! Une maladie mentale, c'est pas pire qu'une maladie physique. Ça se soigne. T'en es revenue. D'autres, c'est pire: comme la femme à Aurélien Lessard, si tu veux la fille à Charles Rouleau, qui s'est jetée par le «châssis» à l'hôpital de Saint-Georges. La maladie, c'est de la faute à personne, ça. Berthe fait de la consomption...

– C'est pas de sa faute, à Berthe, mais c'est de la faute à ton frère Armand par exemple. Il fait de la consomption, ça fait des années, pis personne l'obligeait à s'en aller au sanatorium.

Alfred émit un long soupir. Il demeura interdit à l'entrée du petit couloir menant de la porte du magasin à la cuisine. Sa femme avait un peu raison à propos d'Armand. Il aurait fallu qu'il parte pour l'hôpital bien avant. Mais comment forcer un malade à se faire soigner quand il s'en moque éperdument? On lui en avait glissé des mots bien souvent, mais Armand ridiculisait alors la maladie, la défiait, en piétinait l'importance voire même l'existence.

– En tout cas, si tu viens pas, tu resteras. Doré pis Solange vont venir, eux autres.

Elle éclata de son rire nerveux en secouant la tête et remuant la soupe un plus plus fort:

– Non, je leur défends ben d'y aller. Vas-y avec Bernadette si tu veux, mais pas Doré ni Solange.

– C'est ce qu'on va voir. Doré est majeur, tu sauras. À 24 ans, il sait ce qu'il fait. Pis Solange, elle relève de mon autorité depuis qu'elle est au monde, c'est pas asteure que ça va changer.

Comme ça lui arrivait souvent, Amanda fit soudain volte-face et retraita de ses positions braquées:

– Bon, ben on va y aller, voir Berthe d'abord. Pis d'abord que ses enfants seront pas là.

– Tu t'ennuies d'eux autres? ironisa l'homme, un œil rapetissé.

– La p'tite chipie d'Odette, tu sauras que je m'ennuie pas d'elle pantoute.

– Tu passais ton temps à lui courir au derrière...

– Avec un fouet...

– Christine pis André, eux autres?

– Eux autres, on n'en parle pas...

Alfred retourna au magasin et prévint Bernadette qui s'affairait au comptoir des dames:

– Elle a décidé de venir.

– Je vas appeler le taxi Rosaire Boutin d'abord.

– Faudrait partir après la basse messe dimanche.

– C'est beau de même! Sais-tu, on pourrait peut-être offrir à madame Mathieu de venir avec nous autres.

– Ça va faire pas mal de monde : toi, moi, ma femme, Doré, Solange...

– C'est vrai qu'on aurait pas assez de place... Ça lui aurait fait ben plaisir : elle a pas la chance d'y aller comme elle veut, voir son gars.

Alfred allait gravir le grand escalier pour quérir une caisse de boîtes de conserve dans l'ancien salon d'Émélie. Il regarda dans le vague et se désola en grommelant :

– Y a assez de malades de la consomption au sanatorium que ça prendrait un autobus pour aller les voir tous les dimanches. Béni Quirion, Barthélémy Maheux, Noëllette Drouin, la p'tite Buteau... maudite maladie !

∞∞∞

C'était mai. Le ciel pur resplendissait. Du bleu partout pour qui regardait là-haut, mais aussi le vert des arbres à foison pour ombrager la rue. Alfred avait le goût d'atteler, comme souvent et surtout comme au temps de sa jeunesse pour aller faire une virée dans un rang de la paroisse. Visiter Édouard Foley, tiens, dans le rang neuf. Et les Page dans la maison de son grand-père Allaire.

Le marchand de 64 ans venait de quitter la mairie. Les pressions pour construire un aqueduc et municipaliser les égouts se faisaient de plus en plus grandes, surtout celles du presbytère. Alfred avait dans l'idée qu'il appartenait à quelqu'un d'autre, plus jeune et plus entreprenant, de guider la paroisse vers ces travaux modernes, et surtout de convaincre les cultivateurs du bien-fondé de l'ouvrage à réaliser.

L'homme de la situation serait sûrement Alphonse Champagne. Il possédait l'autorité de ses 57 ans. Proche du curé Ennis, il agissait comme chantre aux messes du matin depuis fort longtemps. Il possédait le magasin hérité de son père, Louis. De plus, il avait occupé le siège de maire de 1930 à 1933. Honoré avait une fort bonne opinion de lui bien qu'ils fussent de fiers compétiteurs.

Mais l'esprit d'Alfred s'éloigna pour un temps des préoccupations municipales alors qu'il attelait son cheval roux à la voiture fine qu'il avait conservée toutes ces années. Il n'était pas l'homme de l'exil chromé comme son frère Henri, il n'était pas un homme du progrès constant comme Pampalon, il n'était pas un rebelle cynique comme Armand, mais il avait un peu du doux poète qu'avait été Eugène. Pas pour écrire ses émotions, pas pour rêver d'idéal, mais pour goûter simplement les paysages, les saisons, le vent, la pluie, la poudrerie hivernale, les couchers de soleil, et pour sentir les odeurs des fleurs sauvages, des champs labourés, des sous-bois humides... Ni le marchand ni le maître de poste en lui n'étaient jamais parvenus à déraciner de son être profond le goût de la terre, cet attrait que lui avait légué son grand-père Allaire, mais dont le sort l'avait coupé abruptement par les mains d'Émélie.

Tout comme Édouard Allaire était pendant longtemps resté relié à la terre, enraciné en elle par la main de Marie-Rose Larochelle, Alfred le demeurait quant à lui par son cheval et sa voiture fine. Mais les chevaux ne durent pas ce que durent les hommes, et il en avait repassé plusieurs depuis toutes ces années. Celui-ci était jeune, alerte mais docile. Une bonne et belle bête achetée du maquignon de la Grand-Ligne, Odilon Poulin.

Le cheval roux d'Alfred avait reçu pour nom Jane (prononcé à l'anglaise) et pour parrain Henri qui lors d'une visite l'année précédente avait été témoin de l'achat de la petite jument par son frère à qui il avait prodigué ses conseils au moment de choisir. Jane, c'était facile et court à dire.

On gardait la bête dans la petite grange blanche derrière le magasin durant l'hiver, et dans le clos de pacage l'été.

Pit Veilleux veillait sur elle parmi ses autres travaux exécutés pour Freddé, y compris les foins sur la terre, les réparations de clôtures, les commissions et les livraisons à droite et à gauche.

Alfred monta dans la voiture et, par une légère secousse des rênes, signala à Jane de se mettre en marche. L'attelage déboucha sur le chemin Foley entre la maison à Bernadette et l'extrémité du long hangar. En cet endroit, un garçonnet se balançait. Armand y avait installé une balançoire voilà quelques années, et n'importe qui pouvait s'y arrêter et se laisser bercer par le plaisir du geste. Solange occupait souvent la place, mais sans trop bouger de crainte de tomber à la renverse, elle qui n'avait pas un très bon sens de l'équilibre.

Le gamin crut que Freddé lui dirait de s'en aller, mais il n'en fut rien. L'homme ne rabrouait jamais les enfants parce qu'ils se trouvaient sur sa propriété. Et souvent les garçonnets s'en donnaient à cœur joie en jouant à cache-cache partout autour et dans les nombreuses bâtisses.

Celui-ci était Claude Cloutier, l'orphelin blond que ses grands-parents Pelchat avaient pris en adoption et qui vivait avec eux dans l'ancienne maison de la famille Boutin. Il lui arrivait d'échapper à la surveillance de sa grand-mère comme en ce moment. Freddé lui jeta un coup d'œil et passa son chemin. Le cheval bifurqua sur la rue principale. Le bruit de ses sabots sur l'asphalte indiquait qu'il était bien ferré solide, sans doute par Georges Pelchat. (Ernest Mathieu, quant à lui, avait fermé sa boutique de forge en 1948 pour exercer son métier dans les chantiers l'hiver et cultiver sa terre du bas de la Grand-Ligne l'été.)

Puis, Alfred prit le chemin du rang 9 entre les terres appartenant à Uldéric Blais et à Alcide Campeau. Personne n'avait bâti de maison avant un mille de sorte que sitôt sur ce chemin, on se retrouvait à l'extérieur du village, en pleine campagne.

C'est là que l'idée du voyageur quitta le moment présent pour reculer dans le temps, vingt ans auparavant.

Cette année-là, il avait failli perdre le bureau de poste aux mains d'Alphonse Champagne...

En 1932, les conservateurs de Richard Bennett arrivèrent au pouvoir à Ottawa. Comme le bureau de poste était en quelque sorte une faveur politique, les quatre conservateurs (renommés) du village de Saint-Honoré firent application sur-le-champ pour obtenir cet honneur. L'heureux gagnant fut Alphonse Champagne, l'autre marchand général. Triomphant, Champagne embaucha Octave Bellegarde pour effectuer les préparatifs, et un lundi matin, il confia à son frère Marie-Louis le soin d'aller chercher le mobilier au magasin à Freddé. Sans redouter quoi que ce soit, Marie-Louis avança son attelage devant le hangar du magasin et s'apprêtait à descendre du traîneau quand une pluie de boulettes de papier journal s'abattit sur lui. Levant la tête, il eut le temps d'apercevoir le fils aîné d'Alfred, Raoul, ainsi que Paul-Eugène Blais (fils d'Uldéric), Napoléon Dubé et Dorilas Poirier. Ces jeunes de Shenley qui étudiaient normalement au séminaire de Lévis, étaient restés chez leurs parents en cet automne 1932 parce que leurs parents n'avaient pas les moyens de payer leurs études. La crise économique sévissait depuis 1929, et l'argent était rare. Voyant que les jeunes se préparaient pour une nouvelle attaque, Marie-Louis ne lambina pas et retourna chez son frère pour lui faire part des événements. Alphonse Champagne ne fut pas troublé par cet accueil. Il savait que l'inspecteur des Postes, monsieur L'Allier, devait arriver vers le milieu de l'avant-midi pour le confirmer dans ses nouvelles fonctions et que celui-ci réglerait le litige (en sa faveur).

Lorsque le fonctionnaire des Postes arriva à Saint-Honoré, il ne se doutait pas que la population, entre-temps, s'était mobilisée. En entrant dans le magasin à Freddé, il vit une foule, hommes d'un côté et femmes de l'autre, qui attendaient tout en discutant de façon animée. Au son des grelots fixés sur la porte, tous les regards se tournèrent vers lui, et les conversations s'arrêtèrent. Quelques personnes que le sort avait désignées sortirent du rang et demandèrent que le bureau de poste reste au magasin d'Alfred Grégoire. L'inspecteur, éberlué, jeta un regard à la ronde et prit quelques secondes pour rendre un jugement digne de Salomon: «Bonne renommée vaut mieux que ceinture dorée!»

Il remit ainsi le bureau de poste à Freddé dans un concert d'applaudissements.

Un clocher dans la forêt, par Hélène Jolicœur.

Vingt ans plus tard, Alfred Grégoire était toujours maître de poste, et plus personne n'avait jamais cherché à prendre sa place. D'autres souvenirs épars accompagnèrent sa route de ce jour ensoleillé. Comme ce discours prononcé à l'occasion des noces d'or des époux Gédéon Jolicœur en juillet 1946...

C'est un honneur pour moi de fêter cet anniversaire, et cet honneur rejaillit sur toute la paroisse. Je souhaite que dans dix ans, vous et nous qui sommes ici venions fêter de nouveau vos noces de diamant. Vous, les jubilaires, que vous devez être heureux en ce moment en regardant autour de cette table votre nombreuse famille qui est une des plus honorables et qui vous fait honneur dans la paroisse et au pays jusqu'aux confins des États-Unis. Vous, Monsieur Jolicœur, je vous remercie d'avoir été avec mon père pour beaucoup dans les affaires publiques et toujours pour l'avancement de la paroisse...

Un clocher dans la forêt, par Hélène Jolicœur.

Puis, son esprit retourna loin, si loin en arrière, en 1895, à l'arrivée du train pour la première fois à la gare de Saint-Évariste. Alfred avait 8 ans, et c'est là qu'il avait connu les Jolicœur qui n'étaient pas encore mariés. Il devait se souvenir d'eux parce que sa mère en avait parlé, mais c'est le train qui l'avait impressionné et cet homme politique important qui en était descendu pour haranguer la foule réunie là pour cette mémorable inauguration...

Tout commencement respire la joie.

C'était un grand jour pour Saint-Honoré et pour toute la région avoisinante. Le jour le plus attendu depuis le premier coup de hache en 1854 par Clément Larochelle quarante ans auparavant. Un jour d'avenir. Un jour de liesse. Un jour mémorable. Et pourtant, l'événement qui en était le cœur se produirait à plus de quatre milles de distance. Les Grégoire en seraient avec tous leurs enfants à l'exception du dernier resté à la maison sous la garde de la nouvelle servante. Le curé Feuiltault en serait pour en tirer des arguments en faveur de la grande église à construire. Ferdinand Labrecque en serait aussi, lui qui avait multiplié les demandes au gouvernement de la province au nom de sa municipalité dont il était maire depuis huit ans, et de toute sa paroisse...

Une ombre au tableau, une seule pour Honoré : c'est le gouvernement conservateur de la province qui avait rempli une promesse faite par le libéral Honoré Mercier. La rumeur voulait même que le premier ministre en personne, le très honorable Louis-Olivier Taillon, soit du voyage inaugural.

Mais le plus important de tous les personnages, celui qui s'était tant et si longtemps fait désirer, arriverait bientôt, empanaché, glorieux, puissant et avec grand fracas. Il portait un nom court et magique : le TRAIN.

Ces deux dernières années, on avait enfin construit la ligne Scott-Mégantic en passant par Tring-Jonction, Saint-Victor, Saint-Éphrem, Saint-Évariste, Courcelles, Saint-Samuel pour arriver à sa destination de Lac-Mégantic, où les rails poursuivaient leur course parallèle, vers les États-Unis d'un côté et vers Sherbrooke de l'autre. Et on avait aussi bâti les gares en ces divers lieux de halte du fameux cheval de fer qui sillonnait maintenant toute l'Amérique. Aucun scandale n'en avait résulté, et Honoré Grégoire pensait qu'hélas ! il valait peut-être mieux que Mercier soit trépassé pour qu'à sa disgrâce imméritée ne s'ajoutât point le regret de voir que ses adversaires politiques avaient réalisé un de ses vœux, fait publiquement à deux ou trois reprises et privément au moins une fois devant Émélie et lui-même lors de leur visite au Palais du Parlement quand le flamboyant politicien se trouvait encore dans l'Opposition.

Il y avait foule sur le long quai de la gare et plus loin, dans les champs le long de la voie dans les deux directions. Il était venu des gens de Saint-Évariste, de Saint-Honoré, de Saint-Hilaire et jusque de Saint-Martin, la municipalité voisine de Shenley du côté est. « C'était noir de monde, » diraient toute leur vie les assistants. Le ciel avait revêtu son manteau le plus bleu pour l'occasion. On était à la fin de juin en un dimanche de chaleur raisonnable.

Le couple Grégoire avait tenu à emmener les enfants pour graver en eux à jamais cet événement considéré comme le plus important de leur vie outre ceux de leur vie familiale proprement dite. Un nouvel avenir s'ouvrait devant eux : une moisson d'or serait enfin leur récompense de tant d'années d'efforts, de sacrifices, de sueur et parfois même de sang. Ce train, si on avait eu à le baptiser, aurait porté le nom tout simple et grandiose de : Désormais. Approvisionnements par train. Voyages en train vers Québec ou Mégantic, vers les États ou Sherbrooke. Pouvoir aisément se rendre à Montréal, à Lewiston voire dans l'Ouest du Canada. Désormais, plus rien ne serait pareil...

Il vint à l'esprit d'Honoré un meilleur nom peut-être que Désormais pour ce train nouveau, et ce fut celui de Liberté. Finis les interminables transports de marchandises de Thetford à Shenley. Il suffirait d'un petit voyage de quatre milles et de pas trois heures aller et retour. Finis les cahoteux périples en diligence de Saint-Georges à Lévis. Terminé le long enfermement hivernal dans les limites de Saint-Honoré.

Et possibilité d'accéder à des soins médicaux voire une hospitalisation en moins d'une demi-journée, survienne un accident grave ou autre situation d'urgence.

Émélie et Honoré avaient parlé de tout cela une fois de plus et avec un enthousiasme particulier ce jour-là en venant à la gare, revêtus de leurs plus beaux atours avec leurs enfants tout aussi endimanchés qu'eux-mêmes. Une excitation fébrile les atteignait comme tous les autres sur place, mais figeait les gens dans une sorte d'attente euphorique. Seules les bouches se faisaient aller et servaient d'exutoire à cette exaltation née en chacun du sentiment de posséder le monde par ce train qui leur était donné.

– Quelle heure qu'il est ? demanda Émélie à son mari.

Il tira sa montre derrière les jambes d'Alice qu'il tenait dans ses bras et répondit :

– Onze heures moins quart : les gros chars arrivent dans un quart d'heure d'après le chef de gare.

– C'est les enfants qui vont être fatigués : une demi-heure sans bouger.

Mais Émélie comprenait qu'il fallait payer le prix pour être aux premières loges, soit entre la gare et la voie ferrée. Elle tenait Ildéfonse par la main qui avait son autre main dans celle d'Éva qui, elle-même, avait son autre main dans celle d'Alfred. La famille Grégoire formait ainsi une portion du premier rang sur lequel se trouvaient d'autres gens de Saint-Honoré dont leur commis Jean Jobin qui avait offert de tenir le magasin. On l'avait fermé pour cette journée capitale. Il y avait aussi le curé Feuiltault qui s'entretenait avec son collègue de Saint-Évariste de construction d'église. Car cette paroisse voisine en possédait une belle grande depuis bientôt huit ans, érigée sur la côte la plus importante de la région d'où l'on pouvait voir l'horizon ouest à des milles.

Théophile Dubé avait fermé le moulin et conduit son épouse Démerise à la gare. D'autres aussi comme Joseph Foley venu avec Napoléon Cipisse Dulac, Anselme Grégoire et son père Grégoire étaient arrivés tôt. Restitue qui ne voulait pas manquer l'événement, était venue avec son gendre Onésime Pelchat et sa fille Célanire.

Pas loin des Grégoire se trouvait un couple dont Émélie supposa que la jeune femme devait avoir 20 ans et son compagnon guère plus. Il lui semblait les avoir déjà vus quelque part, et elle fouilla dans ses souvenirs tout en les observant à satiété en ayant l'air de surveiller la voie ferrée qui disparaissait dans un tournant à un quart de mille, là où surgirait bientôt le noir mastodonte. Et, elle le trouvait beau, ce garçon avec sa moustache tombante et sa pipe fumante, son regard profond et ses cheveux noirs. La jeune femme, sans doute son épouse, rendait parfois à Émélie ses regards d'observation, et son sourire exhalait une sorte de beauté tranquille. Et une sorte de tristesse lointaine comme celle écrite dans les yeux d'Émélie.

Pour qu'il se tienne si proche d'elle, songea Émélie, c'est sans doute qu'ils n'étaient pas encore mariés. Elle glissa un mot à Honoré à leur sujet ; il se détacha des siens et alla les voir :

– J'pense vous connaître, mais ça doit pas, hein ?

– Nous autres ? se surprit le jeune homme à la voix posée et plutôt basse. On vient de Saint-Évariste.

– Moi, c'est Honoré Grégoire, le marchand de Shenley. Ma femme pis mes enfants sont là...

– Moé, c'est Jolicœur, Gédéon Jolicœur.

Honoré lui tendit la main en même temps qu'il toisait sa compagne :

– Et elle, c'est l'épouse ?

– Non, pas encore, avoua Gédéon avec un sourire embarrassé.

La jeune femme, qui l'était plus encore que lui, serra la main tendue sans dire son nom tant elle était timide, réservée, emprisonnée en elle-même. Gédéon la présenta :

– Elle, c'est Marie Lamontagne.

– Venez que je vous présente ma femme, le temps que les chars arrivent, suggéra Honoré.

Ils acceptèrent...

On n'eut que le temps de se dire quelques mots seulement, car le rugissement du train se fit entendre dans le lointain. Le son se transforma en plainte puis de courtes lamentations suivirent. Comme si la locomotive avait voulu prévenir ceux qui l'attendaient de sa puissance et de sa faiblesse. S'affirmer tout en réclamant de l'affection comme un enfant qui grandit.

« Ben hâte de voir ça ! » dit Cipisse Dulac.

« Nous autres itou ! » ajouta Onésime Pelchat.

– Enfin ! Enfin ! dit Honoré quand le monstre d'acier parut là-bas.

– Les gros chars, les gros chars, annonça Freddé à sa mère, comme si elle n'en savait rien et pour lui faire plaisir.

Bien entendu, la plupart des adultes présents avaient déjà pris le train, mais pas les enfants. On avait beau avoir l'habitude, songeait Émélie, l'arrivée d'un train constitue chaque fois un événement fort impressionnant par l'énormité du monstre docile et de ses bruits de mécanique, de chaudière, de vapeur qui siffle, de roues qui grincent et de rails qui gémissent sous le poids formidable.

Retenait l'attention en premier la cheminée d'acier qui s'élevait en s'agrandissant au-dessus du réservoir et dont s'échappait ce long panache de fumée noire que l'engin exhalait à grands coups de ses puissants poumons encrassés.

Puis, le regard s'abaissant tombait sur le gros phare éteint qu'on allumait de noirceur mais qui le jour et par un aussi grand soleil captait les rayons qu'il reflétait par sa vitre luisante et ses parois de métal doré.

– Les enfants, tenez-vous ben serrés pis grouillez pas, leur ordonna Émélie.

Honoré ne manquait pas de leur jeter un regard protecteur à mesure que s'approchait le géant dont les roues déjà faisaient vibrer le quai de la gare sous les pieds des visiteurs et voyageurs. Cette locomotive n'était pas de la dernière génération et avait probablement une vingtaine d'années, jugea-t-il quand il aperçut ce grillage rouge devant et qui servait à libérer la voie pour le cas où il s'y trouve un morceau de bois ou autre objet capable d'entraver le roulement et, cas extrême, de faire dérailler le train.

Les petites mains se tenaient solidement. Éva retenait ses larmes tout en se demandant pourquoi elle pleurerait. Alfred se sentait rassuré par la présence, pas loin sur sa droite, de ce grand personnage moustachu qui avait dit s'appeler Jolicœur. Et Ildéfonse se serrait contre sa mère.

Émélie parvint à toucher dans la poche de sa robe fleurie sa croix de bois et la mèche de cheveux de Georgina. Et plus creux, elle tâta les grains du chapelet de Marie. À l'insu de son mari, elle avait pris avec elle ces objets sacrés avant leur départ. Et c'est à Pétronille, sa mère, et à ses deux sœurs qu'elle pensait quand le train entra en gare à vitesse réduite mais dans un fracas assourdissant alors que le quai frémissait de tous ses bois.

L'odeur de métal mouillé se répandit tout autour. Le mécanicien garda la tête droite comme si un manque d'attention de sa part eût risqué de faire dévier le colosse de sa voie. Et la locomotive dépassa le quai puis alla s'immobiliser à une certaine distance de façon que le principal wagon à voyageurs soit à hauteur de la gare. Un homme cravaté apparut aussitôt dans les marches et lança :

– Mesdames et messieurs, vous allez maintenant entendre quelques mots du premier ministre de la province, le très honorable Louis-Olivier Taillon.

Et Taillon expliqua pourquoi sa visite n'avait pas été annoncée :

– La vedette du jour ne doit pas être le premier ministre, dit-il sur un air de fausse humilité politicienne, mais le train, ce train qui en est à son premier voyage par ici. Saint-Évariste est un lieu magnifique ainsi que les paroisses d'alentour. Longue vie aux gens de par ici. Mon gouvernement est heureux de vous offrir enfin le train. Vous l'avez eu avant d'autres qui l'attendent et qui l'auront bientôt...

Il sortit un papier griffonné de sa poche pour terminer:

– Vive Saint-Évariste! Vive Saint-Honoré! Vive Saint-Hilaire! Et vivent les gros chars!

Il fut vivement applaudi et resta sur place pour serrer les mains qui ne tardèrent pas à venir se tendre devant la sienne. Honoré s'y rendit aussi. Pour se donner de l'élan, il imagina que Taillon était Mercier.

La maison rouge, chapitre 41

Le bruit des sabots de Jane ramena Alfred à la réalité de 1951. On arrivait en bas de la première côte, sur le pont de bois franchissant ce vieux ruisseau qui aurait parlé de Marie-Rose et de son grand-père Édouard Allaire s'il l'avait pu... Et qui aurait offert à ce voyageur la même eau si rafraîchissante quoique moins pure que celle d'antan, bue par le couple un jour de miracle. Et qui aurait pu pleurer aux larmes de Marie Allaire quand elle passait par là en 1887 pour aller vivre ses dernières heures dans la profonde solitude de la maison là-bas.

Mais Alfred se remit à penser au grand train noir qui avait gravé en lui la plus mémorable image de son enfance. On clamait au siècle dernier que le cheval de fer supplanterait le cheval de chair. L'on dira ensuite que l'automobile le ferait. On croira plus tard que le camion et le tracteur de ferme ne tarderaient pas à reléguer aux oubliettes et les chevaux et les boutiques de forgeron. Mais il y avait encore nombre de belles bêtes aux quatre coins de la paroisse. Chevaux de trait. Chevaux de chemin. Même que des villageois en gardaient pour de petits travaux domestiques: Ernest Mathieu en avait deux, Jean Pelchat autant et Fortunat Fortier, cet homme d'affaires devenu hôtelier à la place des Grégoire de la famille à Pampalon, logeait dans sa grange une jument baie qu'il faisait courir parfois, attelée à une voiture.

Tant qu'il y aurait des Alfred Grégoire dans la paroisse, il y aurait des chevaux. Et tant que chaque saison, il passerait en selké des bossus Couët, le quêteux de Courcelles, on honorerait cette bête si noble qui, plus que toute autre, avait tiré l'humanité en avant vers son progrès et son modernisme de la décennie 1950 qui commençait.

Ce cheval roux était le bien le plus précieux que possédât Alfred, bien au-delà de son magasin, de sa résidence, de ses granges et roulant, de ses terrains reçus en héritage. Il était le grand et seul symbole de son attachement à la terre. Il était le lien le plus fort qui l'unît à son passé, à son enfance, aux temps inoubliables de sa jeunesse rêveuse et heureuse. Et son fils Honoré, tout comme lui, aimait cette bête et la traitait avec un soin empreint de respect.

Le temps passa en même temps que la distance et l'on fut bientôt sur le deuxième pont, au-dessus d'une rivière aux eaux bleu foncé. Alfred fit arrêter Jane. De là, il jeta un coup d'œil en bas sur la roche à Marie. Il y était venu à quelques reprises avec Amanda du temps de leurs fréquentations, mais le charme n'avait pas opéré. Elle s'était montrée nerveuse et bien peu concernée par les choses du passé, si belles et romantiques fussent-elles. L'homme imagina sa tante assise là à regarder l'eau s'écouler en lui parlant, tandis que son ami Georges pleurait à l'idée de la quitter pour toujours comme elle le voulait : une scène que lui avait décrite à quelques reprises son grand-père Allaire au temps jadis. C'est pourquoi, chaque fois qu'il passait là, Alfred s'arrêtait un moment pour imaginer...

On fut bientôt chez les Page. Jos fumait la pipe, assis à l'extérieur. Dès que la voiture entra dans la cour, il lança :

– Freddé... viens t'assire pis tirer un *touch*.

– Ouais, ça sera pas long, mon Jos.

Le hasard faisait bien les choses. Elmire avait affaire à Freddé. Les Page avaient l'œil sur une maison voisine de celle des Paradis (Hilaire) dans la rue des Cadenas. Leur terre était à vendre. On déménagerait au village dès que possible. On irait jusqu'à deux cents piastres pour la maison. Le père Edmond et Marie étaient partis pour un monde meilleur, et il ne restait plus qu'Anna, Elmire et Jos. Leur temps était plus que venu pour un déménagement au village afin de rapprocher Jos de son ouvrage à la beurrerie Poirier et les deux sœurs de leur chère église qu'elles avaient dessein de fréquenter deux fois par jour au moins.

Elmire, qui avait vu venir Alfred et l'entendait gravir les marches de l'escalier, se pointa le nez dans le moustiquaire :

– Salut, Freddé !

– Salut, Elmire !

– J'ai affére à toé à matin.

– Dis c'que tu veux.

– La maison d'la rue des Cad'nas qui t'appartient. On mettrait deux cents piastres, nusautr'...

– Deux cents piastres, ça fait pas mon affaire.

Embêtée, Elmire hésita devant pareille opposition bougonne :

– Ben... on veut se garder du pécule pour nos vieux jours. Jos travaille encor', mais...

– Cent piastres, ça ferait mon affaire. Deux cents piastres, c'est trop pour une vieille maison de même.

– C'est comme tu voudras, Freddé...

Peu d'hommes auraient ainsi négocié à la baisse. Le cœur d'Alfred Grégoire venait de parler une fois de plus...

∞∞∞∞∞∞∞

Chapitre 4

1951...

– Y a du grand nouveau dans la paroisse, le sais-tu?

Éveline haussa une épaule. Bernadette fit un pas de plus dans la cuisine du logement des Poulin à la salle paroissiale.

– T'es toujours la première à savoir les nouvelles, Bernadette, toi.

– C'est à cause du magasin pis du bureau de poste.

– C'est quoi, le grand nouveau? Une mauvaise ou une bonne nouvelle?

– Mauvaise, ben mauvaise! Mais ça en donne une bonne.

– Arrête tes mystères, pis parle!

– D'abord, notre bon docteur Goulet s'en va.

– Ça se parlait.

– Là, c'est fait. Il va s'établir à Sherbrooke. Sa maison est vendue. Gédéon Jolicœur s'en vient au village avec sa dame. Ils vont rester là, voisin de moi. Du si bon monde...

– Pis on va rester sans docteur? Une grosse paroisse de même?

– Un autre s'en vient: le docteur Sabourin. Il va s'installer dans la maison en face de chez Médée Racine.

– Ouais, ça en fait, du nouveau, tout ça!

Des bruits confus de pas multiples et voix de jeunes garçons se firent soudain entendre. La porte voisine, de l'autre côté du couloir, venait de s'ouvrir pour livrer passage aux élèves du professeur Beaulieu. Ils allaient s'aligner sur un long rang pour se rendre, chacun leur tour, à l'une des deux petites salles de toilette situées plus loin, au-delà de la porte de la cuisine où jasaient les deux femmes. Ensuite, ils se hâtaient de sortir de la salle pour aller en récréation.

Le professeur surveilla pendant quelques minutes, et quand la file raccourcit dans le premier corridor, il se retira dans sa classe. Un élève qui aperçut le derrière de Bernadette dans le chambranle de la porte ne sut résister à la tentation et lui pinça une fesse en passant. Puis, il courut à toutes jambes en riant aux éclats et disparut dans le couloir transversal qui menait tout droit dehors.

– Toi, mon p'tit bonyenne de Gilles Mathieu ! s'écria la femme faussement outrée. Non, mais l'as-tu vu faire ?

– Il a fait quoi ?

– Il m'a pincé le... derrière.

Éveline pouffa de rire rien qu'à voir le grand regard de l'autre. Et l'incident qui aurait pu valoir au jeune adolescent une fessée royale au martinet du professeur fut vite clos.

Ainsi, se construisait le Saint-Honoré de la nouvelle décennie. Un monde de jeunesse, d'espérance, de bonne humeur, celui de l'après-guerre, qui triomphait sur la misère noire des années de crise, suivies des années troubles de la guerre et incertaines de la fin des années 1940.

L'univers d'Émélie Allaire et d'Honoré Grégoire s'estompait derrière les nouveaux horizons du temps, vingt ans après leur disparition. Et les Grégoire de deuxième génération formaient une famille éclopée en train de vieillir alors que la descendance de la troisième génération s'ouvrait à son tour sur un avenir ensoleillé.

Ce dimanche, Rosaire Boutin fit monter dans sa voiture taxi Amanda, Alfred et Solange. Pour permettre à sa voisine d'en face de voir son fils Victor, Bernadette lui avait cédé sa place, prétextant qu'il fallait quelqu'un pour répondre au magasin si un client avait besoin. Quant à Doré, il avait un important rendez-vous avec une jeune fille...

Et Berthe ne serait pas pénalisée puisque sa sœur viendrait la voir à Québec un jour de semaine bientôt. Éva et Amanda encadrèrent Solange sur la banquette arrière tandis que Freddé prenait place en avant.

Amanda ne tarda pas à prendre des nouvelles des grands enfants de sa voisine qui fit de même. Jeanne d'Arc, maintenant remariée depuis deux ans, avait repris l'enseignement à Notre-Dame-des-Bois. Elle était sans enfants. Cécile, qui vivait aussi là-bas et avait perdu en 1949 une petite fille de deux ans, morte de la typhoïde, avait deux autres enfants. Quant à Fernande, troisième fille Mathieu à vivre à Notre-Dame-des-Bois, Amanda savait qu'elle s'était mariée l'été d'avant, en 1950, et qu'elle donnerait bientôt naissance à un premier enfant.

– Dolorès étudie toujours pour être garde-malade ?

– Oui, à Saint-Hyacinthe. Et son amie Lise Boutin étudie à l'hôpital Notre-Dame, à Montréal. Deux amies d'enfance : deux infirmières.

– Et pe...uis le p'tit Paulo, parle-moi donc de votr' p'tit Paulo.

Éva soupira :

– Depuis qu'il est parti, il écrit une fois ou deux par année. La première année, il a travaillé un bout de temps à Sherbrooke dans un garage et là, il se trouve au fond de l'Ontario.

– Quel âge qu'il a asteure ?

– 18 ans.

– Il est parti jeune.

– À 15 ans. Sans rien dire à personne. Un beau matin, suis allée le réveiller en haut : l'oiseau s'était envolé du nid. A dû prendre l'autobus la veille pour Sherbrooke.

Alfred écoutait sans en donner l'air. Lui se souvenait comme hier de ce départ du fils Mathieu trois ans auparavant. Même que Paulo lui avait emprunté dix dollars la veille sans dire la vraie raison. Et Freddé, comme de coutume, n'avait pas su, n'avait pas pu refuser quelque chose à quelqu'un qui lui demandait de cette manière si suppliante. L'adolescent lui avait dit que c'était pour se procurer des lunettes, arguant que son père ne voulait pas payer pour ça. Comment lui refuser? Et le lendemain, Paulo levait les feutres, las de travailler avec son père, en conflit larvé avec lui, désireux de gagner sa vie au loin comme tant d'autres avant lui. Comme Jos Allaire, comme Henri Grégoire, comme Raoul et comme les filles à Freddé. Ils étaient plus nombreux celles et ceux qui voulaient, malgré leur attachement, briser leur lien avec Saint-Honoré, où le gagne était encore bien rare malgré la prospérité retrouvée après la grande crise économique.

Alfred, qui n'avait jamais avoué aux Mathieu avoir prêté à Paulo l'argent de son départ, ne devait pas le faire ce jour-là non plus malgré un certain à-propos, ni ne le ferait jamais. Que Paulo garde les dix dollars! Il avait fait pour le mieux et n'en avait aucun remords.

Le propos d'Amanda était calme et mesuré. Il n'y paraissait guère qu'elle souffrait de troubles mentaux intermittents. Ceux-ci étaient bien moins accusés que dans les années 1930 alors qu'on avait dû l'hospitaliser sur une période de dix ans. Il lui restait toutefois son rire intempestif. Elle parla peu de ses filles, pour la plupart installées aux États-Unis. La distance qui la séparait d'elles ne s'était jamais amenuisée. Alfred, dont le lien avec leurs filles avait été renforcé par la maladie de sa femme, jugea bon ne pas intervenir pour dire ce qu'il advenait de Rachel, d'Hélène, de Monique, d'Yvette, de Marielle et de Thérèse.

L'aller fut tranquille. Solange réagit fort au passage du pont de Québec comme chaque fois qu'elle le traversait. Sa mère lui raconta pour la énième fois que le pont était tombé à deux reprises au temps de sa jeunesse, une première en 1907 alors qu'elle avait 21 ans et la seconde en 1916.

– C'était loin avant que tu viennes au monde, ça, Solange, intervint Alfred, sentant que le propos d'Amanda effrayait sa fille muette et attardée.

Solange montra par un rire aux grands éclats à faire vibrer les vitres qu'elle était rassurée, et l'on passa à autre chose tandis que les dernières poutrelles du pont gris se faisaient oublier à l'arrière de la voiture.

– C'est mon oncle Freddé qui arrive, c'est mon oncle Freddé qui arrive ! lança Odette à son père par la vitre abaissée de la portière de l'auto.

On savait chez les Jolicœur qu'il viendrait de la visite de Saint-Honoré ce dimanche pour Berthe. Ovide était venu avec les quatre enfants, et on attendait dans l'aire de stationnement de l'hôpital Laval. Il y eut une grande déception dans le visage des fillettes quand elles se rendirent compte que leur tante Bernadette (qu'elles appelaient Badi) n'était pas du voyage. Alfred leur donna des explications. Elles retrouvèrent leur sourire en apprenant que leur tante viendrait plus tard dans la semaine et passerait même une nuit ou deux à la maison du boulevard Laurier.

Tout le monde était dehors entre les deux autos garées l'une pas loin de l'autre. Ovide leva la tête ; il aperçut son épouse là-haut, à la fenêtre de sa chambre, et qui saluait de la main comme chaque dimanche de visite, des larmes aux yeux de n'être pas capable de voir ses enfants de plus près, mais la joie au cœur d'au moins les voir de loin.

Mais toutes les têtes ne se tournaient pas vers l'hôpital, et les yeux d'Amanda foudroyaient Odette qui supportait le regard de cette tante si peu sympathique. En l'imagination de chacune repassaient des scènes de poursuite de l'une par l'autre autour de la maison rouge ou dans les hangars au voisinage du magasin.

C'est que du temps où la famille Jolicœur habitait chez Bernadette, Odette, le diablotin, prenait un malin plaisir à provoquer sa tante Amanda, sachant que la femme ne voulait pas la voir sur son territoire, encore bien moins l'y endurer. Odette avait beau courir vite quand elle avait les pattes aux fesses, un jour, ses tresses avaient joué contre elle. Amanda était parvenue à l'attraper par l'une puis l'autre, puis s'en était servi comme de rênes pour la diriger vers chez elle tout en lui infligeant sporadiquement des coups de genou au derrière, transformant la fillette en véritable kangourou.

C'est à cet événement que toutes deux en même temps songeaient en se dévisageant sans vouloir ni l'une ni l'autre baisser les yeux.

L'une avait l'air de dire: «Hein, je t'ai eue, cette fois-là!»

Et l'autre avait l'air de répondre: «Mais essaie donc de m'avoir encore, toi!»

– On y va! suggéra Ovide. Ils sont sévères sur les heures de visite à l'hôpital.

Odette leva la tête et détacha son regard tout lentement du visage de sa tante Amanda qui lui répondit de manière aussi hautaine.

Les adultes marchèrent en direction de l'entrée sous le regard des enfants obligés de rester aux alentours de la Cadillac noire sous la surveillance de l'aînée qui continuait de lancer des flèches en direction de tante Amanda.

– J'vous dis que je m'ennuie des enfants à Ovide! dit la femme à Éva d'un ton suffisamment haut pour que son beau-frère devant puisse l'entendre.

– La Odette, elle était pas mal agitée, fit Éva joyeusement et sur un ton qui demandait commentaire.

– Ah, mais une enfant agitée, ça met donc de la vie !

– Des fois trop... j'en ai un, le Gilles, j'te dis que...

– Mais y est donc fin, celui-là ! Il fait rire tout le monde.

– Il fait damner son petit frère en tout cas.

À la première marche du large escalier, Ovide leva de nouveau la tête, et Berthe lui fit un signe et un sourire de là-haut ; puis il regarda les enfants qui se tenaient regroupés devant la voiture. Il soupira fort et reprit sa marche.

∞∞∞

Tandis qu'Éva se présentait à la salle commune où son fils était hospitalisé, Ovide recevait l'accueil de Berthe qui logeait, elle, dans une chambre privée.

– Une bonne semaine ? dit-elle en ouvrant les bras pour une étreinte que son ventre rendra difficile.

– Comme les autres : ouvrage par-dessus ouvrage.

– Bernadette a laissé sa place à madame Mathieu ?

– Freddé qui s'en vient m'a dit sur le parvis que Bernadette va venir dans le courant de la semaine. Il restait une place dans le taxi : aussi bien que madame Mathieu vienne pour voir son garçon.

– Pauvre Victor, il parle de plus en plus de se faire opérer. Même chose pour Ti-Lou.

– Mais pas Armand ?

– Viens, entre !

Il la suivit. Ils allèrent prendre place, lui sur une berçante et elle dans un fauteuil droit qu'elle préférait vu sa grossesse avancée. Elle reprit la parole :

– Armand, pas question qu'il subisse une thoraco, lui ! Il dit qu'ils vont jamais le charcuter comme une carcasse de veau à l'abattoir.

Ovide se montra sceptique :

– Ça... il voulait pas venir au sanatorium, mais il est venu. Il pourrait changer d'idée là-dessus aussi.

C'est une voix d'homme qui lui répondit, celle même d'Armand qui avait entendu l'échange par l'entrebâillement de la porte :

– Oublie ça, mon cher Ovide Jolicœur ! Armand Grégoire va s'en aller dans sa tombe avec tous ses morceaux. Au grand complet !

Le frère de Berthe entra, suivi de Ti-Lou Boutin. Ils allèrent prendre place sur des chaises droites pliantes. De nouveau, il fut question de chirurgie. Ti-Lou envisageait la chose. Son poumon droit était trop attaqué pour que les médicaments puissent le guérir : il faudrait en faire l'ablation partielle dans les mois à venir. Mais pour cela, le chirurgien devait préalablement ouvrir un passage dans la poitrine pour avoir accès au poumon, opération qui consistait à scier les côtes et à les enlever. C'était ça, la thoracoplastie.

– Ça va prendre pas mal de sang ! suggéra Ovide.

– J'trouverai ben des donneurs...

Au même moment, dans la salle commune où était Victor, on parlait du même sujet, sa mère à son côté et son voisin Marcel, qui prenait part parfois à l'échange.

Surpris et content de voir sa mère, Victor s'était remis au lit. Le jeune homme de 22 ans ne saurait guérir que par la seule vertu de la pénicilline et de la streptomycine vu les avaries graves à son poumon gauche. À lui aussi, il faudrait une thoraco suivie d'une lobectomie. Et à lui aussi, il faudrait beaucoup de sang le moment venu.

Mais il avait la vie devant lui. Tandis qu'Armand faisait le double de son âge, et pour cette raison, s'accrochait moins à l'avenir, d'autant qu'il était stoïque et cynique par nature, sans méchanceté profonde toutefois.

– Quand est-ce que tu voudrais te faire opérer, Victor? demanda Éva.

– Le printemps prochain pour la thoraco pis l'automne prochain pour l'autre opération.

– Ça réussit pour la plupart de ceux qui l'ont, intervint Marcel.

– Pas tous! objecta Victor.

– Ceux qui sont plus âgés ont plus de misère, c'est sûr, mais les plus jeunes passent au travers, eux autres.

Un appareil de radio diffusait une émission fondée sur la bonne humeur. L'animait Saint-Georges Côté, un personnage que les malades avaient tous en profonde admiration. Tout de gentillesse et de simplicité malgré une certaine sophistication dans le ton, l'animateur-vedette était aussi capable de critique des institutions établies et des hommes politiques. Mais il travaillait dans le respect des personnes. Et la ville de Québec, tous les jours, devenait un peu meilleure grâce à sa présence tout partout par la magie des ondes.

Ce jour-là, en regardant sa mère au front barré par les rides de l'inquiétude, Victor eut une idée. Quand viendrait son tour de se faire opérer, il écrirait à Saint-Georges Côté pour lui demander de faire un appel à tous sur les ondes afin de recruter des donneurs de sang de son groupe pour lui permettre de survivre. Cela n'était pas courant, même que personne n'avait pensé le faire encore, mais peut-être que ça marcherait. Il lui faudrait garder son secret, mais le pourrait-il si un ami malade ne parvenait pas à trouver les donneurs dans sa famille et son entourage paroissial?

Berthe parla de son état qui s'améliorait grâce aux médicaments. Puis, le regard étincelant, elle déclara posément :

– Mais c'est surtout grâce à mon « Jésus ».

– Ton « Jésus » ? interrogea son frère.

– Le bébé dans mon ventre. Au fil des mois, à mesure qu'il grandissait en moi, il soulevait délicatement ma cage thoracique pour ainsi m'aider à respirer et donc aider à la guérison de mes poumons.

– Ça se pourrait-il, ça, Ti-Lou ? demanda Armand à son neveu qui dévorait tout ce qui concernait la tuberculose et les traitements de la maladie, y compris les plus nouvelles avancées de la médecine sur le sujet.

– Ben entendu que ça se pourrait !

– Tu parles au baptême, on va essayer de tomber en famille nous autres itou ! lança Armand avec un éclat de rire.

Il fut le seul à réagir autant. Il parut aux trois autres que la blague n'était pas du meilleur goût. Et c'était comme si Armand ne croyait pas ce que pensait sa sœur à propos de la grâce que lui faisait cette grossesse et cet enfant qu'on attendait pour le 10 juillet à venir, donc très bientôt.

L'incertitude dans laquelle se trouvait chacun fut brisée par un bruit léger, celui d'un doigt discret qui frappait à la porte. Berthe savait qu'il s'agissait d'une jeune fille à qui elle avait promis de présenter son mari, dont elle lui avait parlé avec tant d'enthousiasme.

– Entrez !

La porte fut poussée. C'était bien Madeleine Houde, une jeune fille de 19 ans, installée dans la salle commune et qui, disait-on, avait fait l'objet d'essais de chirurgie et d'expérimentation de médicaments. Si bien que Berthe l'appelait la « petite martyre ». Madeleine, orpheline à 13 ans, avait travaillé chez C.A.R.D.E., une entreprise qui fabriquait des munitions à la base de Valcartier. Elle était rejetée par les religieuses car, à l'occasion, de jeunes soldats de la base venaient la voir. Et les bonnes sœurs interceptaient ses lettres d'amour, et depuis lors, Berthe acceptait de servir d'entremetteuse. Elle recevait le courrier de Madeleine et le lui passait ensuite.

C'est un être au visage blafard, les yeux entourés de bistre, une tresse blonde au milieu du dos, qui parut dans l'embrasure de la porte, vêtue d'une jaquette blanche piquée çà et là de petits lutins roses.

– Viens t'asseoir sur le lit! lui dit joyeusement Berthe. D'abord, je vais vous présenter, toi et mon époux. Ovide, Madeleine... Et eux, c'est de la parenté, mais tu les connais déjà...

– Monsieur Armand! dit la jeune fille. Monsieur Boutin.

– En plein nous autres! dit Armand.

Elle fit des gestes de la tête mais garda soigneusement ses mains derrière son dos. Pas question pour elle de toucher quelqu'un, même souffrant de tuberculose. Et timidement, elle prit place à peine sur le coin du matelas au pied du lit.

– Berthe m'a souvent parlé de toi et en bien, tu peux en être sûre! lui dit Ovide.

Elle sourit faiblement, baissa les yeux:

– Je viens souvent la voir.

Berthe sourit:

– Chaque fois, elle en a à me conter, c'est effrayant.

– Pis vous, madame Jolicœur, tout autant.

– C'est vrai, ça. Je lui ai raconté l'histoire de la famille Grégoire depuis quasiment la naissance de mon père à Saint-Isidore... et de ma mère à Saint-Henri. Elle connaît tous mes frères et sœurs, même si elle a rencontré rien que ce vieux-là, là... (désignant son frère) et Bernadette qui est venue nous voir deux, trois fois cet hiver, Armand pis moi.

– Sacré yable, t'es capable de faire des phrases longues, Berthe ! fit Armand. Je commence à te croire quand tu dis que ton bébé te permet de mieux respirer.

– Même le docteur L'Espérance est d'accord avec moi. J'ai pas inventé ça comme ça, tu sauras, Armand Grégoire.

– J'te crois, j'te crois.

Ti-Lou, qui n'avait guère parlé jusque là, prit la parole :

– J'ai une suggestion pour le nom de votre enfant, ma tante Berthe.

– Ah oui ? Dis-moi ça ! Ti-Lou, t'es connu comme un homme de goût.

– Désiré.

– Désiré ? grimaça Ovide.

– Mais si c'est une fille ? objecta Armand.

– Désirée avec un E. C'est un prénom féminin autant que masculin.

Berthe regarda au loin, comme dans un futur prochain :

– Ben... on va voir à ça le moment venu, là...

Et ceux qui s'étaient fait attendre poussèrent enfin la porte pour entrer après avoir frappé. Amanda se montra en ricanant, suivie son mari et de Solange. Ils avaient pris cinq minutes pour saluer Victor Mathieu puis s'étaient rendus à la salle où se trouvaient deux autres enfants de la paroisse, Barthélémy Maheux et Albéni Quirion.

Amanda ne craignait aucunement la consomption pour elle-même ni pour Solange ou Alfred. Tout comme son mari, elle croyait que si elle avait eu à l'attraper, cette maladie, il y a belle lurette qu'elle l'aurait eue. Aussi, s'approcha-t-elle rapidement de sa belle-sœur pour lui serrer la main et l'embrasser sur les joues à travers des éclats de joie qui sonnaient un peu faux, au contraire de ceux de Solange que la vue de sa tante Berthe rendait folle de joie.

– Viens m'embrasser, Solange! C'est toi la plus belle de mes nièces.

La jeune femme muette ne se laissa pas prier, et ce fut l'étreinte. Berthe protégea son ventre mais aussi sa nièce de sa respiration qui aurait pu être porteuse du satané bacille. Et qui l'était sûrement encore malgré les progrès déclarés de ses poumons.

Sitôt l'enfant né, on soignerait la malade aux nouveaux antibiotiques et d'ores et déjà, on lui donnait de belles chances de guérison sans devoir passer par la hache des chirurgiens de la thoraco, ce qui laissait à ceux qui subissaient l'opération désossement un immense trou dans la poitrine.

Mieux valait mourir pour une femme que de survivre avec un creux de la grosseur d'un poing à la place d'un sein! Mais Berthe priait. Et dans son ventre, Désiré(e) veillait au grain. À telle enseigne que le bébé mettrait dix voire quinze jours de plus que prévu pour achever son travail de support à sa mère. Cela, Berthe et Ovide l'ignoraient encore...

∞∞∞

Wilfrid Jolicœur, le fils aîné de la grande famille, s'occupa de ses parents. Il trouva un acheteur pour leur terre du Grand-Shenley et fit l'acquisition pour eux de la maison du docteur Goulet. Le vieux couple y emménagea ces jours-là.

Et les Page aussi déménagèrent au village. On put alors les voir rôder partout en quête d'une vieillesse à la mesure de leur vie de toujours: pauvre, simple, calme, sereine. Et parfois joyeuse et bruyante s'il s'agissait de Jos.

Et le soir, avant la brunante d'été, on les voyait pour plusieurs se diriger vers le magasin à Freddé, y entrer pour trouver de la fraîche, musarder en attendant l'arrivée du Blanc Gaboury qui ramenait les sacs de courrier de la gare.

C'était ainsi depuis un demi-siècle déjà. La longue table centrale restait la même. Les comptoirs, les mêmes. L'escalier de chêne : juste un peu plus usé des marches, mais une rampe encore luisante. Le plancher : celui-là même que la petite Bernadette frottait et frottait encore en 1912. Sauf que les planchettes avaient été sablées par le temps.

Et l'aveugle Lambert qui entrait toujours l'un des derniers, ayant appris par la bouche de sa femme que le Blanc revenait de Saint-Évariste, se dirigeait par sa vieille canne, et les badauds avaient intérêt à soulever leurs jambes ou bien ils se feraient picosser comme il faut... comme cette pauvre jeune Berthe du temps de son adolescence.

Deux gamins, un blondin et un brun sombre, entrèrent au magasin en se suivant de près. 11 et 9 ans. Le premier poussa la porte sur l'autre pour l'empêcher de pénétrer à l'intérieur et pouvoir se moquer de lui. Et le second lui lança des menaces. C'était le plus loin qu'il pouvait aller pour se défendre de son frère, plus fort et rusé, et surtout bien plus espiègle que lui.

Gilles courut entre les pieds des loustics et alla s'asseoir sur le comptoir, à côté d'un empilage de quatre boîtes de biscuits en vrac. Celle du bas : les whippets. La suivante : les biscuits à feuille d'érable. Ensuite : les côtelés. Et dans celle sur le dessus : les grands biscuits ronds au thé, les moins prisés et les moins volés. De ce qu'il fallait donc en soulever, des boîtes, pour atteindre ceux que les enfants appelaient, l'œil gourmand, les biscuits au chocolat ! Rien ne saurait arrêter Gilles quand il songeait au petit clin d'œil d'un whippet. Il s'arc-bouta contre la pile, souleva légèrement les trois boîtes du dessus avec sa main bien accrochée à la troisième, son corps appuyé aux deux autres, puis introduisit sa main droite jusqu'au milieu du couvert de la quatrième, celle contenant les petits trésors tout bruns, rangés comme des lingots et capables de conserver même leur fraîcheur et leur odeur grâce à leur prison sans air, noire comme la nuit profonde.

Assis dans l'escalier, André le regardait agir. Jamais il n'aurait l'audace de faire de même. Pour lui, prendre un whippet à la maison, même dans un sac caché, ce n'était pas un vol, mais au magasin chez Freddé, c'était une autre histoire. Il se demandait comment son frère pouvait arriver à se servir ainsi partout où il allait. Gilles volait du fromage au *shack* des Anglais quand le propriétaire pompiste allait livrer de l'essence aux automobilistes. Il volait des cigarettes chez Bébé Poulin, un homme qui possédait un petit magasin tranquille dans une maison construite à la place de celle, rasée par le feu, qu'avait occupée la famille d'Arthur Boutin avant et après la mort d'Éva. Et Gilles volait même de l'argent dans la boîte aux mandats de poste quand il parvenait à s'introduire dans le magasin le dimanche en l'absence de tous. Un sérieux et grave larcin qui devait certes passer sur le dos de ce pauvre Doré aux yeux d'un Freddé qui ne dirait jamais un mot de toute façon.

En attendant la « malle » du soir, le garçon se bourrait la face de whippets tandis que le visage de son jeune frère ne pouvait se bourrer, lui, que d'envie.

Après trois ou quatre biscuits gloutonnement avalés, le plus vieux s'adressa au plus jeune :

– T'en veux un, un biscuit chocolat ? Viens icitte, je vas t'en donner. Envoye, viens voir comment qu'on s'en prend.

La curiosité plus que la cupidité amena le cadet auprès de l'autre, qui aussitôt lui tendit un whippet.

– Ouvre ta main, envoye !

Incapable de dire non, l'autre obéit.

Gilles, d'un geste vif de prestidigitateur, mit le whippet dans la main tendue et l'y écrasa en riant aux éclats, y laissant des lambeaux gluants de guimauve, de chocolat et de graines.

Puis, il courut autour de l'escalier et se rendit crier à Freddé qui commençait à dépaqueter la « malle » :

– André, il vole des biscuits au chocolat, André, il vole des biscuits au chocolat...

Le maître de poste leva les yeux au-dessus de ses lunettes puis les rabaissa sur son paquet de lettres.

– Ah, les p'tits mosus de Mathieu, s'exclama l'aveugle, sont donc ben haïssables. C'est pas comme le p'tit Cloutier, lui, il est ben élevé par son grand-père Pelchat.

Freddé grommela :

– Bah ! des enfants, c'est des enfants !

∞∞∞

Le jour suivant, une cousine d'Ernest par alliance, Marie-Anne Morin, épouse de Joseph Mathieu qui habitait la rue de l'Hôtel, se présenta au magasin d'Éva où elle venait souvent sans guère acheter. Elle y fit alors une découverte horrifiante. Dans la seconde partie du magasin, séparée par une cloison de la première, trônaient, exposés sur le piano, des chapeaux pour dames en paille étincelante teintée de blanc pur, ornés de tissus légers et de fleurs discrètes comme des pensées naissantes.

– C'est quoi ça, Éva ? dit la petite femme d'une soixantaine d'années, maigrichonne, sèche et qui arborait sans cesse un sourire ironique, mais un œil réprobateur.

– De quoi tu parles, Marie-Âne ?

– Des chapeaux que je vois là.

– Ben... c'est des chapeaux.

– Depuis quand que tu vends des chapeaux, toé, là ?

– J'en ai toujours eu un peu depuis que le magasin est ouvert. Tout le monde sait ça.

– Tu les cachais quand c'est que je venais ou quoi ?

– Tu veux en venir où au juste ? demanda la marchande qui replaça son crayon sur son oreille.

– Tu le sais que ma fille répare des chapeaux, que c'est une vraie modiste...

– Tant mieux ! Moi, j'en vends. Les femmes les portent, pis ta fille les répare.

– Ben t'es pas « smatte » ma chère Éva, t'es pas « smatte » pantoute de nous faire ça. On t'a rien fait, nous autres. Tu nous ôtes le pain de la bouche, c'est ça que tu nous fais. J'aurais jamais cru ça de toé, Éva Pomerleau.

– Écoute, Marie-Âne, viens t'assire devant moi qu'on en parle.

– Non, je m'assis pas dans ton magasin, je m'en vas chez nous pis tu suite. Si c'est pas une honte c'est que tu fais là !

En hochant la tête, elle sortit alors même que Bernadette Grégoire passait sur le trottoir en claudiquant, tête basse, pressée de se rendre quelque part. Le bruit de porte et des voix arrêta la passante qui agrandit les yeux :

– Bonjour Madame Mathieu ! Bonjour Madame Mathieu !

Elle saluait ainsi tour à tour Marie-Anne et Éva ou bien vice versa. Il ne lui fut rien répondu, et c'est à peine si on lui consentit un œil en biais, ce qui lui fit percevoir un conflit en marche sur la galerie.

– Quand on ôte l'pain d'la bouche à tcheuqu'un, ça nous r'tumbe su'l'nez, tu sauras, Éva !

– J't'ôte pas le pain de la bouche, Marie-Âne, j'vends des chapeaux pis ta fille en arrange. C'est pas pareil.

Bernadette saisit aussitôt la situation et prit parti :

– Pis même là, le soleil reluit pour tout le monde. Éva s'est mis à vendre les mêmes lignes que nous autres v'là trois ans, c'était son privilège. Elle avait pas de permission à nous demander comme Tine Racine avait fait à Joseph Foley avant d'ouvrir sa boutique de forge. C'était le vieux temps, ça;

asteure, on est en 1951... C'est pas une raison parce qu'on est là avant quelqu'un d'autre de vouloir tout garder l'eau de la source pour soi-même.

– Toé, Bernadette Grégoire, tu devrais ben de mêler de tes mosus d'afféres. J't'ai pas attaquée, t'en vends pas de chapeaux, pis t'en as jamais vendu non plus.

– Pis ? On est tout du bon monde ensemble dans la paroisse. À force de partager comme il faut, on survit ben comme il faut. C'est ça que mon père nous a montré, à nous autres.

– Quand on est plein d'argent comme ton pére était, on peut en montrer, des belles afféres à ses enfants.

Et Marie-Anne descendit les marches, rasa le bouquet de fougère et, dos voûté, prit son petit pas courbé habituel vers la rue de l'Hôtel sans rien ajouter.

– Fais-toi pas de bile avec ça, Éva; dans une semaine, elle va oublier sa petite crise. Si c'était pas pire que ça, les guerres, l'humanité serait pas mal plus heureuse. Ça continue de bardasser en Corée. Faudrait faire prier les enfants...

– J'te remercie, Bernadette, d'avoir pris ma part.

– En réalité, j'ai pris la part du gros bon sens. À part de ça que sa fille, c'est rien que depuis l'année passée qu'elle travaille des chapeaux. Ah, madame Marie-Âne, c'est une bonne personne, mais elle a dû piler su'la queue du chat à matin.

– Pis c'est moi qui hérite des coups de griffe.

Bernadette éclata de rire et ramena la bonne humeur au cœur d'Éva une fois encore comme tant d'autres déjà...

∞∞∞∞∞∞

Chapitre 5

1951...

Il vint enfin, cet enfant désiré. Mais son prénom fut Hélène. La nuit de sa naissance, Ovide était tellement heureux qu'il réveilla tous ses enfants et les emmena faire un tour de voiture. Cette nuit-là, il se produisit un tremblement de terre, et l'homme expliqua le phénomène aux enfants. À l'évidence, le nouveau-né ne pouvait pas rester à l'hôpital car l'état de santé de Berthe nécessitait encore une hospitalisation. L'aide familiale qu'Ovide avait engagée pour s'occuper de la maison et de la famille, une femme acariâtre nommée Lucia Nadeau, fit connaître son point de vue sans le moindre détour.

« J'ai été engagée pour garder quatre enfants, pas cinq ! Pas question de m'occuper d'un bébé naissant ! »

Lucia, un petit bougon noir comme charbon, carburait à la colère. Elle n'acceptait pas le plus petit écart de conduite de la part des enfants. Un jour, elle surprit Christine et André qui tentaient de voir sous sa jupe quel genre de bloomers elle portait. Les pauvres prirent une belle raclée...

La petite dernière prit donc le chemin de Montréal une semaine après sa naissance et quelques heures seulement après son baptême à l'église Saint-Charles-Garnier de Sillery. Elle fut accueillie par ses parrain-marraine, Jean-Louis Jolicœur et son épouse, Hélène Fortin, originaires de Saint-Éphrem. La petite y demeura plusieurs mois et y reçut le vaccin contre la tuberculose, le BCG. C'est parce qu'Hélène Fortin était elle-même enceinte et qu'elle devait accoucher à son tour que leur filleule reprit la direction de Québec. À cette époque, l'enfant n'avait pas encore de prénom bien arrêté, usuel. Berthe voulait l'appeler Anne parce que née la veille de la fête de sainte Anne, mais son entourage craignait la déformation en Âne. Madame Genest, sa compagne de chambre, suggérait Denise. Mais Berthe détestait ce prénom tout en ne voulant pas contrarier cette femme si agréable de compagnie. C'est ainsi que «Désirée» reçut le prénom définitif d'Hélène en l'honneur de sa marraine et pour le contentement de tous et chacun[1].

L'état de Berthe s'améliora rapidement. Sa joie et les radiographies en disaient long sur l'état de ses poumons. Les antibiotiques parachevaient le travail joyeux et laborieux accompli en elle par bébé Hélène qui, sans doute, par ses cellules souches transmises à sa mère, contribua à la reconstruction de ses voies respiratoires en même temps qu'à la destruction du bacille infectieux.

Berthe Grégoire y croyait dur comme fer. Bernadette croyait que c'était plutôt la prière. Armand n'y croyait pas du tout. On n'entendrait parler de cellules souches que bien des décennies plus tard...

La malade quitta le sanatorium à la mi-décembre 1951. Ovide portait sa valise. Le couple s'arrêta au pied des marches, dehors, dans la neige, pour regarder la fenêtre où tant de fois depuis un an Berthe avait salué les enfants tout en retenant ses larmes dans sa gorge étouffée par la douleur morale. Cette fois, il lui en vint plusieurs qu'elle ne put ni ne voulut retenir. Et lui pleura de la voir pleurer. Il la ramena ensuite à la maison. Odette, Christine, André et Nicole attendaient leur mère dans leurs plus beaux atours, rangés comme des petits soldats sur les divans et fauteuils du salon qu'on leur avait dit de ne pas

1.Ce texte reproduit mot à mot les commentaires d'Hélène Jolicœur, celle-là même qui vient de naître.

quitter afin de laisser entrer Berthe et pour n'exposer personne au froid du dehors.

Ce serait pour la mère de famille, rescapée de l'hôpital d'où l'on sort par la porte arrière selon une religieuse dangereusement optimiste, l'un des plus beaux jours de sa vie avec ceux de son mariage et de la naissance des enfants. Car ici, il s'agissait pour elle et toute la famille d'une renaissance à la vie. Un bonheur à multiples facettes. Un soulagement incommensurable.

Ovide ouvrit et laissa le passage à son épouse. Lucia demeurait en retrait derrière les enfants, bras croisés et regard endurci par ce qu'elle prenait pour un devoir impérieux de gardienne et gouvernante.

Assise sur le bras d'un divan, Odette se mit sur ses jambes d'un bond, mais elle fut stoppée net par le regard de son père. Il les avait prévenus tous : ne bougez pas tant que maman n'ira pas à vous. C'est elle qui va décider. Vous attendrez sagement, bien sagement. Et l'ordre strict en avait été répété par Lucia à maintes reprises. Mais ni Lucia ni Lucifer n'auraient pu empêcher Odette de sauter sur ses pieds. L'énorme regard d'Ovide toutefois la figea sur place.

– Bonjour, les enfants ! Maman revient à la vie !

Des larmes brillaient plein les yeux de Berthe. Les enfants s'échangèrent des regards sans trop savoir quoi penser. Elle se défit de son manteau qu'Ovide recueillit. Une chaise, sa chaise habituelle, attendait cette mère, plus aimante que les autres parce qu'elle était une Grégoire et aussi parce qu'elle avait traversé une cruelle épreuve et les immenses territoires de la peur, celle de mourir, mais bien plus grande encore, celle de ne plus jamais revoir ses enfants.

– Bonjour, maman ! dirent les quatre voix mélangées.

Et Berthe prit la chaise berçante pour se défaire de ses bottes, mais elle les oublia et voulut d'abord serrer sur son cœur chacun de Nicole, André, Christine et Odette.

– Maman va vous demander de vous approcher un après l'autre, mais elle vous aime égal. Papa a dit que le mieux serait de commencer par la plus petite. Ça fait que Nicole, tu peux venir voir maman.

La fillette de 4 ans n'avait pas prêté attention sauf quand son nom fut prononcé. Odette lui répéta en se penchant vers elle :

– Va voir maman, Nicole.

Et la petite, dans sa robe et son cœur tout roses, s'avança timidement.

– Est un peu gênée, ça fait longtemps qu'elle vous a pas vue, Berthe, intervint Lucia de sa voix rauque.

Mais son grain de sable ne suffit pas à rompre le charme du moment, et la petite bonne femme se rendit à sa mère qui lui tendait les bras sous le regard à la fois attendri et soucieux de son père. C'est qu'Ovide avait appris à boire durant l'hospitalisation de sa femme et que ce jour-là, l'alcool lui manquait.

– Viens que je t'embrasse sur les joues, ma petite fille, viens voir maman.

Nicole s'abandonna. Berthe lui pinça les joues et les embrassa, mais évita, par réserve ultime suite à sa maladie, un baiser sur la bouche.

Ce fut au tour d'André, 7 ans faits. Comme tout garçon de cet âge, il se sentit un peu mal à son aise entre les câlins de sa mère. Mais s'y plia de bonne grâce. Au moins lui ne détestait pas les étreintes maternelles, comme son oncle Armand celles d'Émilie autrefois.

Et vint la grande et belle Christine, celle qui faisait battre le cœur de certains petits voisins quand on retournait à Saint-Honoré l'été parfois. Son horloge biologique avait sonné ses

8 ans le jour de l'Annonciation au printemps, et elle marchait donc vite sur ses 9 ans. Néanmoins, elle mesurait ses pas comme une grande fille, et cela ajoutait chez elle aux grâces de l'enfance.

– Bonjour, maman ! dit-elle, sachant qu'elle se répétait.

Elle comprenait que ce bonjour était privé, seulement d'elle à sa mère ; Berthe qui le saisissait également, lui souffla à l'oreille un mot unique dit en quatre mots :

– T'es donc belle, Christine !

L'enfant regarda sa mère de visage à visage, et leurs yeux s'en dirent encore un peu plus, puis Berthe lui demanda :

– Ramène Nicole et André avec toi, je veux parler avec Odette un peu, là.

– Oui, maman !

Ce qui fut fait, et Odette n'attendit pas le signal pour laisser libre cours aux deux ressorts qui étaient comprimés dans ses jambes. Elle courut à sa mère et se jeta littéralement entre ses bras :

– Maman, maman, on est contentes que vous soyez revenue. On avait ben besoin de vous à la maison.

Et pourtant, Odette était pensionnaire depuis l'année d'avant. Les sœurs de St-Joseph-St-Vallier, où elle étudiait, lui avaient accordé bien des permissions spéciales depuis l'hospitalisation de sa mère. D'autant qu'on la considérait déjà comme une orpheline. Elle pouvait donc sortir les fins de semaine, du vendredi soir au dimanche. Il lui avait aussi été permis de faire deux téléphones par semaine à l'hôpital Laval pour parler à sa mère.

L'ennui que la fillette connaissait au pensionnat, la tristesse que lui valait la terrible maladie de sa mère, l'immense crainte de la perdre éprouvée chaque jour, toutes les prières qu'elle avait dites afin de supplier le ciel de lui redonner sa maman, tout cela avait formé une sorte de bulle immense qui crevait en ce moment pour inonder son visage et celui de sa mère des larmes du soulagement, de la joie, de l'espérance retrouvée.

– Suis là, ma grande, et pour tout le temps. Je vas prendre soin de vous autres. On va être heureux, tout le monde ensemble.

– J'vas pas retourner pensionnaire ?

– Ben... faut que tu finisses ton année, là ; ensuite, on verra si c'est mieux pour ton avenir.

– J'veux pas retourner là-bas, j'veux rester avec vous.

Berthe lui prit les tresses et la regarda droit dans ses petits yeux espiègles et tout mouillés :

– On va arranger ça pour que tu sois heureuse, tu vas voir, tu vas voir.

Odette étreignit sa mère de nouveau...

Les autres enfants sentaient qu'un lien bien spécial unissait leur mère à leur sœur aînée, mais ils n'y prenaient pas ombrage... Et c'était un lien de souffrance.

∞∞∞

Mais il y avait un vide dans cette maison. Et pourtant, il n'y manquait personne qui n'y soit déjà au départ de Berthe pour le sanatorium. Bébé Hélène, toujours à Montréal, brillait vraiment par son absence. Ovide dit à sa femme qu'il avait pris entente avec sa belle-sœur Hélène pour qu'on ramène la petite début janvier, alors que Berthe aurait fait sa visite prescrite au bureau de la Santé publique pour se faire examiner et pour que les enfants soient radiographiés et vaccinés contre la tuberculose par le BCG. Cette visite était prévue pour le 28 décembre à la clinique située dans un ancien orphelinat, à l'intersection de la rue Mazenod, Franklin et Sinaï, dans la paroisse Notre-Dame-de-Grâces.

Même si par quelques appels téléphoniques Ovide parvint à faire devancer la date annoncée au 20 décembre, il n'était guère possible de modifier aussi les plans quant au retour du bébé à la maison, et ce, malgré un infléchissement de la volonté de Lucia qui promit de servir au sein de la famille tant qu'on aurait besoin de ses services. Et elle ne serait pas seule pour tout faire puisque Berthe rentrait à la maison.

Le couple fit quelques emplettes de Noël. Lucia cuisina. Odette et les enfants s'occupèrent de l'arbre et de la décoration. Ils mirent pas mal de temps à construire la crèche. Leur père les munit de ses conseils, mais il voulut les laisser se débrouiller par eux-mêmes afin qu'ils développent leurs propres talents.

On ne ferait pas un réveillon de nuit et plutôt un repas du midi en famille, le jour même de Noël, après la grand-messe. Ovide dit considérer tout d'abord la fragilité de son épouse. Et les enfants risquaient de s'endormir trop tôt. Les raisons du chef de famille l'emportèrent sur les impératifs de la tradition.

Toutefois, il y avait un calcul derrière ces décisions et ces motifs avoués. Ovide, avec la complicité des enfants et celle de sa belle-sœur et de son frère Jean-Louis, avait soigneusement aménagé une surprise à Berthe pour faire de ce Noël le plus mémorable de toute sa vie.

Depuis deux jours, Odette passait son temps à dire devant sa mère :

« Il manque quelque chose sous l'arbre de Noël ! »

Et Berthe allait voir sans trouver. Il lui semblait alors que sa fille s'inquiétait du nombre de cadeaux qui était moindre vu le peu de temps qu'on avait alloué au magasinage. Et ça la chicotait bien un peu.

Ce que les enfants n'avaient pas mis dans la crèche, et pour cause puisque c'était la tradition, c'était l'Enfant Jésus. Mais voici que ce jour même de Noël, Jésus n'était toujours pas là. Et quand on partit pour la messe, Odette reprit sa phrase sur le ton le plus sérieux: «Il manque quelque chose sous l'arbre de Noël.»

– Et qu'est-ce qu'il manque donc? lui demanda sa mère.

– Ben... quelque chose...

Odette se fit évasive et sortit. Berthe dut penser à autre chose une fois de plus.

Au retour de la messe, tout parut inhabituel à la mère de famille. La table était servie. Ovide insista, sitôt les vêtements enlevés, pour qu'on y prenne place. Chacun trouva sa chaise, et au moment de dire la prière, Ovide en changea les mots:

– Mon Dieu, bénissez-nous tous, ici présents, Berthe, Odette, Christine, André, Nicole, moi-même... et bien sûr madame Lucia qui a préparé pour nous un repas de roi... Mais comme l'a dit Odette cette semaine, il manquait quelque chose sous l'arbre de Noël, et c'est bien sûr Jésus dans la crèche. Notre Jésus à nous, c'est le plus beau que le ciel ait pu nous envoyer et...

Ovide haussa le ton comme pour héler quelqu'un:

– ... on voudrait le présenter à sa mère, notre Jésus à nous autres...

Les enfants trépignaient d'aise sur leurs petites fesses. Une porte de chambre s'ouvrit à la grande surprise de Berthe et voici que parut sa belle-sœur Hélène tenant entre ses bras la petite Hélène dont le retour à la maison n'était prévu que pour dans deux semaines.

– Elle nous a fait attendre pour venir au monde, dit Ovide, et là, elle nous arrive avant son temps.

– Ah, mon bébé! Ma petite Hélène! s'exclama Berthe, larmes aux yeux et bras tendus pour la prendre.

– On vous a joué un bon tour, hein, maman? s'exclama Odette qui s'était mise debout, n'y tenant plus sur sa chaise.

Le sourire du bébé semblait porteur de renaissance. Il éclairait la pièce, faisait étinceler les regards. C'était le sourire du réveil et de l'émerveillement pur. Entourée de tous ces bonheurs qui se mélangeaient au sien, la petite Hélène transforma, par son arrivée au sein de la famille Jolicœur, un Noël magnifique en un Noël magique...

∞∞∞∞∞∞∞

Chapitre 6

1951...

Un Noël magique, certes, que celui de cette famille retrouvée après une si dure et triste année, mais avec une ombre au tableau : la maladie d'Ovide. Une conséquence directe de celle de sa femme. Voici dans un texte intégral cet alcoolisme d'un homme de 40 ans décrit par la plume même de sa fille Hélène, une plume à la désarmante sincérité.

Ovide était un père très attentif pour ses enfants. Il ne prenait pas d'alcool avant l'hospitalisation de notre mère Berthe. À partir de ce moment-là, de se voir sans femme et avec quatre enfants sur les bras et un cinquième à venir, il a craqué. Il s'est alors mis à boire. C'est probablement le mari d'une compagne d'hôpital qui l'a initié à cette mauvaise habitude. Quand il venait visiter sa femme au sanatorium, il emmenait Ovide avec lui dans un hôtel du boulevard Hamel à Québec, le Old Mill Lodge, facilement reconnaissable au petit moulin à vent qui coiffait l'édifice. À cet endroit, ils prenaient un coup et faisaient des folies. Quand il a quitté Saint-Honoré pour Québec, Ovide ne connaissait rien à la vie. Au moment de l'hospitalisation de Berthe, ses affaires allaient bien et il avait plein d'argent dans ses poches. Comme il était un homme plutôt timide et qu'il s'ennuyait, la boisson lui apporta un peu de réconfort et de confiance en lui. Elle le mettait plus à l'aise en société. La boisson était aussi largement répandue dans le monde des affaires. Les négociations et les transactions se déroulaient souvent dans les 'grills' ou salons-bars.

Ovide prenait un coup solide. Trois ans après la naissance d'Hélène, il était toujours ivre. Il ne dessoûlait pas. Il allait dans les cliniques de désintoxication, mais dès qu'il en sortait, il se dépêchait de prendre un verre. Il est allé à la clinique Prévost à Montréal mais aussi à la clinique Roy-Rousseau qui démarrait à ce moment-là à Québec. Paule Thériault, la femme d'Ernest (Jolicœur), qui était infirmière, s'était informée pour savoir si la cure pouvait se faire à la maison. On lui avait donné des directives, et elle traitait notre père à sa résidence sous la supervision de la clinique Roy-Rousseau. Elle lui faisait prendre des liquides qui le faisaient vomir. Le but était de le décourager de boire en lui faisant associer certains vomitifs à des malaises et inconfort physique. C'était une forme de conditionnement négatif...

∞∞∞∞∞∞

Chapitre 7

1952

Une petite fête de graduation fut organisée à Saint-Honoré ce beau jour de juin. Tout le village était revêtu de son feuillage nouveau, vert comme l'espérance. Une brise légère, à peine perceptible, chassait l'humidité pour ne laisser régner tout autour que douceur et mesure.

C'était dimanche. La grand-messe avait pris fin une demi-heure plus tôt sur les envolées des grandes orgues, cascades de notes créées par Marie-Anna Nadeau, et qui s'étaient échappées de l'église par toutes ses portes largement ouvertes.

Qui allait-on fêter ce 22 juin après-midi jusqu'au-delà du repas du soir ? Dolorès Mathieu.

Où ? Chez Bernadette Grégoire.

À l'instigation de qui ? Les amies d'enfance et de jeunesse de la jeune infirmière récemment diplômée : Lise Boutin, Colette Grégoire, Simone et Carmen Fortier, Gaétane Talbot.

Et pourquoi pas chez les Mathieu ? La maison était trop petite; le magasin d'Éva occupait la place du salon double. Ernest n'avait pour la fête aucun enthousiasme. Trop de jeunes enfants dans les jambes. Tandis que Bernadette, elle, possédait une maison spacieuse, chic, reposante. Éva rembourserait sa voisine pour toutes les dépenses encourues et prendrait part elle-même au souper. Ernest, sans doute pas. Ces sortes de célébrations ne lui disaient rien qui vaille. Il lui avait bien fallu assister aux noces de Jeanne d'Arc, de Cécile et de Fernande, mais une simple fête de graduation parmi du jeune monde de 20 ans autour... Si au moins la noiraude, sa quatrième fille, était devenue maîtresse d'école!

Ombragée par des ormes et des érables, la maison restait fraîche à cœur de jour. Les jeunes filles partageaient un vin joyeux au salon, à se conter des faits agréables de leur jeunesse. Le récit de l'une amenait par des liens de similitude la petite anecdote de l'autre. Mais aucune ne retint plus l'attention que l'histoire racontée par Colette Grégoire.

Il s'agissait d'une confidence que lui avait faite Dolorès la veille et que la jeune infirmière n'avait pas pour autant mise sous le sceau du secret.

– Viens écouter ça, Bernadette!

Personne ne vouvoyait Bernadette malgré ses 48 ans, pas même les enfants. En fait, les personnes célibataires s'attiraient le tutoiement par un phénomène de fraternisation. On associait la personne, homme ou femme, à un frère aîné ou bien à une grande sœur.

Et Bernadette vint. Elle prit un fauteuil qu'on lui avait réservé entre celui occupé par sa nièce Lise Boutin et un autre utilisé par Simone Fortier.

– L'histoire se passe à l'hôpital Saint-Charles-Borromée de Saint-Hyacinthe...

– Toi, ma mosus de Colette! s'exclama Dolorès qui devinait bien ce que son amie s'apprêtait à révéler.

– Tu m'as pas dit que c'était un secret.

– C'est pas un secret non plus.

– Écoutez ça, vous autres... Dolorès assistait dans une salle d'opération quand on amena un jeune homme blessé à une main. La main ouverte, comme on dit. Une folie de cabane à sucre. Le jeune homme s'appelle Noël. Et là, pendant qu'il se fait recoudre, il voit les yeux à Dolorès. Mais, comme de raison, rien que ses yeux. Elle a son masque sur le visage...

Chacune imaginait la scène. Et Bernadette avec plus d'intensité encore que toutes les jeunes femmes présentes. Son regard était rivé sur la personne de Colette, et tous les mots qui sortaient de sa bouche était transformés en sa tête de joyeuse vieille fille en personnages, en attitudes, en couleurs.

– ... Et Noël a été impressionné par ces yeux-là. Mais au lieu de chercher à en savoir plus du visage qui les porte, il est revenu, aussitôt sorti de l'hôpital, avec une caméra. Il a retrouvé Dolorès dans un couloir et il l'a quasiment prise en photo... de force.

– Mets-en pas trop, Colette, là ! Il voulait une photo, qu'il en prenne une ! C'est ce que je me suis dit. J'lui ai rien donné de plus. Il aurait voulu que j'ôte mon masque et je l'aurais pas fait. Mais il l'a pas demandé.

– Non, mais il a demandé ton nom par exemple.

– J'pouvais pas lui dire que je m'appelais Colette.

Ce fut l'hilarité générale.

– Mais une fois qu'il savait ton nom, il pouvait revenir pour te voir au complet...

Tout le monde rit encore, Bernadette à en avoir un œil à moitié fermé.

– Au complet... du visage, j'veux dire... Et c'est pas long qu'il est revenu pour la voir quand elle était sans masque au poste de garde. Et vous savez quoi, les filles, notre Dolorès se laisse fréquenter par lui de temps en temps.

Lise intervint :

– Ça va finir par un mariage.

– Es-tu folle, toi ? protesta Dolorès.

– L'histoire est trop romantique pour que ça s'arrête là comme ça.

– Toi, Lise, parle-nous donc de tes amours ?

– Moi, j'ai rien dans ma vie. Le prince charmant est pas encore passé devant ma porte. Ou il est passé pis je l'ai pas vu passer parce qu'il allait trop vite...

Ce fut un nouvel éclat de rire général. Bernadette reprit du sérieux :

– C'est vrai, Dolorès, que t'as des yeux pas ordinaires...

(Dolorès épousera Noël, qui mourra 40 ans plus tard, début 1993. Dans son portefeuille, après son décès, elle trouvera une photo découpée, celle de ses yeux. Alors seulement, elle se souviendra de ce jour où il l'avait prise dans un couloir de l'hôpital Saint-Charles-Borromée...)

∞∞∞

– Tu dois rester au sanatorium jusqu'au jour où tu seras guéri. Comme notre sœur Berthe.

Dans le parloir des visiteurs de l'hôpital Laval, Bernadette montrait une détermination farouche dans son regard pesant appuyé sur la personne de son frère.

– Je sacre mon camp d'icitte.

– Pour aller où ?

– Je retourne vivre dans mon camp.

– C'est Baptiste Nadeau qui est dedans. Tu lui as prêté. Il s'est installé comme il faut, lui.

– Il s'en ira ailleurs. Y a ben du monde qui voudra l'héberger, le Baptiste Nadeau. Qu'il s'en aille avec Ti-Boutte Beaudoin !

– Pourquoi t'en revenir sans avoir retrouvé la santé ?

– Parce que je la retrouverai pas.

– Ti-Lou est à la veille de se faire opérer. Victor Mathieu ensuite. Fais donc comme eux autres.

– Mes poumons sont trop endommagés. Faudrait qu'ils me les ôtent tous les deux. Ça sert à rien. La Patte-Sèche l'a dit que je passerais pas 50 ans.

– La Patte-Sèche, la Patte-Sèche, il est mort, pis les os y font pus mal. Tu passes ton temps à parler de ce qu'il disait comme si c'était parole d'évangile. Oublie donc les augures de la Patte-Sèche, pis vis ta vie.

– N'empêche que ce qu'a dit la Patte-Sèche correspond à mes radiographies. J'ai les poumons trop maganés pour survivre. C'est une question de quelques années au plus. Ces années-là, j'veux les vivre à ma manière, pas au sanatorium.

– T'as plein d'amis à l'hôpital. Par chez nous, tu vas te retrouver tout seul comme un coq d'Inde pendu au plafond. Personne voudra te voir. Tu pourras même pas aller au magasin ou ben tu vas faire perdre de la clientèle à Freddé. La consomption, c'est pas rien, tu le sais, ça.

– J'me suffis à moi-même ; j'ai pas besoin de personne.

– Tu vas vivre tout seul dans ton camp à l'année, Armand, c'est sans aucun bon sens.

– Un bon matin, on me retrouvera mort là... comme la Patte-Sèche...

Bernadette trépigna :

– Rien que d'entendre ce nom-là, ça me fait sécher, moi.

Armand sourit et demeura inflexible. Elle dut se résigner. Certes, il pourrait vivre dans son camp en belle saison, mais elle ne l'y laisserait pas en hiver. Et bon, elle n'avait aucune peur d'attraper la tuberculose, et il le savait. C'est pour le voisinage que Bernadette craignait le retour de son frère à Saint-Honoré...

∞∞∞

Sous la gouverne d'Alphonse Champagne, la municipalité de Saint-Honoré se lança dans un grand ouvrage d'aqueduc cet été-là. Ronaldo Plante fut nommé contremaître des travaux qui comprendraient aussi un réseau d'égouts. Un réservoir d'eau potable fut d'abord aménagé en territoire élevé pour que l'eau puisse atteindre toutes les demeures par la force de gravité ; toutes les sources aux alentours furent canalisées vers ledit réservoir. Parallèlement, une immense citerne dut être creusée à même le sol, parfois rocheux, incluant l'ancien puisard, pour recevoir les égouts qui, par les seuls pouvoirs de la nature, seraient recyclés, du moins partiellement, à force de temps.

Il fallait dynamiter. Pour cela, on avait embauché un expert en explosifs, André Rusnak de Lac-Mégantic, un immigrant tchèque qui avait appris son métier durant la guerre et fait sauter quelques ennemis, exploits dont il refusait obstinément de parler. Toute la journée, on avait foré des trous dans le cap. Et Rusnak les avait lui-même remplis de bâtons de T.N.T. Puis, il avait mis les détonateurs en place. L'ensemble formait un réseau de fils secondaires rattachés à un fil central qui courait depuis le roc jusqu'à la pile de contact qui allait générer le courant requis pour faire exploser la charge.

En ce moment d'un soir encore jeune, des hommes, à force de bras, revêtirent le lieu miné à l'aide de tapis faits de câbles de la grosseur du poignet. Ceux-ci retiendraient les éclats pierreux pour les empêcher de voler jusqu'aux demeures du voisinage, dont la maison des Jolicœur voire même celle de Bernadette un peu plus loin.

Et que de loustics aux alentours ! Ce n'est pas tous les jours que les gens de Saint-Honoré se sentiraient transportés, par un petit bout de réalité et un grand bout de leur imagination, en pleine guerre comme celle de 1939-1945 ou bien celle de Corée, qui faisait toujours rage.

Des enfants et des adolescents surtout! Des Mathieu, des Maheux, des Fortier, des Quirion, des Lapointe... Et des plus âgés: François Bélanger, Dominique Blais, Pit Roy, le Blanc Gaboury.

Rusnak avait planté un pieu à distance respectable et intimé à tous l'ordre de le respecter:

– Personne traverse la ligne. Sinon, c'est le cimetière qui l'attend, fit-il avec pour seule autorité sa réputation et son accent étranger.

Par une fenêtre arrière, Bernadette regardait, inquiète.

– Il est mieux de connaître son affaire, ce monsieur Rusnak de Mégantic, grommelait-elle.

On frappa à la porte. Elle délaissa son poste de surveillance et alla ouvrir. C'était Éveline Martin qui portait à l'épaule une grosse sacoche noire.

– De la belle visite: entre donc, Éveline!

La visiteuse en robe d'un vert léger au corsage qui mettait sa poitrine en valeur ne cessa de parler en pénétrant à l'intérieur:

– Je viens te demander conseil... j'veux dire savoir c'que tu penses de...

– Ah, je le sais, on me l'a dit. T'es représentante Avon asteure pis tu penses que ça va me faire fâcher vu qu'on vend des produits de beauté au magasin. Ben pas pantoute!

– Je le sais que t'es pas de même. Je t'ai entendue déjà quand tu parlais avec la femme à Ernest Mathieu. En tout cas... Non, je venais pour que tu me dises ce qui se vend le mieux. Pis si y a des manières de mieux vendre. Des choses comme ça.

– Viens t'asseoir à table. Montre-moi tout ça, là... Si je peux t'aider, je vas t'aider comme il faut... J'te dis que c'est pas beau dans le village, hein? C'est pas drôle pour ceux qui restent de l'autre côté du chemin. Faut qu'ils traversent sur des planches de bois le canal creusé; quelqu'un pourrait tomber dans le trou. C'est dangereux comme le yable. Ah, c'est le prix du progrès. On va avoir de la belle eau claire...

L'échange se poursuivit. On oublia le dynamitage jusqu'au moment où retentit une explosion sourde qui fit trembler toute la maison.

– Mon doux Seigneur Jésus, j'espère que tout le monde était à l'abri.

– Monsieur Rusnak est un homme prudent. J'ai parlé avec lui au magasin. Il mettra pas en danger la vie de personne, c'est certain.

– Sais-tu, à part de ça, que les travaux de rénovation de l'église vont bon train ?

– Suis ben placée pour le savoir.

– C'est sûr... avec ton mari bedeau. Il voit ça avancer tous les jours.

Peinture à la grandeur, prélart incrusté, nouveaux vitraux, réparations partout où elles étaient requises, tout l'intérieur du temple paroissial subissait une restauration qui exigeait des quêtes un peu plus lourdes, et les fidèles répondaient avec grâce à l'appel du curé Ennis à cet effet. En chaire, il se plaisait à comparer l'intérieur de l'église à l'âme des paroissiens, ce qui réjouissait leur cœur et allégeait leur bourse.

– Ça va coûter cher à la paroisse, l'année 1952, soupira Bernadette.

– Il faut ce qu'il faut.

– Ah, les cultivateurs sont dans des années de vaches grasses, faut le dire.

– La paroisse est pas endettée beaucoup malgré tout.

– Pas comme celle de l'abbé Foley à Sherbrooke.

– Comment ça ?

– Une nouvelle paroisse, une église flambant neuve, un presbytère neuf: ça minote, des constructions comme ça. Mais Eugène... je veux dire l'abbé Foley est un prêtre dévoué, un grand travaillant... Sais-tu ce qu'Aline Boutin disait à son sujet l'autre jour? Que l'abbé Foley... attends que je reprenne ses mots à elle... que l'aumônier d'action catholique d'hier se révèle dans tout le gouvernement de sa paroisse par son intelligence créatrice, sa volonté de fer, sa parole aux mots puissants et fracassants comme ceux d'un vrai chef aux décisions rapides et tranchées, aux idées percutantes...

– Comment tu fais pour te souvenir de tout ça?

– Je l'ai fait écrire par Aline sur une feuille de papier et je l'ai appris par cœur. Elle dit qu'un jour, elle va le mettre dans un livre sur l'abbé Foley. Ah, j'ai hâte de lire ça, moi! Je pense à ça, c'est ce pauvre monsieur Jolicœur qui doit s'être fait réveiller par le coup de dynamite. J'te jure qu'il est souffrant. Bourré d'arthrite partout. Il fait de la goutte. Il dort quasiment pas. Pis sa pauvre dame est pas mal fatiguée. Ça prendrait quelqu'un pour prendre soin d'eux autres. Sont autour de 80 ans tous les deux, tu sais. Lui, il est ben souffrant, ben souffrant.

– Des fois, on se demande si le bon Dieu voit la souffrance humaine.

– Dis pas ça, Éveline, dis pas ça!

– Pourquoi qu'il faut tant souffrir pour mourir?

– Attends! Attends un peu, je reviens.

Bernadette se leva et se rendit au salon dont elle revint quelques instants plus tard, une lettre à la main. Elle resta debout dans l'arche des portes séparant les deux pièces:

– On parlait de l'abbé Foley tout à l'heure. Écoute un peu ce qu'il m'a écrit l'autre fois... J'ai souligné ça dans sa lettre, tellement c'est bien dit... Écoute.

– J'écoute.

– Il écrit... Dieu n'est pas venu supprimer la souffrance... Il n'est pas venu l'expliquer... Il est venu la remplir de sa présence… Le chrétien qui souffre est moins un homme que Dieu a frappé qu'un homme à qui Dieu a parlé…

Éveline commenta sur un ton plutôt désabusé :

– Bon. Ça console la personne qui souffre en tout cas.

– En tout cas, la souffrance est pas une punition. Monsieur Jolicœur a travaillé dur toute sa vie. Il a élevé treize enfants si c'est pas quatorze. Il s'est occupé de la chose publique. Qui c'est qui pourrait lui reprocher quelque chose ? Mais le bon Dieu lui en a demandé plus qu'à d'autres…

Cette fois, Éveline se tut. Elle avait envie de parler de produits de beauté, pas de souffrance humaine. Et ramena le sujet sur la table en montrant du regard les petits contenants brillants étendus là :

– Bon, si on revenait à nos moutons.

– Comme de raison, moi, je m'en sers pas beaucoup. Monsieur le curé veut pas voir de rouge à lèvres quand il fait la distribution de la sainte communion. Ça pourrait vouloir dire qu'il est pas trop en faveur des produits de beauté pour les femmes.

– Bah ! tous les curés sont un peu comme ça.

– Non, non ! Pas l'abbé Foley ! Même que si une femme se montre raisonnable avec son maquillage, il dit que c'est pas un péché que d'ensoleiller un visage.

Éveline hocha la tête :

– Mais le curé Ennis est plus sévère, on dirait.

– C'est peut-être rien que pour la communion itou, hein ?

Éveline garda son sérieux et dit, pince-sans-rire :

– Peut-être que c'est lui-même que ça dérange… des belles lèvres toutes rouges qui reluisent…

Bernadette éclata de rire :

– Es-tu complètement folle, Éveline ? Un prêtre, surtout monsieur Ennis, c'est à sa place, comme on dit.

– On sait pas ce qui se passe dans leur chair…

Bernadette rit encore davantage. À s'étouffer et dire :

– Peut-être ben que ça grouille plus qu'on pense en dessous. Avec une soutane, ça paraît pas.

Cette fois, Éveline ne put se retenir de rire elle aussi. Même que son regard pétillait. Elle se sentait à son aise quand on parlait de ces choses-là, même à mots très couverts. Ce qui arrivait rarement entre femmes prudes comme la plupart dans la paroisse.

Et l'on parla de clientèle.

– Les filles à Louis Fortier, ça va te faire des bonnes pratiques. J'te dis que la Lise à Louis est pas piquée des vers, celle-là ! Du rouge à lèvres pis du fard, elle a pas peur de ça, elle.

– Ça sera pas long qu'elle va trouver à se marier.

– Ah, y en a plusieurs qui doivent tenter dessus elle...

La conversation dura encore un certain temps puis Éveline décida de partir. Dehors, les badauds, restés sur leur soif d'éclats et de bruit dont le dynamitage s'était fait avare, retournaient tranquillement au cœur du village, plusieurs se dirigeant vers le magasin, d'autres, vers leur domicile.

En ses mots, Éveline remercia Bernadette pour son accueil et son ouverture d'esprit :

– Avec toi, on s'ennuie pas, c'est garanti.

– Avec toi non plus ! J'aime ça, des personnes qui sont capables de parler de n'importe quoi sans tomber constipées quand on... touche certains sujets.

– À la r'voyure !

– Bonsoir là !

La visiteuse sortit, s'arrêta un moment sur la galerie pour regarder ce long canal qui béait tout au long de la rue principale en sa moitié sud et que bordaient des tas de terre mouillée dégageant une odeur peu agréable : une odeur maîtresse qui régnait partout malgré celles des arbres et des fleurs obligées de courber l'échine pour un temps.

Raoul Blais, qui passait devant en marchant de son pas au calme olympien, lança :

– Ça saute pas haut, la dynamite à monsieur Rusnak.

– On l'a ben entendu, en tout cas, dit Éveline.

– Bah ! l'important, c'est que l'ouvrage soit fait.

– Ça doit...

Il poursuivit son chemin en s'engageant sur une passerelle au-dessus de la tranchée. Éveline descendit et, survenue au chemin Foley, arriva nez à nez avec un personnage qui ne laissait personne indifférent : le dynamiteur de Mégantic.

– Bonsoir, monsieur Rusnak.

– Madame Poulin...

– On a entendu votre coup de dynamite.

– On peut pas empêcher le bruit.

L'homme dans la mi-quarantaine tenait un objet à la main. Il le brandit devant le regard de la femme et demanda sur un fort accent slave :

– Vous avez déjà vu ça ?

– Non, mais ça doit être un bâton de dynamite.

– En plein ça !

– C'est pas dangereux de vous promener avec ça ?

– Y a pas d'explosion sans détonateur... Vous avez déjà pris ça dans vos mains ?

– Ben... jamais vu ça sauf dans des films de cow-boys.

– Quen, prenez !

Éveline n'eut pas le choix. Elle ouvrit la main ; il y déposa le bâton. Bernadette, qui voyait tout par sa fenêtre, courut dehors pour lancer des mots énervés :

– Faut pas jouer avec ça, c'est pire que le feu...

– Ben non, ben non... justement, faut du feu pour que ça explose. Un détonateur. Une ratelle.

– L'enveloppe... c'est du papier.

– Et en dedans, c'est de la nitroglycérine mélangée à du bran de scie. C'est pas méchant... Ça mord pas...

– Je vois ça... Mais j'aime mieux vous le redonner...

Et le bâton retourna à l'expert en explosifs qui salua et reprit son chemin à petits pas satisfaits. Éveline ne lui jeta pas même un coup d'œil, mais, reprenant son propre chemin, elle conserva son image en tête. Dans son imagination, elle ne put s'empêcher de comparer ce dynamiteur viril à son bedeau de mari bien trop servile. Et cette comparaison la troublait fort...

∞∞∞

Alfred (Ti-Lou) Boutin subit une thoraco ainsi qu'une lobectomie. Il en fut de même pour Victor Mathieu. Dès lors, ils furent isolés des autres malades à l'hôpital. Victor y comptait une amie, Anita Gagné, qu'il ne put joindre que par personnes interposées. Ce qu'il dut sacrifier en amour, il le regagna en espérance...

Leur convalescence dura quelques mois. Ti-Lou quitta enfin le sanatorium et retrouva sa famille à Saint-Martin. À l'hôpital, il avait appris trois langues autres que sa langue maternelle ainsi que l'anglais qu'il possédait auparavant. On disait de lui qu'il avait la bosse des langues. Voilà qui s'avéra un atout maître dans la recherche d'un emploi. Peu de temps après, il obtint un poste d'officier aux douanes d'Armstrong.

Lui et Victor remportaient la victoire sur la tuberculose au prix de leur intégrité corporelle et de souffrances inouïes.

Berthe Grégoire n'avait dû subir aucune opération, elle, et le bacille avait déserté son corps pour n'y plus revenir.

Quant à Armand, ayant en quelque sorte décidé de son propre sort longtemps avant de se faire hospitaliser, jamais il n'avait vraiment combattu ses maladies, et il avait trouvé un malin plaisir à les défier encore et encore... Il vivait de nouveau à Saint-Honoré. En ermite. Dans son camp ou bien sa chambre chez Bernadette, en haut de la maison.

∞∞∞∞∞∞∞∞

Chapitre 8

1953

« Pchchchchchchch... »

Une fourche plantée dans du fumier de vache produisait un bruit de succion qui la retenait malgré l'effort déployé par des petits bras d'enfant de 10 ans à l'autre bout.

« Pchchchchchchch... »

– Maudit de maudit! se mit à gémir le garçon.

La vache, qui avait déjecté toute cette merde durant la semaine, entama un meuglement comme pour se moquer de celui qui commençait une fois encore à écurer la dalle remplie de cette substance composée de fiente semi-liquide, de paille étendue la semaine d'avant sous l'animal pour le tenir au sec au moins quelques jours et de son urine qui, l'hiver, ne pouvait pas s'écouler par un tuyau aménagé à cette fin dans le bas mur de la grange tout à côté, mais bouché dur par la gelée.

De l'autre côté de l'allée se trouvaient deux chevaux, un gris et un roux, que la colère enfantine laissait dans l'indifférence la plus totale. Il aurait suffi que l'un d'eux lance une ruade pour que le petit gars soit blessé, assommé et même qu'il en meure, mais ces bêtes étaient des plus paisibles et passaient l'hiver attachées dans leur stalle, sans jamais se rebeller pourvu qu'on les nourrisse une fois par jour de foin sec et d'un peu d'avoine, l'eau leur étant fournie par des abreuvoirs sous le contrôle de leur museau.

« Pchchchchchch... »

Les jeunes pieds bottés poussaient et poussaient afin que la fourchetée cède enfin et qu'il puisse la mettre avec d'autres déjà au centre de l'allée, pour ensuite jeter le tout dehors, sur le tas de fumier, ce qui devait être accompli une fois par semaine le samedi. Plusieurs odeurs de purin et d'excréments se mélangeaient dans l'air ambiant, mais l'enfant ne les remarquait pas, que celle des poules supplante celle des vaches ou que celle des vaches enterre celle des chevaux.

La fiente aspirée par le bas céda finalement à ses efforts, mais plus rapidement que prévu, et l'enfant perdit pied pour tomber sur les fesses et se faire asperger de liquide merdeux dont au moins une goutte l'atteignit droit à l'œil. Dans une pluie de jurons et de gémissements, il ôta sa mitaine et tâcha de faire diminuer la douleur en essuyant d'un doigt le surplus qui restait collé dans ses paupières.

– Le maudit écurage, je le fais pus, je le fais pus, je le fais pus...

Mais personne à part les animaux ne pouvait l'entendre. Chaque samedi, il revêtait des habits d'étable et se rendait là-bas pour y faire le nettoyage derrière les bêtes, pour jeter le fumier dehors, pour soigner la vache, les chevaux, les poules et les moutons à l'autre bout de la grange, dans la batterie. Il avait passé un contrat verbal avec sa mère. Elle lui donnait dix cents pour ce travail auquel s'ajoutait celui du train soir et matin, sept jours sur sept. Cependant, le train se réduisait à donner à manger aux bêtes et à ramasser les œufs, et la tâche ne lui coûtait qu'une demi-heure de son temps. Il fallait aussi qu'il entre le bois de poêle, c'est-à-dire le transporter en traîneau dans la neige depuis un hangar situé à cent pieds de la maison jusque dans un espace appelé le 'trou à bois' sous l'escalier, dans la cuisine.

Dix cents pour tout ça: l'enfant n'avait pas tardé à se sentir victime d'exploitation, même s'il ne connaissait pas encore le vrai sens de ce mot. Et il s'était mis à récolter les œufs pour son propre compte. Un pour la maison, un pour lui-même. Quand il en avait réuni une belle douzaine dans un nid de poule recouvert de foin, il les mettait dans un sac brun et allait les vendre à Freddé. Cela lui rapportait six fois son salaire hebdomadaire.

Quand la douleur eut diminué, il reprit son travail en pleurnichant, ce qui, par les larmes sécrétées, aidait à soulager son œil. Il se fit plus prudent en plantant moins creux la fourche, et la résistance du fumier fut ainsi amoindrie. Bientôt, un bon tas s'accumula dans l'allée. Là, il ouvrit la porte. Un brouillard de neige se rua sur lui et sur les bêtes. Les chevaux bougèrent un peu plus à ressentir le froid, eux qui n'avaient l'habitude que de la température intérieure. L'enfant se mit au nettoyage de l'allée, fourchetée par fourchetée, lançant chacune le plus loin possible afin de ne pas obstruer la porte avant la fin de l'hiver. De nouveau, des gouttelettes brunes frappaient son visage, transportées par le vent tourbillonnant.

Après le fumier des vaches, ce fut celui des chevaux, accumulé depuis une semaine. Celui-là étant bien plus léger et sec ne posait pas de problème sauf s'il ventait comme ce jour-là. À force d'y faire, il parvint enfin à se débarrasser de tout le fumier. Toutefois, il eut du mal à refermer la porte car il s'était formé du gel au bas, par le liquide répandu au cours de l'opération écurage. Et parce que le vent poussait fort. Épaule contre la porte, gémissant de désespoir, le petit homme y mit toutes ses énergies et ses faibles forces pour enfin arriver à verrouiller cette « maudite porte de maudite grange... »

Le travail qui l'attendait à l'intérieur s'avéra moins dur. Il grimpa dans l'échelle menant au fenil et jeta en bas par le trou de la trappe le foin requis pour soigner les trois grosses bêtes.

Ensuite, il se rendit à l'autre bout de ce grand espace et jeta de quoi manger aux six moutons hivernant dans la batterie de la grange. Puis, il revint à la trappe, descendit et distribua la nourriture, ce qui calma les chevaux et permit au petit gars de leur donner leur avoine sans se faire bousculer par trop d'enthousiasme chevalin devant cet aliment de choix et très prisé.

Il soigna ensuite les poules et ramassa les œufs. Un pour la maison, un pour lui-même. Mais dans le nid caché, la douzaine n'était pas complétée encore. Il devrait attendre au milieu de la semaine suivante pour toucher l'argent de sa vente au magasin Grégoire.

Enfin, le grand train du samedi fut terminé, deux heures après son arrivée dans l'étable. Le garçon releva le collet de son jacket et quitta les lieux. À mi-chemin entre la grange et la maison se trouvait le hangar à bois. Un traîneau l'y attendait, qu'il avait mis là plus tôt. Il dut le dégager de la neige qui l'avait enterré pendant qu'il travaillait à l'étable. Puis, avec ses pieds, il dégagea le bas de la grande porte coulissante et l'ouvrit par à-coups. Une fois à l'intérieur, il attendit quelques secondes afin que ses pupilles s'adaptent à la pénombre. Et il chargea le traîneau de quartiers de bois franc, empilés en forme de triangle qu'il assujettit à l'aide de la grosse corde fixée à l'arrière à une extrémité, et qui passait à l'avant par un trou dont elle ressortait pour permettre de traîner la charge en la tirant.

Si le galopin avait l'habitude de cette tâche, il n'avait pas celle de se battre en plus contre la tempête qui lui entrait dans la bouche et lui coupait le souffle. Plutôt que de tirer en marchant de reculons comme de coutume, il passa la corde sur son épaule et s'élança en avant, le corps courbé pour un meilleur rendement. Le traîneau émergea du hangar et le suivit jusque dans la neige à plusieurs pieds. Et là, se renversa. L'enfant eut un coup de colère qui se manifesta en jurons à saveur liturgique et en gémissements d'impuissance. Il lui fallut ramasser son courage à deux mains en même temps que les quartiers de bois, rebâtir la charge et tenter de poursuivre jusqu'à l'escalier de la maison...

Il y parvint. Et là, fit face à un problème de marches et de porte. Pour pouvoir hisser le traîneau, il se devait d'abord d'ouvrir les deux portes à pleine grandeur, ce qu'il alla faire. Debout au poêle, sa mère lui dit sans beaucoup d'autorité :

– Fais pas trop refroidir la maison, là !

– Faut ben je l'rentre, le maudit bois.

La femme soupira, quitta la cuisine et referma la porte entre les deux pièces.

Le gamin enroula la corde autour de son bras droit, puis de ses deux mains, il tira au maximum de ses capacités. La charge gravit les marches. Il ne restait qu'à lui faire sauter le seuil, ce qui fut fait. Il referma la porte. Là, le traîneau pouvait glisser sur un tapis de faible dimension jusqu'au-dessus de la grille de la fournaise devant la porte du « trou à bois »... Il vida le traîneau et corda les quartiers sous l'escalier en travaillant à tâtons.

– Mets ta crémone su' tes oreilles, autrement, tu vas te les geler, vint lui dire sa mère quand il s'apprêtait à retourner au hangar.

– Elle tient pas su' ma tête, la maudite crémone.

– Viens, je vas te l'attacher.

Le garçon regarda sa mère dans les yeux en voulant dire : « Pourquoi vous me faites travailler de même ? » Et lui revint en tête ce contrat qu'il avait passé avec elle un an au moins plus tôt. Alors, il retourna faire un autre voyage. Puis un autre. Cinq en tout pour remplir ce damné trou à bois.

– R'garde là, t'as l'oreille blanche de frimas, lui dit sa mère quand le travail fut terminé, le traîneau remis sur la galerie et l'enfant prêt à recevoir sa paye.

– Vous l'avez mal attachée, ma crémone, elle veut pas tenir su' ma tête.

– Pourquoi c'est faire que tu cales pas ta tuque jusque su'les oreilles ?

– Ben... donnez-moi mes cennes, là.

– Sont su'la table là.

L'enfant sourit, ramassa les deux pièces de cinq cents et les empocha. Sa mère lui demanda un petit extra : aller mettre une bûche dans la fournaise à la cave afin de ramener de la chaleur dans la cuisine. Il s'y rendit. Au moment de mettre le morceau de bois dans le feu, son oreille commença à lui faire mal. Il termina son travail et se rendit s'asseoir dans l'escalier pour frotter son oreille encore et encore, ce qui empirait la douleur. Alors, quelque chose issu de son instinct de survie vint lui parler...

De retour à l'étage, larmes aux yeux, détermination dans la voix, il dit à sa mère qui s'affairait au comptoir afin de préparer le repas du midi :

– Maman, le train, j'veux pus le faire, moi.

– Mais si tu le fais pas, qui c'est qui va le faire ? Ton père est dans les chantiers avec ton frère Léandre.

– Gilles, lui ?

– Il veut pas le faire. Pis il travaille avec Doré, tu le sais.

Elle prit sa voix la plus triste :

– Si tu le fais pas, c'est maman qui va devoir le faire... pis ça pourrait la faire mourir. Maman, elle en a trop sur le dos. Le lavage, le repassage, les repas à préparer, le magasin à tenir... Maman arrive pas dans son ouvrage. Tu veux pas me faire mourir ? Ben c'est ça qui va m'arriver. Suis pas capable de marcher dans la neige. Suis pas capable d'écurer l'étable.

Des larmes se formèrent dans son regard.

Touché dans ses fibres les plus sensibles, le garçon hocha la tête. Il ne savait plus quoi dire, quoi faire.

– Tu t'es gelé l'oreille, hein ? Ça te fait mal, mais ça va revenir. Le bois, c'est pareil. T'es ben plus fort que maman, toi. Maman est pas capable de tirer un traîneau comme toi... Elle pourrait faire une crise cardiaque pis mourir...

Culpabilisé jusqu'au cou par cette perspective de voir sa mère mourir, ce qu'elle venait de lui redire à trois reprises, le garçon chercha désespérément quoi dire pour accepter sans le faire pour rien ou bien le poids de ses plaintes eût été sans signification. Une phrase surgit de son jeune ego ou de cet instinct de survie qui lui avait parlé plus tôt, peut-être des deux à la fois :

– D'abord, vous allez me donner cinq cents par soir.

– J'te donne déjà dix cents le samedi.

– Plus trente-cinq cents, ça va faire quarante-cinq cents.

– Si j'te donne cinq cents par soir, j'te donnerai pas le dix cents le samedi. Trente-cinq cents en tout.

L'enfant maugréa :

– O.K. d'abord !

C'est ainsi que le jeune André Mathieu, 10 ans, faisait son apprentissage de la vie en hiver 1953...

Durant la semaine, le garçon se rendit à l'étable par temps plus doux. Il avait dans sa poche un sac brun qu'il remplit de la douzaine d'œufs accumulée durant les quinze jours précédents. Puis, il s'embusqua dans le hangar à bois et attendit qu'une cliente se présente au magasin de sa mère, ce qui le mettrait à l'abri de son regard quand il franchirait la cour, la rue, pour entrer chez Freddé vendre ses œufs.

Le marchand lui demanda quand il lui présenta le sac :

– Y en a douze ?

– Oui.

Puis, il trouva dans sa poche les soixante cents requis et les tendit :

– Quen, prends ça !

Le gamin ouvrit sa main, et l'homme fut étonné de la voir si enflée et rougie. Comme s'il s'était gelé les doigts bord en bord.

– Bernadette, cria-t-il avant de remettre l'argent, viens donc voir un peu!

Sa sœur accourut. Il lui dit:

– Regarde sa main, lui...

– Montre-moi ta main! dit-elle doucement.

Il obéit mais tendit la main que Freddé n'avait pas vue. Elle était pire, et l'homme ne fut pas dupe:

– Tantôt, c'était l'autre. On dirait qu'il s'est gelé bord en bord...

Bernadette se pencha sur le garçon:

– C'est quoi que t'as eu là, mon p'tit gars?

L'enfant cachait mal sa honte dans son regard et sa voix:

– C'est... Mère Clémence... elle m'a puni...

– Comment ça, elle t'a puni? C'est qu'elle a fait...

– Ben... des coups de bâton...

Bernadette regarda Freddé qui hochait doucement la tête.

– Combien de coups qu'elle t'a donnés?

– Ben... douze...

– Si ç'a du bon sens!

Bernadette regarda de nouveau son frère qui maintenant, avait une larme à l'œil.

– Pourquoi qu'elle t'a battu de même, la sœur Clémence?

– Ben... j'ai fait un mauvais coup.

– As-tu fait brûler le couvent ou quoi? As-tu mis le feu?

– Non... j'ai bloqué la porte avec des balais.

– Pis elle t'a donné douze coups de bâton dans chaque main pour ça.

– Non, pas douze, six par main.

– Tant que tu voudras... L'as-tu dit à ta mère?

Le garçon fit signe que non.

– Viens, on va aller le dire à ta mère.

– Ben... pourquoi ?

– Parce qu'on bat pas un enfant à coups de bâton à lui faire enfler les mains comme tu les as là. Viens...

Le gamin hésitait. Il craignait que son petit commerce d'œufs ne soit dévoilé. Et il ne voulait pas qu'on s'en prenne à Mère Clémence ou bien elle se vengerait sur lui. Mais il dut suivre Bernadette et entrer avec elle au magasin de sa mère, où se trouvait encore la cliente, une madame Ferland du rang quatre.

– Tu vas toujours pas laisser faire ça, Éva ?

– C'est que tu veux que je fasse ?

– Téléphone au couvent. Parle à la sœur Supérieure.

– J'pourrais faire ça.

– Dis pas j'pourrais faire ça, fais-le tout de suite.

– Je vas m'en occuper, Bernadette, sois pas inquiète.

– J'te dis que moi pis Freddé, on a trouvé ça dur sans bon sens. Faut pas laisser faire ça ! C'est que vous en dites, vous, madame Ferland ?

– J'en dis comme toi, Bernadette. On bat pas un enfant comme ça. Des coups de règle, passe toujours, mais des coups de bâton dans de petites mains... Il a peut-être des doigts cassés. C'est fragile, un enfant.

Le garçon se glissa en douce par la porte de la cuisine. Il sortit de la maison et retourna percevoir son argent pour sa douzaine d'œufs. Puis, il s'éclipsa durant plusieurs heures afin que sa mère et l'humanité entière oublient la « volée » qu'il avait subie à cause de son étourderie. Et avec son argent, il se paya des friandises au magasin d'Herménégilde Bilodeau.

Éva n'y pensa plus. Elle avait trop à faire. Et son fils continua de travailler dur et de se faire justice lui-même en chipant d'autres œufs... Un pour la maison, un pour lui-même.

À la mi-mars, son père revint des chantiers lointains. Aussitôt, il se rendit à sa cabane à sucre afin de voir aux préparatifs de la récolte de sève. Plus de trois mille érables à courir en raquettes, la tâche ne serait pas aisée, pas plus que les huit années précédentes. Il pouvait compter sur Léandre, homme fait à près de 17 ans, mais si la coulée devait se faire abondante, faudrait y voir. De toute façon, on avait besoin de quelqu'un qui restât à la cabane quand les deux hommes seraient dans l'érablière. L'année précédente, on avait engagé pour cette tâche Louis-Rémi Champagne, fils de Clodomir, l'ancien propriétaire de la terre, qui alors vivait toujours dans la maison sur le chemin de la Grand-Ligne, mais la famille avait déménagé depuis, et comme tant d'autres de Saint-Honoré à Valleyfield. Quant à Gilles, voici qu'il travaillait maintenant pour Doré Grégoire qui avait transformé l'étage supérieur du grand hangar à Freddé en usine de bâtons de hockey. Et bien que l'adolescent ne fût âgé que de 12 ans, Honoré lui versait un salaire de quatre dollars par jour. Somme énorme qui avait poussé le garçon à quitter l'école. Et ses parents ne s'étaient pas opposés : après tout, Gilles avait terminé sa sixième année de classe, soit deux fois la scolarité de son père.

– Ça va nous prendre quelqu'un pour faire bouillir, déclara Ernest à Éva un de ces soirs-là.

– Prends-toi un homme engagé.

– Non, c'est lui qui va venir, dit Ernest en désignant André sans le regarder et avec son seul bouquin de pipe.

– Mais son école ?

– On va l'arrêter d'aller école.

– Y est en cinquième année.

– Y retournera école après les sucres.

– Mais qui c'est qui va faire le train ?

– On va demander au père Zoël Poulin.

La question fut vite réglée, et le cadet de la famille fut retiré de l'école pour passer son printemps à la cabane à sucre à surveiller les pannes de la longue bouilloire afin de les empêcher de brûler : hantise de son père.

Pas longtemps après la saison des sucres, Victor revint à la maison après une hospitalisation de cinq années qui l'avaient mené de 19 à 24 ans, et lui avait coûté six côtes et la moitié du poumon gauche. Au moins avait-il réglé ses comptes avec la terrible consomption. Mais où trouver de l'emploi dans une paroisse agricole où les cultivateurs sont autosuffisants quand la seule entreprise, Blais & Frères, ne peut donner de travail qu'à une douzaine d'hommes ?

Après sa prise de retraite dix ans plus tôt, Uldéric Blais avait passé le sceptre à cinq de ses fils et lui se promenait dans son immense voiture verte, une Chrysler chromée qui reluisait sous tous les temps et dont la grille avant donnait l'air d'une rangée de dents de crocodile. Ce jour-là, il se rendit jaser avec Freddé comme ça lui arrivait souvent. Et le marchand intervint en faveur de Victor :

– Dis donc, Déric, t'aurais pas d'ouvrage à lui donner, au grand gars à Ernest, toi ?

– D'abord, j'savais pas qu'il était sorti de l'hôpital. Ensuite, l'ouvrage qu'on a, c'est pour des bons bras. Pis troisièmement, c'est pus moé qui m'occupe d'engager du monde. Faudrait qu'il en parle à mon garçon Dominique.

– Si c'est toi qui en parles avec Dominique, ça serait plus pesant.

– Ça marche !

Les mots du personnage avaient le poids de sa voix toujours aussi immense et qui remplissait tout le magasin pour se perdre là-haut dans la mezzanine.

L'intervention de Freddé vaudrait à Victor un petit emploi de lieur de lattes à la manufacture de boîtes à beurre. Il y gagnerait moins que son jeune frère Gilles, mais au moins, il toucherait quelques dollars par semaine.

Et son retour à la maison ôtera beaucoup de poids sur les petites épaules du cadet de la famille. Victor serait une aide précieuse au train et pour la peu glorieuse corvée d'écurage du samedi matin... Mais il n'aurait quand même pas les forces nécessaires pour transporter par traîneau le bois de poêle, surtout par samedis de grande tempête hivernale...

∞∞∞∞∞∞

Chapitre 9

1953...

C'était le joli mois de mai à Mégantic tout comme ailleurs dans la province. Bourgeons, herbe neuve, feuillage frais, lilas odorants, tout vibrait de renouveau et de beauté printanière.

Pourtant, Alice Grégoire avait l'œil à la tristesse et à la nostalgie. Tant de belles années s'étaient paisiblement écoulées dans cette magnifique demeure au bord du grand lac ! Tant de soirées fraîches avaient enivré les occupants de la maison dans la balançoire d'où l'on pouvait voir et entendre le clapotis des vaguelettes qui venaient s'échouer tout près, sur la grève !

Stanislas et elle avaient été privés du bonheur de donner la vie à leurs propres enfants, mais le ciel ne les avait pas oubliés pour autant en confiant à leur garde soucieuse leurs deux nièces Gabrielle Michaud et Lise Boutin.

L'une travaillait à la banque de Montréal et avait obtenu son transfert à Québec. Et Lise était sur le point de graduer infirmière à l'hôpital Notre-Dame de Montréal.

Victime d'un infarctus, Stanislas avait pris sa retraite quelque temps auparavant. Toujours chargé du poids de l'interminable succession des Grégoire vingt ans après la mort d'Honoré, il lui était apparu trop lourd d'entretenir cette spacieuse demeure de Mégantic. À discuter, les époux en étaient venus à la décision de quitter la région pour aller s'établir à Québec, là où Stanislas avait beaucoup de parenté et Alice, au moins sa sœur Berthe ainsi que les enfants Jolicœur en train de grandir en joie après la pénible année 1951. Et on continuait d'aller souvent à Saint-Honoré ; la distance pour s'y rendre ne serait pas beaucoup plus longue de là-bas que de Mégantic.

Était arrivé le moment pénible de la grande séparation. Pour une dernière fois, on avait fait le tour de la maison qui, maintenant, appartenait à quelqu'un d'autre, avant de s'installer pour l'été dans un chalet situé au bord du lac. Une transition nécessaire avant le vrai départ pour Sainte-Foy où l'on possédait déjà une jolie maison rue des Talus pas bien loin de l'hôpital Laval.

Le couple était seul pour faire ses adieux à la demeure vide mais dont l'âme attendait leur visite ultime pour s'en aller, pour les suivre et laisser entrer à sa place un nouvel esprit, une nouvelle beauté, une gaieté neuve sans doute.

Alice atteindrait ses 60 ans dans deux ou trois semaines et lui faisait maintenant les soixante-quatre. C'était l'âge des changements majeurs. Il fallait ouvrir la porte à la vieillesse et y faire face résolument en pensant plus à soi qu'aux enfants. Les devoirs changeaient de cap.

On marcha lentement d'une pièce à l'autre. Il entrait par les fenêtres dégarnies des paquets de soleil que l'eau réfléchissait vers la grande maison blanche.

Des souvenirs du temps passé se mélangeaient en l'esprit de chacun pour s'élever au-dessus de la matière en deux spirales s'enroulant l'une l'autre...

Après cinq années passées à loger dans un vieux presbytère transformé en logements, Stanislas put offrir à Alice une résidence de rêve au bord du lac Mégantic, résidence qu'ils occuperaient durant 35 ans ensuite... Le cœur d'Alice était immense. Elle était toujours prête à venir en aide à ceux qui en avaient besoin et allait même au-devant des désirs de chacun. Sa maison de Lac-Mégantic était en tout temps ouverte à sa famille. Après l'accident cérébro-vasculaire d'Honoré, elle s'occupa beaucoup de son père, l'amenant avec elle à Mégantic pour lui changer les idées et lui prodiguer de bons soins. Cette grande disponibilité, Alice la devait peut-être au destin qui fit en sorte qu'elle ne put jamais donner d'enfants à Stanislas. Alors qu'elle plaçait un rideau dans le vieux presbytère, elle tomba de son escabeau sur un objet proéminent. Pour contrer l'infection, on dut lui enlever l'utérus, anéantissant du coup toute possibilité d'enfanter...

Alice se tourna donc vers ses jeunes frères et sœurs ainsi que vers ses neveux et nièces qu'elle gâta à sa façon, c'est-à-dire en leur donnant beaucoup d'attention, de l'amour et, bien entendu, des cadeaux...

Un clocher dans la forêt, par Hélène Jolicœur.

D'une pièce à l'autre, Alice revit tous ces enfants qui avaient égayé la maison de leurs chants et de leurs cris de joie, parfois qui l'avaient attristée de leurs peines et tracas. Gabrielle, bien sûr, que le couple avait adoptée en 1922. Et Lise, arrivée en 1940. Mais bien d'autres étaient venus chacun leur tour passer quelques jours dont ses filleuls et filleules nombreux : Alfred et Marielle Boutin, enfants d'Éva ; Yves, fils de Pampalon ; Monique, fille d'Alfred ; Alice, fille d'Henri ; Christine, fille de Berthe ; Hélène, fille d'Aline Boutin. Marraine et parrain, ils l'avaient été aussi d'Armand et de Bernadette.

C'est Berthe qui peut-être avait passé le plus de temps en ces lieux qu'elle adorait. Depuis ses 11 ans en 1921, pas une seule année, elle n'avait manqué de venir passer au moins une semaine, parfois bien plus, de jaser comme une pie à regarder les soirs couchants et les matins naissants. Et parfois à se rendre sur la rue commerciale et y lancer des œillades espiègles à certains garçons qui se faisaient hameçonner. Et quand elle venait l'hiver, on ne manquait pas d'aller pêcher sur la glace ou d'y patiner à souhait.

– C'est quoi que tu vas le plus regretter de notre maison ?

Alice, qui regardait l'eau, avait des lueurs dans le regard :

– Tout...

Elle soupira :

– Tout... et rien... Tout ça va me manquer jusqu'à ma mort, mais... j'ai pas envie de m'éventrer le cœur avec des images qui ont quitté la réalité pour entrer dans l'album aux souvenirs. Une fois les liens coupés, je veux vivre aussi pleinement que possible dans la journée présente. On a autre chose à vivre, à faire, à penser, à bâtir même...

– J'aime ça t'entendre parler, mon trésor.

C'était le surnom que Stanislas donnait à son épouse dans l'intimité. Bien que redits des milliers et des milliers de fois depuis qu'ils se connaissaient, ces deux mots n'étaient jamais entrés dans la routine et continuaient de témoigner de sa dévotion pour elle.

Alice était une femme plutôt grande et mince. Elle avait de longs cheveux qui descendaient jusqu'au bas du dos. À chaque matin, elle les nouait en une seule tresse qu'elle enroulait ensuite en couronne sur le dessus de sa tête. Sa démarche était rapide et décidée, ce qui mettait en valeur son port de tête fier et son élégance raffinée. Elle était joyeuse et inondait son entourage de son petit rire en cascade. Stanislas était très amoureux de sa femme...

Un clocher dans la forêt, par Hélène Jolicœur.

– Penses-tu qu'il est temps de nous en aller ?

Elle se tourna vers son mari, leva bien haut la tête en souriant et déclara :

– Oui, mon ami, il est temps pour Alice Grégoire et Stanislas Michaud de tourner une autre page de leur vie...

– Partons !

Ils se prirent par la main et s'en allèrent lentement, mais sans se retourner...

∞∞∞

Marie Lamontagne venait de perdre son vieux compagnon de route. Gédéon Jolicœur avait rendu l'âme une heure plus tôt dans son lit de souffrances à l'âge de 81 ans. Le docteur Sabourin était venu constater le décès. Bernadette Grégoire avait assisté aux derniers moments de cet homme aussi valeureux que son époque ardue, aussi fort que ses travaux incessants, aussi fier que cette terre qu'il avait défrichée, labourée, ensemencée et fait produire.

Onze des quatorze enfants restaient pour pleurer sa perte. Et l'homme devait sûrement se trouver avec ses filles disparues, évanouies dans la dimension inconnue : Marie-Laure, Marie-Ange et Monique.

Quelle belle musique céleste devait lui servir Monique dans l'au-delà du mystère ! C'est à cela que pensait la vieille dame dont le regard restait rivé sur le visage de cet homme qui avait rempli tous ses devoirs d'homme de son temps conformément aux normes reconnues et acceptées de tous.

Il n'y avait pas eu plus cultivateur que Gédéon Jolicœur !

Il n'y avait pas eu plus saint-honoréen que lui !

Il n'y avait pas eu plus chef de famille !

Nul ne serait jamais cet homme !

Chapelet noué entre ses doigts, Bernadette se signa puis lança une dizaine de chapelets. Vite, elle comprit que Marie ne répondrait pas, du moins, à voix haute. Et le fit pour deux. On attendait les hommes d'Octave Bellegarde qui viendraient chercher le corps pour l'embaumer. Freddé le savait déjà, et sa sœur lui avait confié la charge d'appeler Berthe à Québec afin qu'elle puisse voir à prévenir tous les enfants de la famille où qu'ils se trouvent.

Le corps fut exposé à la maison. L'une des premières personnes à s'y rendre pour se recueillir fut une veuve de fraîche date, Laura Gagnon, épouse de feu Amédée Racine. À 60 ans, celui qui avait longtemps cumulé les fonctions de secrétaire-trésorier de la municipalité, de secrétaire de la commission scolaire et de gérant de la caisse populaire, avait été emporté par un cancer du poumon. On l'avait enterré le 11 mai précédent, soit trois semaines auparavant. Le couple avait deux enfants, Jean-Paul, l'aîné, et Laurent, le cadet, ainsi qu'une fille adoptive, Laurette.

Le paysage municipal était profondément affecté par cette mort prématurée. Homme de devoir, de discrétion et de bon sens, Amédée Racine, comme son prédécesseur, Jean Jobin, ne serait pas facile à remplacer.

Bien qu'il ait été moins en vue que lui, Gédéon Jolicœur n'avait pas eu moins de mérite. On lui rendait le même hommage qu'à celui qui l'avait précédé dans la tombe. Durant les trois jours de l'exposition, la maison fut bondée. Il parut à d'aucuns que toutes les familles de Saint-Honoré étaient venues au corps.

Ses fils s'inquiétèrent pour leur mère. Pouvait-elle demeurer toute seule dans cette grande maison ? Ne devrait-on pas lui adjoindre une personne pour en prendre soin ? La femme refusa. Il lui restait assez de santé pour voir à ses besoins. Quand il le faudrait, elle accepterait de l'aide.

Ovide demanda à Bernadette de veiller sur elle et au premier signe de faiblesse, de communiquer avec lui ou bien Wilfrid, l'aîné, qui vivait plus près de leur mère, dans le village voisin de Notre-Dame-de-la-Guadeloupe (paroisse nouvelle détachée de Saint-Évariste depuis 1948).

– J'vas venir la voir tous les jours, tu peux compter sur moi ! assura Bernadette.

Et elle tint parole. Même qu'elle chercha dans sa tête qui du village pourrait bien héberger madame Jolicœur. Peut-être Jean Pelchat, où ne vivaient que deux adultes et un enfant ? Peut-être Cyrille Beaulieu ou son voisin, Herménégilde Bilodeau ? Puis, une autre idée germa dans son esprit. Au lieu de faire sortir la vieille dame de sa maison quand elle deviendrait impotente, pourquoi ne pas y faire entrer une femme plus jeune pour la garder ? Ou même un couple...

Et c'est ainsi qu'elle fit germer l'idée dans l'esprit d'Éveline. À 54 ans, la représentante Avon se dit qu'elle trouverait dans la maison Jolicœur un bien meilleur gîte que dans ce logement de la salle paroissiale où l'on était incessamment dérangé par le public. Il y avait maintenant exposition de corps et de plus en plus ; en fait, rares étaient ceux que l'on exposait à la maison. L'hiver, les patineurs venaient se réchauffer à l'intérieur. Et souvent, des assemblées de groupements s'y tenaient : Chevaliers de Colomb, Cercle des Fermières, Dames de Ste-Anne, Cercle Lacordaire, Ligue du Sacré-Cœur et combien d'autres. Et la classe de Laval Beaulieu qui réunissait des élèves de la sixième à la neuvième année inclusivement avait beau être très disciplinée, il se produisait tous les jours un événement agaçant pour Éveline et son époux Auguste.

La femme se regardait dans un miroir tandis qu'elle songeait à ces choses-là. Elle n'avait pas de robe du jour ni robe de chambre, et restait sans bouger à examiner les formes alourdies de son corps, cachées par un jupon noir et une brassière blanche aux bonnets fort remplis.

« Un couple pour prendre soin de madame Jolicœur. »

L'idée trottait d'un bord à l'autre dans sa tête. Et si c'était eux, elle et Gus, ce couple-là ? Tandis qu'elle ferait du porte à porte pour offrir ses produits de beauté, lui se ferait le gardien de la vieille dame.

Mais quelque chose n'allait pas avec ses vieux désirs jamais assouvis : celui d'une plus grande liberté, celui de la solitude, celui de connaître d'autres hommes que son mari. Car après des années de refus et de lutte devant l'attaque de ce fantasme inavouable, elle avait fini par lui céder. Et plusieurs hommes étaient passés par son lit dans des scènes imaginaires qui lui venaient toujours dans la solitude et jamais quand Auguste se trouvait avec elle, encore moins quand il s'y essayait à l'amour, alors qu'elle se laissait aller au cliquetis de ses pensées creuses.

Alors lui vint une idée claire et nette. Insufflée en son esprit peut-être par ce démon de la concupiscence dont Amabylis avait dit qu'il la suivrait comme son mauvais ange gardien tout au long de sa vie. Elle ne goûterait vraiment à la vie comme elle y aspirait de toutes ses forces vives que si elle vivait seule. Si on avait besoin d'elle pour prendre soin de madame Jolicœur, elle irait fine seule. Sans Auguste. Lui pourrait se mettre en pension chez leur fille Madeleine dans la rue de l'Hôtel. Il continuerait d'être sacristain. On ne s'en voudrait pas. On resterait de bons amis. Sa *run* Avon la mettait à l'abri. Et plus encore son travail auprès de la veuve âgée. Et quoi qu'il advienne, jamais, au grand jamais, elle ne se laisserait approcher par le mari d'une autre. Il y allait de son succès comme vendeuse de porte à porte.

Mais s'il devait se présenter un célibataire intéressant, elle ne l'insulterait ni ne le battrait survienne qu'il cherche à se rapprocher d'elle. Et parmi eux, peut-être, qui sait, deux des fils Jolicœur : Albert et Léopold, l'un âgé de 47 ans et l'autre de 44, tous deux habitant Montréal.

Éveline fut parcourue par plusieurs frissons qui se glissèrent derrière sa nuque jusqu'à ses reins. Et pourtant ce n'était pas la saison froide. Et pourtant il faisait chaud dans sa chambre. Une autre folie douce fut ressentie au creux même de sa poitrine, entre ses seins et plus bas, à l'épigastre. Était-ce cela que les alpinistes ressentaient au pied d'une montagne ou les skieurs en haut ?

Entre 45 et 55 ans arrive le temps d'une renaissance essentielle. Éveline en sentait le profond besoin depuis neuf ans ; elle n'avait plus qu'une année pour revivre, pour entrer dans la seconde et dernière partie de sa vie terrestre. Manquerait-elle sa chance en raison du conformisme ?

La fuite du temps l'effrayait souvent. Cette crainte lui revint. Un animal avait beau vivre 5, 10, 20, 50 ans, il ne faisait que répéter sans cesse les mêmes actions, les mêmes attitudes prédéterminées par sa nature : dormir, manger, se reproduire, se défendre parfois. Mais que de choses à faire pour un être humain et si peu de temps pour l'accomplir. Tant de monde à connaître et qu'elle ne verrait même jamais de toute sa vie. Tant de lieux à voir. Tant de nouveautés à découvrir. Elle savait ne pas avoir même fait le tour de sa propre tête, de son propre corps. Tous ces voyages intenses au vaste pays de la volupté qu'elle n'avait encore fait qu'entrevoir. Tous ces livres à lire, tous ces films à voir, toutes ces âmes à étudier, à tâcher de comprendre...

« Ton plus grand devoir désormais, Éveline Martin, sera envers toi-même. »

Elle prit entre ses mains les bonnets de son soutien-gorge et mesura l'intensité de cette soif de vivre qui l'habitait comme sans doute elle avait habité son père Napoléon. Et voici que pour la première fois, elle comprit ou du moins crut comprendre en partie ce qu'il avait dû ressentir tout au long de sa vie. Il aimait l'autre sexe comme sa nature le lui commandait, et transgressait les interdits de la religion et de la société, tout en protégeant ses arrières. C'est lui qui avait eu raison. Elle aimait l'autre sexe comme sa nature le lui commandait, et les interdits tenaces de l'Église et de ce monde frileux, elle ne les respecterait que si ses intérêts étaient en jeu. Donc ne pas toucher aux hommes mariés. Mais se laisser toucher par les autres qui le voudraient et qui sauraient éveiller une sensualité qu'elle avait sans cesse refoulée depuis l'enfance par toutes ces peurs injustifiées...

Lui revint en mémoire cette scène près de chez Bernadette alors que le dynamiteur Rusnak lui avait mis entre les mains un bâton de TNT. Un sourire naquit dans son visage, accompagnant un autre genre de frisson, bien plus agréable, celui-là. Le Tchèque avait-il voulu lui livrer un message quand il avait parlé de détonateur ? Que vienne à elle un homme rempli d'énergie, elle se ferait le détonateur afin qu'il explose en elle. Et sa chair vibrerait dans toutes ses composantes comme la maison à Bernadette ce soir-là. Ni Dieu ni diable ne sauraient plus emprisonner sa soif intense ou museler des sens qui ne devraient pas l'être.

« T'as reçu des yeux pour t'en servir au mieux. T'as reçu des oreilles pour t'en servir au mieux. T'as reçu un nez pour t'en servir au mieux. T'as reçu une langue pour t'en servir au mieux. T'as reçu une capacité de jouir de ton corps, pourquoi devrais-tu l'enchaîner, l'assommer, la mépriser ? »

Voilà ce à quoi songeait Éveline Martin-Poulin en ce jour où les odeurs printanières parvenaient à entrer par les trop petites fenêtres du logement de la salle paroissiale...

Plutôt d'attendre que madame Jolicœur devienne impotente, elle la visiterait et la convaincrait de se faire aider bien avant que la maladie ne l'affaiblisse, afin de vivre plus heureuse et plus longtemps. Et la vieille dame en parlerait à ses fils. Il fallait préparer le terrain de la bonne façon...

Il lui faudrait aussi préparer le terrain du côté de son mari, un être sensible qu'il ne fallait pas brusquer...

∞∞∞∞∞∞

Chapitre 10

1953...

Vers 1950, on avait équipé la mezzanine arrière de la grande salle paroissiale d'un projecteur de films. Peu après, un représentant de France-Film, maison de distribution internationale, était venu voir Ernest pour lui proposer d'ériger dans l'espace ouvert de sa cour une salle de cinéma. Il suggéra de déplacer la grange et de la transformer. Flatté, tenté, l'homme avait hésité, hésité... Semblable proposition fut faite à Freddé Grégoire qui aurait pu se servir, lui, du très grand terrain derrière la maison rouge jusqu'au cap à Foley. De surcroît, le terrain de la fabrique devant la salle et le long de l'église aurait pu servir de stationnement pour les clients. Mais Alfred, pas plus qu'Ernest, n'était homme de grandes entreprises nouvelles. Comme son voisin d'en face, il hésita, hésita... À telle enseigne qu'un jeune couple du village voisin leur dama le pion à tous les deux. Et les Vachon se lancèrent dans l'aventure prometteuse, forts de leur jeunesse et de leur audace. Et le premier film qu'on y présenta fut *Quo Vadis* avec Robert Taylor et Deborah Kerr.

Mais les villages des alentours n'avaient pas dit leur dernier mot, et à Saint-Honoré, les Chevaliers de Colomb parrainaient la présentation occasionnelle de productions dont on parlait beaucoup parmi lesquels *Aurore* et *Titanic.*

Il fallait d'aussi grands titres pour concurrencer la salle de La Guadeloupe, qui elle, offrait au public des sièges rembourrés disposés en pente descendante alors que celle de Shenley obligeait les spectateurs à s'asseoir sur des chaises droites et dures, ainsi qu'à subir tout le long du film la tête du voisin d'en avant qui vous bouchait la vue chaque fois qu'elle bougeait.

Avant la fin des classes, on savait que le film *Aurore, l'enfant martyre* serait projeté fin juin. Et le mot s'était passé de bouche à oreille de sorte que la veille de l'événement toute la paroisse était au courant. Le coût du billet : trente-cinq cents. Le salaire d'une semaine entière de train pour le jeune André Mathieu. Qu'importe, il pouvait toujours compter sur les poules pour ajouter quelques plumes à son revenu hebdomadaire.

Pas d'étable à écurer les samedis d'été. Vache et chevaux broutaient dans le pacage chez Freddé. Il lui suffisait d'aller chercher la Rougette au clos, de la conduire à la maison, de la traire, de la reconduire au pacage ensuite en passant par le chemin Foley. Voilà qui donnait au jeune adolescent plus de temps pour dépenser les sous empochés pour son travail. Et ce venimeux de Doré avait installé dans la semaine au magasin une machine à sous que tous appelaient une *slot machine*. Le garçon y perdit les vingt-cinq cents qu'il avait encore au fond de ses poches. Et quand il se rendit à l'étable, en quêtes d'œufs à brader, il dut envisager un épineux problème de pondeuses paresseuses. Ou peut-être que sa mère, en un moment de répit, avait visité les nids et fait le ramassage. Pas d'œufs à vendre. Pas un sou en poche. Pas d'argent de paye avant une semaine. Et *Aurore, l'enfant martyre* qui serait projeté ce soir même. Restait la pitié à attirer. Il se rendit voir sa mère et lui demanda une avance pour aller voir le film. La réponse fut catégorique : on a un contrat, tu dois le respecter.

– Mais... j'pourrai pas voir *Aurore*.

– Ben tu iras la prochaine fois. Pis qu'est-ce que t'as fait avec ton argent, là ?

– Je l'ai perdu.

– Où ça ?

– Ben... dans la *slot machine* à Doré.

– Pis tu penses que je vas t'en redonner pour aller jouer dans la... patente à Doré ?

– Non, c'est pour aller voir *Aurore, l'enfant martyre* avec les autres enfants.

– Trop tard pour *Aurore*...

Le garçon eut beau s'obstiner, trépigner, menacer, rien n'y fit. Et sa mère se rendait compte à quel point elle pouvait le faire marcher avec de l'argent. Elle savait bien qu'il continuerait de faire le train s'il voulait gagner des sous. Et elle fermait les yeux sur les œufs volés...

Et c'est ainsi que l'adolescent ne saurait rien de l'histoire de la pauvre Aurore à part ce qu'en diraient les chanceux qui assistèrent à la projection du film à la salle paroissiale : beurrées de savon, mains sur le poêle, tisonnier rougi...

Il se promit qu'un jour, il en saurait plus qu'eux sur le drame de cette petite fille morte à son âge ou presque... Un martyre qui faisait dire aux parents à leurs enfants : « voyez comme vous avec de la chance, vous autres, on vous traite comme il faut... »

∞∞∞

Deux semaines plus tard, Auguste Poulin, responsable de la projection mais aussi de la promotion des films, garnit au moins la moitié des poteaux de téléphone du village d'affiches annonçant le grand film *Titanic*, qui faisait jaser les attentes des futurs spectateurs. Une production en noir et blanc de près de cent minutes et qui avait fait son apparition dans les salles françaises au milieu d'avril. En vedette Barbara Stanwyck et Clifton Webb. Sur l'affiche, on pouvait apercevoir le grand bateau à la verticale et une main affreusement noire, représentant le destin, qui s'ouvrait pour écraser le navire entre ses doigts fourchus.

Plein de gens attendaient en file dans le grand couloir de la salle. Sous peu, on ouvrirait le guichet où chacun pourrait acheter son billet qu'un préposé à l'entrée de la grande salle là-haut déchirerait pour ainsi admettre la personne qui le lui présenterait.

Cette fois, André avait non seulement l'argent nécessaire pour son entrée, mais un bon surplus en poche. Révolté par le refus de sa mère de lui avancer les sous requis pour voir *Aurore*, il avait décidé de se servir lui-même dans le tiroir-caisse du magasin. Son frère Gilles gagnait quatre dollars par jour à travailler dans les bâtons de hockey et lui qui fit le calcul de ses heures à s'occuper des animaux en vint à la conclusion que sa mère aurait dû lui verser sept dollars par semaine, soit un dollar par jour. Elle venait de lui refuser une augmentation à dix cents par jour sous prétexte qu'il était nourri, logé, habillé... « Pas pire que Gilles ! » Et dans son esprit, il avait repris les trois mots : *nourri* à la soupe au riz, *logé* dans une maison qui coulait comme un panier percé, *habillé* des vieilleries usées et trouées de ses quatre frères aînés... Il crut une fois encore devoir se faire justice lui-même puisque les autres n'y veillaient pas.

Et la veille au soir, sachant que sa mère dormait tôt et profondément, d'autant qu'elle était debout avant les aurores tous les matins, il entra en douce dans la maison, dans d'infinies précautions, marcha à pas très feutrés, mesurés, vers le « trou à bois » dont il entrouvrit la porte en cas de danger, refuge d'urgence si quelqu'un en venait à descendre dans la cuisine. Puis, il tourna la poignée de la porte du magasin et y entra pour ensuite refermer derrière lui. Là, il s'arrêta pour retenir son cœur de battre le tambour. Enfin un moment de répit, de reprise de son souffle, de phase plateau pour son rythme cardiaque affolé.

Il n'avait pas encore parcouru la moitié du chemin qu'un bruit se fit entendre de l'autre côté. Un bruit presque silencieux. En fait, celui de la porte qu'il venait de pousser sans la refermer tout à fait. Elle s'ouvrit doucement: une lueur venue du fond de la cuisine le révélait. Était-ce sa mère embusquée et qui venait le surprendre? Ou Victor, ce grand frère si honnête et si loyal qu'il n'avait pu se retenir de vendre la mèche avec cette histoire de donneurs de sang et fait profiter d'autres avant lui de son idée de lancer un appel au public par Saint-Georges Côté à la radio? Voulait-il donner une leçon discrète à son jeune frère sans le blesser pour autant ni révéler sa faute à leur mère? Ou peut-être était-ce Gilles qui savait tout prendre partout ailleurs sans se faire le moindre remords et, au contraire, en s'en vantant comme d'exploits à faire rire les morts du cimetière? À moins que ce ne soit un fantôme? Celui de Tine Racine, ancien propriétaire de la maison, un homme de fer tout autant qu'Ernest, et qui n'aurait même pas volé un grain de blé à une poule.

S'il n'avait été sous le coup d'une grande émotion de tous les frissons, mélange de peur d'être pris et donc de perdre cette nouvelle source de revenu, d'un plaisir nouveau presque pervers, peur de la honte advenant qu'on le marque du sceau de voleur, le garçon aurait raisonné en commençant par la première probabilité: le chat de la maison. Et le chat vint se frôler contre sa jambe de pantalon. L'adolescent eut un coup au cœur, mais aussitôt comprit; le cœur retomba à sa place comme une balle qui aurait rebondi pour revenir au petit galop. Au trot peut-être...

Il fallait le chasser au plus vite, cet animal indésiré.

Non !

Non, l'animal pouvait lui servir de couverture si quelqu'un apercevait la porte entrouverte. Même qu'in extremis, André pourrait dire qu'il était venu reprendre la bête pour la ramener dans la cuisine. On n'y verrait peut-être que du feu... peut-être que du feu... En tout cas, l'argument lui redonnait un semblant de calme, et il poursuivit son périple vers le territoire de la justice faite à soi-même, un territoire interdit, exécré et condamné comme celui de la honte et du péché par une société qui veut ainsi protéger son droit exclusif à commettre l'injustice organisée et toujours impunie, elle.

Peut-être qu'un futur était à se dessiner dans la noirceur de ce petit magasin... L'enfant fit d'autres pas prudents. (En fait, les jours d'avant, il avait pris soin de repérer tous les endroits où il pourrait se produire des craquements révélateurs, et son itinéraire de vol avait pu ainsi être établi.)

Il tâtonna de la main droite, trouva le bouton du tiroir de bois, commença de tirer. Il savait que devait se trouver là une liasse de billets de banque. Cinquante peut-être même soixante-quinze dollars. Sa mère balançait-elle ses comptes tous les soirs à l'aide des factures ? Il l'ignorait. Et c'était tant mieux ou bien jamais il n'aurait osé foncer sur un terrain aussi dangereux.

Il glissa la main gauche à l'intérieur, palpa, trouva la liasse, palpa de nouveau. Son cœur repartit en ascension. Question : comment tirer un billet sans défaire toute la liasse et de la sorte signer son crime de la belle façon ? Réponse : tenir fermement la liasse d'une main et tirer le billet choisi de l'autre. En priant pour qu'il s'agisse d'un deux tout au plus, ou bien d'un billet vert, mais surtout pas d'un cinq ou d'un dix, ce qui risquait de le faire prendre ou du moins surveiller. Ou bien à l'avenir sa mère cacherait le magot le soir venu, après la fermeture de son magasin. L'enfant songeait donc aux lendemains qui devraient s'avérer tout aussi rentables. Et un péché à deux piastres était sûrement cinq fois moins grave qu'un péché à dix piastres.

La manœuvre réussit.

Le billet fut glissé dans une poche arrière, plus sûre que les autres. Tiroir remis doucement à sa place. Autres pas de retour. Porte à pousser. Souffle à rattraper. Chat dans les jambes. Chat repoussé. Autres pas furtifs jusqu'au pied de l'escalier. Et le plus délicat: sortie à l'extérieur sans faire le moindre bruit. Et sans laisser sortir le chat.

– C'est toi, André?

– Oué...

Par chance, l'adolescent était parvenu à sortir puis à rentrer normalement, sans plus. La voix était celle de Victor qui couchait dans la première chambre en haut de l'escalier. Savait-il? Avait-il entendu les silences du voleur et ceux du chat? Possédait-il un sixième sens?

– Si tu veux manger un p'tit quelque chose, y a du «baloné» frais dans le frigidaire.

– Ah non, j'ai pas faim.

Et le garçon gravit les marches deux par deux.

– C'est que t'as fait de bon à soir?

– Ah... on a vernoussé du côté du restaurant...

– C'est ouvert tard, chez Jos Lapointe.

– Oué, des fois.

L'échange se passait à mi-voix dans une obscurité imparfaite affaiblie par la lueur des étoiles dans la voûte céleste et une lumière de rue suspendue au premier poteau à la ligne près de chez Jean Pelchat.

– Comment ça, tu dors pas encore?

– Non, j'écoute la radio.

– On l'entend pas.

– Ben j'ai mes écouteurs sur les oreilles.

– Ah!

Et ce fut tout. Le voleur en herbe poursuivit dans sa chambre, se coucha et s'endormit vite du sommeil du juste. Il n'entendit pas son frère Gilles qui survint une demi-heure plus tard et alla dormir dans la troisième chambre. Quant à Suzanne, il y avait une heure au moins qu'elle roupillait dans la quatrième chambre appelée le ti-bar.

C'est à cette première incursion dans l'univers de l'illégalité que finissait de penser André quand il tendit un billet de deux dollars à la guichetière qui lui remit un billet d'admission et son change.

À la dernière minute, Bernadette dut se désister et envoyer Solange toute seule assister à la projection de *Titanic*, ce film à catastrophe ayant pour sous-titre *Plus près de toi mon Dieu*. La pauvre avait une crise aux pieds. Ses œils-de-perdrix s'étaient donné le mot pour éclater trois à la fois. Pas moyen de marcher. Bain chaud des pieds. Repos des souliers. On reste à la maison.

Solange fut la première à présenter ton billet à Gus Poulin, qui le déchira et la laissa entrer dans la grande salle. Pressée, elle courut à moitié jusqu'à la première rangée, où elle occupa la première chaise. C'est de là qu'elle verrait couler le grand navire. Bernadette lui avait dit d'apporter des mouchoirs pour s'essuyer les yeux, car elle risquait de pleurer autant, sinon plus que le soir d'*Aurore, l'enfant martyre*.

Et d'autres prirent place sur les chaises pliantes déjà étendues. Nombreux. On attendait une centaine de spectateurs au moins. Il y en eut bientôt la moitié. D'autres arriveraient. Il restait dix minutes avant la fermeture des lumières. Des enfants, des adultes et même des vieillards comme France Jobin, Adolphe Fortier et Cyrille Bourré-ben-Dur Martin, venu avec son épouse, Séraphie Crépeau.

André prit place sur la première chaise de la seconde rangée, donc juste derrière Solange Grégoire. Pour les enfants, plus on était proche de l'écran, mieux c'était. Gilles vint sur le tard, quelques secondes avant la projection, et dit à son frère :

– Le père Gus veut te voir en arrière.

– Pourquoi ?

– Je l'sais pas.

André s'y rendit. C'était une mauvaise blague. Quand il revint, son frère refusa de lui rendre sa place. En fait, il lui avait menti pour la lui ôter.

– Maudit cochon ! lui lança le cadet avant de trouver une chaise libre au bout de la quatrième rangée.

Et l'autre éclata de rire en criant :

– Quand on va à chasse, on perd sa place...

André retrouva son voisin et ami Claude Cloutier. Il oublia vite le mépris de son frère auquel il était accoutumé. Et la projection commença. Sur l'écran, on présenta les acteurs puis la super vedette du film, le grand bateau à quatre cheminées fumantes. Après trois quarts d'heure, il y eut une pause qui permit à Auguste de changer de bobine de film et à Éveline de vendre des boissons gazeuses et du chocolat au petit restaurant d'en bas.

Ce fut pour une dizaine de minutes la fête au Pepsi et aux arachides. Ensuite chacun retrouva sa place pour gruger une friandise et trépigner dans l'attente de l'iceberg que l'on savait sur la route du grand paquebot.

La soirée commença de se gâter quand débuta l'évacuation du navire.

– Un homme à la mer ! cria un figurant.

Alors Solange Grégoire éclata de son rire du dimanche, long, bruyant, et qui provoqua celui de tous. Ce n'était pas la scène sur l'écran qui la faisait s'esclaffer ainsi, mais un tour que Gilles venait de lui jouer en laissant tomber une arachide dans l'ouverture de sa robe à la hauteur de son cou.

Puis, alors que l'orchestre jouait *Plus près de toi, mon Dieu*, une fausse manœuvre des marins fit en sorte qu'une chaloupe avec quelques personnes à son bord soit perdue et s'écrase de travers dans l'eau, le long de la coque.

Solange réagit par un autre rire intempestif provoqué par une autre arachide dans son dos. Toute la salle se mit à rire, sauf certains comme Cyrille Bourré-ben-Dur et Vincent Beaulieu, qui prenaient la chose très au sérieux. Mais comment faire taire une personne dont les facultés mentales ne permettaient pas d'apprécier à sa vraie valeur toute l'horreur présentée sur l'écran.

Ce fut tranquille pendant un certain temps, mais voici qu'au pire de la catastrophe, quand le bateau sombra de la poupe et s'éleva au ciel de la proue (dans le film de cette année-là, le navire ne se brisait pas par le milieu), que toute l'assistance était en haleine, que des grappes de gens tombaient à l'eau sans ceinture de sauvetage et en hurlant de terreur, Solange éclata de son plus long rire de la soirée. Cette fois, le détestable Gilles avait laissé tomber deux arachides dans son dos en tirant sur l'encolure de sa robe.

Bourré-ben-Dur, un homme de 74 ans qui se souvenait comme d'hier de l'annonce de la catastrophe en 1912, alors qu'il avait 33 ans, se mit sur ses jambes et lança :

– Pas capable d'écouter comme il faut... toujours un maudit aria...

Et Gilles mit la cerise sur le gâteau, ou plutôt une dernière arachide, qui provoqua cette fois non plus le rire de Solange, mais sa colère. Elle se leva, se tourna vers lui et le poussa vers l'arrière. Le garçon tomba à la renverse sur sa chaise et fut empêché d'atterrir sur le plancher par une spectatrice de la rangée suivante, Alexina, la femme à Ti-Bé Veilleux qui se trouvait aussi sa marraine.

Sauf quelques-uns, la plupart des gens présents s'amusèrent de l'événement. Mais les soirées de cinéma à la salle en furent affectées et perdirent de leur popularité. À La Guadeloupe, on disposait d'une sorte de gorille à la porte, et pareil tumulte ne pouvait pas y survenir.

Quand il eut vent de l'histoire, Freddé, plutôt de blâmer Gilles et d'aller le semoncer alors qu'il travaillait avec Doré à la petite usine, s'en prit à Bernadette quand ses pieds lui permirent de retourner péniblement au magasin :

– T'aurais pas dû laisser Solange aller aux vues sans personne avec elle.

– Elle a 22 ans, pas 6 ans, tu sauras.

– Non... non... elle a 6 ans dans sa tête, pas 22.

– On le sait, ça.

– Si tu le sais, pourquoi c'est faire, sacréyé, que t'agis pas en conséquence ?

– C'est pas mon enfant, Solange. J'en ai pas d'enfants, moi, tu le sais.

– Quand on confie un enfant à la garde de quelqu'un, la personne doit en prendre soin comme de son enfant.

– J'ai toujours pris soin de Solange, tu sauras, Freddé Grégoire.

– Mais pas hier. Elle a mené le yable aux vues.

– Pis.

– Ben...

L'homme se tut et repartit vers les hangars de son pas lourd et claudicant.

Du même pas coléreux, Bernadette se rendit derrière le comptoir des dames...

∞∞∞∞∞∞

Chapitre 11

1953...

Lise Boutin devint majeure le 23 mars de cette année-là. Elle aurait dû obtenir son diplôme d'infirmière en février, mais une opération pour appendicite l'avait empêchée de compléter les 1095 heures requises pour graduer. Il lui fallut donc y remettre du temps en avril et en mai. Et pour cela, elle travailla au vieil hôpital Saint-Joseph de Lac-Mégantic.

Un jeune homme, son aîné d'une dizaine d'années, pratiquait la médecine depuis deux ans à son bureau de la rue Frontenac, et presque chaque jour, il était appelé à se rendre à l'établissement hospitalier. Ils s'y voyaient à coup sûr. Et se fréquentaient depuis le début d'avril.

Tandis qu'elle venait dans un couloir, ce jour de juin, Jacques Huard parvenait en haut de l'escalier, de sorte qu'ils s'aperçurent à distance. Elle sourit, fit un léger signe de tête. Lui revit alors par le souvenir la première fois où leurs chemins s'étaient croisés.

C'était la fin de semaine de Pâques. Ce jour-là, Lise se rendit en haut de la ville y chercher son permis de conduire. On lui fit passer un examen sommaire, soit un tour complet autour de la bâtisse, par quatre rues formant un carré. Une formalité. Puis, on lui délivra son permis, et elle quitta les lieux sans plus. Et pourtant, depuis son arrivée là, elle était en quelque sorte sous observation. Jacques se trouvait sur place avec un ami, François Paradis, et il avait fini ses affaires. Il s'enquit tandis que la jeune femme sortait de la bâtisse avec son examinateur :

– Qui c'est donc, celle-là ?

François possédait le renseignement et le donna :

– C'est la fille à Stanislas Michaud, les gens de la grosse maison au coin de la rivière Chaudière. Elle est pas mal indépendante à ce qu'il paraît...

Il ajouta qu'elle était étudiante infirmière à Montréal. Il savait aussi que son nom de famille n'était pas Michaud mais Boutin, et qu'elle était une nièce que le couple avait prise en adoption dans son enfance.

Mais c'est la personne elle-même qui avait intéressé tout d'abord le jeune médecin. Un coup de cœur. Peut-être un coup de foudre s'il devait mieux la connaître. Et pour cela, il se devait d'entrer en contact avec elle le plus tôt possible.

Le soir même, il téléphona et se présenta du mieux qu'il put afin de la persuader d'au moins le rencontrer. Elle accepta de le recevoir. Et fut agréablement surprise quand il sonna à la porte et qu'elle lui ouvrit.

Ils s'étaient ensuite vus les fins de semaine jusqu'à sa sortie de l'hôpital Notre-Dame en juin. Et maintenant, ils avaient la chance de se croiser tous les jours en plus de se voir les bons soirs.

Ce jour-là, il prit soudain une grande décision à la voir venir vers lui. Qui d'autre qu'elle pour fonder une famille ? On s'entendait au plan intellectuel. On s'entendait au plan émotionnel. On s'entendait au plan professionnel. Comment désigner une entente sur tous les plans autrement que par le mot « amour » ?

Calme, digne, droit, Jacques, une fois encore, ne passa pas par quatre chemins, là même, en haut de l'escalier. Et avant de dire quoi que ce soit ou de la laisser parler la première, il fit sa demande :

– On pourrait se marier au mois d'août si t'es d'accord.

Ce n'est pas la demande qui étonna la jeune femme mais le moment et le lieu. Elle aussi était quelqu'un qualifié de « vite sur ses patins », et sa réponse fut immédiate et sans équivoque :

– Je ne vois aucun empêchement à ce mariage.

Il sourit. L'endroit ne se prêtait guère aux épanchements, et chacun poursuivit son chemin.

∞∞∞

Les futurs en discutèrent, s'entendirent. Le mariage aurait lieu ailleurs qu'à Lac-Mégantic. Il y avait cette différence d'âge qui aurait pu faire jaser. Et on voulait de part et d'autre un mariage en toute discrétion.

Et ce le fut en ce jeudi, 6 août, en la cathédrale de Sherbrooke. Les noces avaient lieu pour la plupart le samedi, mais il leur avait fallu contourner la tradition en raison du voyage de noce. Un seul avion chaque semaine partait de Dorval pour les Bermudes, et c'était le jeudi.

Le mariage fut béni dans la chapelle privée par le curé Eustache Brault de la paroisse Ste-Agnès de Lac-Mégantic. Neuf personnes ayant assisté à la cérémonie se retrouvèrent autour des mariés par la suite à la salle de réception de l'hôtel New Sherbrooke : Stanislas, Alice et Gabrielle de la famille Michaud, Louis-Georges, Claire et Jules de la famille Huard. Rolland Morin, époux de Claire et Madeleine, épouse de Jules étaient parmi les invités ainsi que le prêtre officiant.

Une robe rose toute simple. Un gâteau pas plus compliqué. Du vrai champagne. Du bonheur sans mystère. Un voyage dans la vie qui prenait son envol dans la vérité.

Toutefois, on ne prévoyait pas une famille nombreuse. Le temps des grossesses à répétition à la mode d'Émélie, d'Éva et de toutes ces femmes victimes de la religion et des us et coutumes, avait vécu. On espérait deux ou trois enfants. On utiliserait les moyens requis pour rester à l'intérieur des limites du raisonnable. On déciderait par soi. Aux autres, y compris l'abbé Eustache, de s'incliner !

Il y avait un monde entre deux mondes, celui d'avant les années cinquante et celui de la seconde partie du vingtième siècle. Ce deuxième monde commençait de s'affirmer à travers des gens comme ce nouveau couple...

∞∞∞∞∞∞

Chapitre 12

1953...

Le professeur Beaulieu terrorisait par sa réputation. Il l'avait établie sur quelques séances de corrections d'élèves indociles. Même son jeune frère Vincent avait goûté au martinet dans le temps, et la volée qu'il avait reçue restait mémorable par l'empreinte d'un coup de lanière de cuir sur le mur de la classe en-dessous du tableau noir.

Il y avait quatre divisions dans la classe : sixième, septième, huitième et neuvième. Les plus petits occupaient les places à l'avant, et les grands, à l'arrière. André en était à sa première journée à ce qu'on appelait « l'école à Laval » et il tournait constamment la tête pour jeter un œil sur cette marque foncée qui témoignait de l'autorité de l'enseignant.

Paradoxalement, plutôt de l'énerver, ce signe le sécurisait. Il se disait que ça n'arrivait que très rarement, ces sautes d'humeur du professeur, et uniquement pour des raisons graves. Il lui suffirait d'obéir, de bien étudier, de se mériter de bonnes notes pour ainsi éviter semonces et sévices.

Ce jour-là, à écouter cet homme de 39 ans, solide, sûr de lui, fort de ses cheveux poivre et sel peignés à l'eau et qui moulaient la forme du crâne, cravaté et portant un complet du dimanche, il comprit que la férocité se trouvait plutôt derrière lui, dans ces années passées au couvent des bonnes sœurs plutôt que dans ces quatre années à venir là, dans cette salle de classe où vingt-huit garçons de 12 à 16 ans se côtoyaient et devaient s'endurer pour ne pas subir les foudres de l'autorité.

Bref, Laval Beaulieu instruisait et protégeait. Et gare aux têtes fortes ! Pas de bataille dans la cour. Aucun étudiant qui abuse un autre étudiant. Implacable si nécessaire mais juste comme le lui avaient montré ses parents, l'homme menait sa vie de célibataire et enseignait d'une façon qui lui valait le respect de la communauté paroissiale et du curé. Il avait accepté, vu le décès prématuré d'Amédée Racine, de le remplacer temporairement comme secrétaire-trésorier de la municipalité, mais avait tôt fait de céder le poste à Paul-Yvan Paradis quand ce dernier s'était montré intéressé.

Tous les fils à Pampalon étaient passés par ses mains, et aucun non plus n'avait reçu de coups de bâton à lui faire épaissir les mains au double de la normale. Et pourtant, au couvent, Yves et Benoît avaient dû souvent doubler leur pantalon d'une moitié de catalogue Eaton pour amortir les coups prévus après un fait d'indiscipline.

C'est ainsi que la cadet de la famille Mathieu commençait son année scolaire en septembre 1953. Une crainte salutaire le pousserait à étudier du mieux qu'il pourrait...

∞∞∞

En cette heure même, le Blanc Gaboury, de son pas lent, approchait du camp à Armand en toussotant et en crachant dans l'herbe encore verte, mais dont l'heure de s'incliner dans une sorte de sécheresse préparatoire à sa fin, approchait. Octobre la jaunirait. Novembre la plaquerait au sol. Décembre l'enneigerait. Le printemps la pourrirait. Mais elle renaîtrait...

Le Blanc commençait sa dernière année sur la terre du bon Dieu et il le savait en son for intérieur. Le seul homme capable de partager ses sentiments, c'était un autre tuberculeux comme lui. Il visitait Armand une fois la semaine, et on se parlait de tout et de rien.

Plus souvent qu'autrement, on riait à la vie et on narguait la mort. Ce plaisir à jouer des tours aux autres, hérité d'Honoré, restait bien vivant au cœur d'Armand. Ce jour-là, il lui vint à l'idée de créer une légende paroissiale. Quand il fit entrer le Blanc, il pensa se servir de lui pour construire ce petit bateau de la drôlerie.

– Salut, le Blanc !

– Salut, Armand !

– Viens t'assire. Prends le divan.

– Comment qu'il va, notre bon Armand ?

– Il va numéro un. La solitude, c'est la vraie vie.

– Aimerais-tu mieux que je vienne pas te voir ?

– C'est pas ça que j'ai dit. Assis-toi.

Blanc prit place. Armand s'installa sur une berçante à coussins. Et la conversation reprit sur un sujet qui n'avait pas été vidé la dernière fois, ni l'autre d'avant, ni la précédente non plus, et ne le serait ni la prochaine, ni la suivante, ni celle d'ensuite : le nationalisme québécois.

Au dire de Blanc, l'attitude autonomiste du premier ministre Duplessis suffisait à signaler au Canada anglais la volonté de la province de suivre ses propres voies.

Au dire d'Armand, cela ne suffisait pas, et il faudrait en venir tôt ou tard à la séparation de la province d'avec la fédération canadienne.

– C'est du parlage inutile d'abord que pas un parti politique est en faveur de ça, objecta le Blanc.

Il rejeta son chapeau noir vers le derrière de sa tête. Armand lissa sa chevelure qui l'était déjà. Et dit :

– Un jour, faudra ben qu'il en naisse un, une sorte de parti québécois qui fera l'indépendance comme la proposait le député Francœur dans le temps.

– Même Henri Bourassa s'est jamais prononcé en faveur d'un tel parti.

– Il a appuyé le Bloc populaire.

– Le Bloc était pas séparatiste.

– Je le sais, mais...

Un an presque jour pour jour après sa mort, Bourassa restait une icône pour Armand Grégoire. C'est lui qui s'était toujours fait le défenseur des droits et revendications des Canadiens français à Ottawa, et ce, même devant le grand Sir Wilfrid Laurier, son ami, dont il s'était éloigné lors de la guerre du Transvaal afin de protester contre l'envoi de troupes par arrêté ministériel, sans consultation préalable du Parlement. C'est lui qui, longtemps, s'était fait le censeur des nationalistes canadiens-français. Et tout comme Armand, il était l'ami de la solitude. Solitude qui l'avait accompagné depuis sa défaite aux élections fédérales en 1935 jusqu'à sa mort, en 1952.

Et l'échange à saveur politique continua bon train jusqu'au moment où Armand crut venu le moment de créer sa légende paroissiale.

– Savais-tu ça, toi, le Blanc, que les pistes du diable sur le cap à Foley, c'est une sorte d'aphrodisiaque ?

– Une sorte de quoi ?

– D'aphrodisiaque.

– C'est quoi que ça mange l'hiver, ça ?

– C'est quelque chose qui rend le monde fringant... si tu vois c'est que j'veux dire.

– Pas trop non !

– Fringant... porté sur la chose... le devoir conjugal si tu veux...

– Ah bon ! Non, je le savais pas.

– Ben c'est ça.

Le Blanc se racla la gorge, trouva un mouchoir froissé à demi-sec qu'il dut déployer pour y cracher sa gourme. Il le remit en poche en disant :

– Explique-moé donc ça par le long, le large pis le travers, Armand.

– J'ai entendu dire... comme ça, au travers des branches, que si un couple se met debout, les pieds dans les pistes du diable... pis qui se tiennent par la main... ben ça les rend comme... des cow-boys fringants.

– Comme... un étalon pis une jument mettons ?

Armand ouvrit la main comme pour présenter une vérité :

– Mettons !

– Jamais entendu parler de ça !

– J'sais pas pourquoi que j'te parle de ça aujourd'hui. C'est pas ni moi ni toi qu'on va aller essayer ça, hein ?

– En tout cas, pas moé certain !

Peu de temps après, Bernadette, lors d'un échange avec son frère, lui dit à brûle-pourpoint :

– T'as-tu déjà entendu parler de ça, toi, Armand, pour les pistes du diable... que ça rendrait les cow-boys fringants...

– Pas les cow-boys, le monde. J'ai déjà entendu dire que dans le vieux temps, avant qu'on vienne au monde, toi pis moi, des couples allaient sur le cap faire... c'qu'on pourrait appeler des péchés poilus...

– Mosus de fou de mosus de fou ! s'exclama-t-elle en riant aux éclats.

Armand rit aussi. Il comprenait que la légende qu'il avait fait naître avait fait un peu de chemin et en ferait encore. Et peut-être que les pistes du diable du cap à Foley, plutôt d'effrayer comme toujours, attireraient les gens qui y trouveraient l'aphrodisiaque qu'il avaient cru y trouver...

∞∞∞

Son prochain visiteur fut Jos Page. Il vint alors une nouvelle idée en l'esprit d'Armand. Il paierait de sa poche les frais inhérents à une retraite fermée où il enverrait le vieil homme en lui garantissant qu'ainsi, le salut de son âme lui serait assuré.

– J'sé pas trop trop, dit Jos. J'hé pas d'arghen pour ça, moé, pas pantoute, là, moé.

– Je paye tout. Ton passage avec le taxi Boutin. Pis ta pension de trois jours à Jésus-Ouvrier.

Cette fois, l'intention d'Armand n'était aucunement de jouer un tour, mais d'offrir à ce pauvre homme quelque chose pour lui d'extraordinaire sûrement. Bernadette, elle, en vivait une au moins par année, de ces retraites à la maison Jésus-Ouvrier de Québec, mais Jos, jamais de sa vie n'avait pu se payer un tel bain de prière et de méditation. Un véritable billet d'entrée pour le ciel. Un atout indispensable dans les bagages d'un homme de 70 ans.

Trois jours plus tard, le taxi Boutin vint chercher le paiement auprès d'Armand. Il frappa à sa porte :

– Je t'ai vu venir, Rosaire, entre.

Et le taxi bedonnant qui tenait un sac brun sous un bras, rajusta sa casquette, puis il entra.

– Tu viens te faire payer pour Jos Page.

– C'est ça qu'il m'a dit.

– Il a dit vrai. Comment qu'il a trouvé ça, une retraite fermée, le vieux Jos ?

– Je dirais que c'était plus une retraite... ouverte.

– Comment ça ?

– Aussitôt arrivé à Québec, il a sapré son camp à diable vauvert. Il est revenu à la taverne des taxis le lendemain après-midi, soûl comme la botte. Jamais allé à Jésus-Ouvrier. T'as jeté ton argent dans le chemin, mon Armand.

– Ah ben baptême de baptême! Son salut éternel, ça le dérange pas plus que ça, lui?

– Pas l'air on dirait.

Armand se rendit compte à quel point il s'était fourvoyé, et ça le rendit hilare:

– J'ai toujours pensé que Jos Page, c'était sage comme une image.

– Faut croire que tu t'es trompé.

Armand secoua la tête. L'autre regarda sa montre.

– C'est toujours quatre piastres, un passage pour Québec aller-retour?

– Toujours.

– Je te paye. Mais... m'as-tu emporté mon cognac de la semaine? J'ai le goût de prendre une brosse...

– Le v'là!

L'échange fut fait. Boutin repartit. Armand se servit une ponce et s'assit sur son divan sans cesser de ricaner en pensant qu'il s'était fait avoir par trop de cœur. Et il se remit à sa lecture d'un texte issu de l'Action nationale et signé André Laurendeau. Il y était question du nationalisme d'Henri Bourassa...

∞∞∞

Bernadette avait le visage consterné quand elle entra dans le magasin. C'était un soir d'octobre, et une bonne quinzaine de personnes attendaient la «malle» comme de coutume à cette heure-là. Freddé était à la dépaqueter, aidé par son fils Honoré. La femme s'arrêta net au beau milieu de l'allée et s'adressa à Louis Grégoire qui, adossé à la table centrale, mâchouillait son éternel brin de foin:

– As-tu su ce qui s'est passé sur la Grand-Ligne?

– Ben... non... Dis-moé le, j'vas te le dire.

– C'est pas drôle, tu sauras. La petit gars à Ernest Drouin, il s'est fait tuer par une balle de fusil. Il était chez Rosario Boulanger dans la cuisine d'été, assis à côté d'une table, avec le garçon à Rosario... Robert... Robert nettoyait le fusil pour la chasse. Le coup est parti. Le p'tit Drouin est mort raide.

– C'est quoi, son nom?

– Darius. 15 ans. Une vie qui vient de commencer pis qui finit aussi bêtement...

André fut soudain plongé de nouveau dans ce même bain que tout jeune, à 5 ans, il avait connu: celui des insondables mystères de la mort. Quand Luc Grégoire avait été tué, tout son être avait été envahi d'interrogations affreusement déplaisantes en lesquelles se mélangeaient divers sentiments de crainte, de révolte, d'impuissance surtout.

Néanmoins, Luc avait 20 ans de plus que lui. Ou presque. Et pour un petit enfant, la vie devant soi, c'est l'éternité. Mais voici que seulement 4 ans le séparaient de l'âge de cet adolescent de la Grand-Ligne. La mort ne frappait pas que les bébés, les vieillards et les adultes par exception, elle s'emparait aussi des adolescents parfois. Et, depuis la mort de son beau-frère s'était ajouté un nouvel élément à la pénible problématique: la peur du péché mortel.

Or, le garçon avait commis le péché mortel. Dans les toilettes de la maison, avant de venir au magasin, il avait touché à son corps là où se trouve la source du péché par impureté grave, un endroit qui, pour la première fois de sa vie, lui était apparu d'une chaleur bizarre. En touchant tout juste, il y avait eu un accrochage instantané, comme à une drogue puissante, et la main n'avait pu s'empêcher de toucher davantage. Encore et encore. Jusqu'à ce que jaillisse avec force une substance blanche inconnue projetée sur la tapisserie du mur, dispersant du même coup par tout le corps les spasmes d'un plaisir intense. En essuyant les dégâts, il avait pensé que cette chaleur à la source de son inconfort d'avant les attouchements pouvait bien provenir directement de l'enfer, et avoir été apportée par un mauvais ange, l'ennemi implacable de son ange gardien dont les sœurs parlaient si souvent au couvent.

La mort en état de péché mortel, c'était l'enfer garanti.

Bernadette, sans le vouloir, ajouta à son terrible malaise:

– J'espère qu'il a eu le temps de regretter tous ses péchés avant de mourir.

Louis Grégoire ne put s'empêcher de blaguer:

– À cet âge-là, ils font rien qu'une sorte de péché mortel...

– Ouais... on sait ben...

Et la femme jeta un coup d'œil bizarre à André avant de poursuivre vers le bureau de poste avec, aux lèvres, un sourire énigmatique. L'adolescent crut comprendre ce qu'elle cachait derrière ce visage ironique. Elle avait dû lire sur son front comme dans un livre ouvert l'intolérable péché de la chair. Il fallait sans faute qu'il se lave l'âme, qu'il se libère, qu'il regrette ce plaisir interdit si vivement ressenti, qu'il promette à dieu et à diable de ne plus jamais le connaître, dut-il s'infliger des punitions corporelles ciblées aux endroits trop brûlants de son anatomie.

Seuls les prêtres disposaient d'un 'lave-âme' garanti à cent pour cent. Et normalement sans contact. Suffisait de se rendre au confessionnal. Oui, mais ce 'lave-âme' n'ouvrait ses rideaux qu'une fois par mois. Il lui faudrait attendre encore quinze jours pour renouer avec sa pureté de naguère perdue dans la tapisserie de la salle des toilettes. Quinze jours? Mais la mort pouvait survenir cent fois entre-temps.

Malgré sa hâte de lire la suite des BD du soir, *Tarzan*, *Le fantôme*, *Philomène*, *Blondinette*, *Buck Rogers* et autres, le jeune homme quitta le magasin peu après que le professeur Beaulieu ait paru devant la porte pour se rendre, comme tous les soirs, boire une bière dans un débit clandestin tenu par un homme du village, Robert Boutin. L'ado descendit sur le trottoir, où il hésita un moment entre retourner à la maison droit devant ou bien se rendre sonner au presbytère pour se confesser au vicaire.

La peur du péché et de la mort l'emporta : il courut à bride abattue vers le presbytère.

– Suis venu me confesser, dit-il au curé qui venait reconduire quelqu'un à l'extérieur et le regarda en se demandant quel crime avait pu commettre ce garçon pour vouloir s'en laver ailleurs que dans un confessionnal.

L'adolescent fut admis dans le bureau du prêtre qui le fit agenouiller à son côté et entendit ses aveux. Il lui adressa des recommandations pour l'aider à ne plus recommencer et le punit d'une dizaine de chapelet, ce qui était toujours la pénitence imposée par le bon curé quelle que soit la faute avouée par le pénitent. En retournant chez lui, l'adolescent s'interrogea : pourquoi la même pénitence que pour l'aveu de petits péchés véniels alors qu'il avait, cette fois, commis le grand, le lourd péché mortel de la chair ?

Le jour suivant, à la récréation de l'avant-midi, il fut interpellé par le professeur, un personnage distant qui parlait toujours à ses élèves à la troisième personne :

– C'est quoi qu'il surveillait hier au soir, dehors, devant le bureau de poste ?

– Ben... rien...

– Pourquoi qu'il est sorti du magasin pis qu'il regardait vers le bas du village ?

À la peur de l'enfer de la veille succédait celle d'une maudite volée à coups de « strap » et le garçon, déjà blême, tremblait de tous ses membres.

– Ben... j'voulais traverser le chemin pour aller à maison.

– Il venait personne sur le chemin.

– Ben...

– C'était-il pour voir où c'est que je m'en allais ?

– Ben... non... non...

– C'est mieux... Là, il peut s'en aller avec les autres...

En quittant la salle, André crut défaillir. D'autres se demandaient pourquoi le professeur l'avait retenu. Claude Cloutier le questionna. Il mentit :

– Pour faire une commission après l'école.

Et sans rien ajouter, il courut vers l'emplacement de la patinoire qu'on transformait en jeu de balle en belle saison jusqu'aux neiges... Tout le temps de la récréation, il songea à toutes ces choses qui lui étaient arrivées depuis la veille.

Comme il aurait voulu être Tarzan, Le fantôme ou Buck Rogers pour surmonter tous les obstacles ! Il l'aurait désiré encore plus s'il avait su que les problèmes de son âge ne faisaient que débuter...

∞∞∞∞∞∞

Chapitre 13

1954

C'était aux premiers jours d'avril.

Cette année-là, l'on n'avait pas retiré André de l'école pour faire bouillir. Son père avait mobilisé Gilles pour cette tâche. Lui était bien plus fort, bien plus rapide, bien plus comique que son frère cadet, et son père le préférait tout comme il avait préféré Paulo à Victor dans le temps.

L'adolescent avait été congédié par Honoré Grégoire qui détenait trop d'inventaire de bâtons de hockey et avait décidé de fermer temporairement sa petite usine de fabrication du hangar. Et le jeune homme s'était mis en quête de nouveaux débouchés pour son produit. Parti habillé en homme d'affaires avec sa jument jaune... C'est ainsi qu'Éva désignait la longue Oldsmobile à deux tons, jaune et noir, que possédait le jeune homme depuis qu'il s'était fait industriel.

Ce samedi-là, Éva demanda à André, après le train et la corvée de bois de chauffage, de se rendre avec le postillon Blanc Gaboury jusqu'à la maison du bas de la Grand-Ligne d'où, à pied, il poursuivrait jusqu'à la cabane pour y quérir deux bouteilles de sirop d'érable qu'elle voulait faire parvenir par voie postale à ses filles de Notre-Dame-des-Bois. Se doutant que sa mère savait qu'il pigeait à l'occasion dans le tiroir-caisse du magasin, le garçon ne refusa pas malgré le temps limoneux qu'il faisait à l'extérieur. En effet, la journée semblait devoir se passer sous un ciel gris. À la nouvelle station de radio de Saint-Georges, CKRB, inaugurée un an plus tôt, on annonçait de la pluie sur l'heure du midi.

André se rendit au magasin. Quand le Blanc vint prendre les sacs de « malle », il lui demanda un passage pour le bas de la Grand-Ligne. Il y avait bien un autobus qui faisait la navette entre Saint-Georges et Sherbrooke, en passant par Saint-Honoré, mais il circulait à l'inverse, et l'avant-midi, tard, allait vers l'est pour repasser direction ouest en fin d'après-midi.

Quand l'adolescent arriva à la voiture pour y monter, un passager se trouvait déjà sur la banquette avant : Armand Grégoire. Il dut en conséquence monter à l'arrière de la Plymouth 1950 noire du père Tom Gaboury, que son fils menait à la gare de La Guadeloupe deux fois par jour. Et l'on se mit en route sur un chemin mouillé mais libre de glace et de gadoue, entre des bancs de neige encore importants sur les deux côtés de la voie.

– Où c'est que tu vas, mon p'tit Mathieu ? demanda aussitôt Armand.

– Chercher du sirop à la cabane.

– Quoi, ton père vient pas à la messe demain ? Il pourrait en apporter.

– Y a pas le téléphone à cabane.

Armand se mit à rire de lui-même :

– Ça, c'est ben sûr !

Le Blanc fut pris d'une vilaine quinte de toux. Il se racla la gorge, fit l'extraction d'humeurs visqueuses dans ses voies respiratoires, abaissa la vitre de la portière et lança son crachat à l'extérieur. André sentit une gouttelette ou deux sur son visage qu'il essuya. Ce fut ensuite au tour d'Armand. Et André fut obligé encore d'essuyer des gouttelettes refoulées à l'arrière par le vent cru du matin.

Le 29 janvier était décédé un homme de 54 ans du nom d'Alphonse Leblanc. Emporté par la tuberculose. Armand et

Blanc ne s'étaient pas vus depuis cette disparition et ils avaient besoin d'en parler. Ce qu'ils firent.

– Pas malade longtemps, notre Phonse, hein, Blanc ?

– Devait l'avoir ben avant, sa maudite consomption.

– Comme nous autres.

– C'est ça.

– La mort lente.

– C'est le pire de la maladie : mourir longtemps.

Chacun réfléchit sur lui-même. Ce fut le silence dans l'auto. André suivait des yeux les montagnes de neige bordant la route et qui semblaient ne jamais devoir disparaître. Pas plus que ces deux hommes devant, malgré leur pâleur, malgré leur maigreur, malgré leur odeur, celle d'Armand surtout, d'une eau parfumée qui remplissait l'habitacle et soulevait le cœur de l'adolescent, lui qui ressentait vite le mal des transports lorsque confiné à la banquette arrière.

Et on parla encore de politique, un sujet qui vint chercher l'attention du jeune homme. On était en congé d'élections dans la province de Québec. Au fédéral, le gouvernement libéral de Louis St-Laurent avait été reporté au pouvoir l'année précédente. Victoire au provincial deux ans plus tôt de l'indestructible Duplessis que le Québec aimait plus qu'un père. Mais Armand Grégoire demeurait un libéral à tendance fortement séparatiste tandis que le Blanc penchait pour l'Union nationale. Unis par leur maladie, les deux hommes ne se rendaient jamais à la colère pour exprimer leurs points de vue respectifs opposés.

– Mon p'tit Mathieu, on sait que ton père est libéral, mais paraît que ta mère vote Duplessis. C'est-il vrai ? demanda soudain Armand qui se retourna pour recueillir la réponse.

– Ben... je l'sais pas.

Il n'était toujours pas normal qu'une épouse vote autrement que son mari. Et la chose suscitait l'intérêt des curieux. Cette ignorance mit fin à l'échange politique, et voici qu'un sujet d'ordre judiciaire fut mis sur le tapis :

– Penses-tu qu'ils vont pendre Coffin, Armand, toé ?

– C'est certain ! Duplessis a besoin d'un coupable.

– C'est pas Duplessis qui le juge...

André ne se contentait pas de lire les bandes dessinées du journal comme son frère Gilles, il s'imprégnait des articles concernant les affaires d'intérêt public telles que l'assassinat en Gaspésie de trois chasseurs américains et l'inculpation d'un dénommé Wilbert Coffin quant à ces meurtres. Les grandes lignes des textes restaient en sa tête, mais il retenait surtout les grands titres. L'un d'eux, le printemps d'avant, l'avait frappé plus que les autres : *Staline est mort.* Qui donc était ce vil Staline ? Qu'était la vilaine Russie ? À la maison, il passait des heures dans les livres d'une encyclopédie que son frère Paulo, lors d'un séjour à la maison, avait achetée pour les enfants. Il y avait recherché Staline, la Russie, puis Hitler et Gœring, puis le Vésuve et le Krakatoa, puis Jupiter et Vénus, puis Léonard de Vinci et Michel-Ange...

– Ah ben baptême, j'ai passé tout drette ! s'exclama le Blanc quand il se rendit compte qu'il ne s'était pas arrêté devant la maison abandonnée, celle de la terre à Ernest.

Il stoppa la Plymouth à hauteur de la maison Martin.

– Pourquoi que tu l'as pas dit ? reprocha Armand qui s'adressait à l'adolescent.

– J'pensais à des affaires...

– C'est pas grave, ça te fait juste un peu plus long à marcher, dit Blanc. Là, tu vas être revenu avec ton sirop quand on va revenir de la gare ?

– Oui...

– Sais-tu que t'es pas habillé trop trop ? commenta Armand sous forme de question.

L'ado portait un mackinaw à carreaux noirs sur fond rouge, rien sur la tête à part sa chevelure abondante et des culottes d'étoffe aux jambes enfouies dans des bottes lacées qui ne devaient pas être bien étanches.

– Ben... c'est correct...

Le garçon descendit. Il rejoignit l'entrée de cour fortement enneigée et s'y engagea. Ses pieds calaient de quelques pouces, ce qui ralentirait sa progression. Mais il croyait avoir assez de temps pour se rendre à la cabane, demander les bouteilles à son père et revenir en bas avant que le Blanc ne retourne au village.

La distance à parcourir approchait le mille. Elle était côteuse avant et dans l'érablière. Rien toutefois pour fatiguer des jambes de 11 ans. Il arriva enfin aux bâtisses de la forêt et trouva Ernest dans son petit camp en train de manger, bien tranquille et indifférent dans sa lenteur matinale.

– Maman veut deux bouteilles de sirop pour envoyer à Chesham.

– Ah...

Mais l'homme finit lentement son repas. Puis, il mit une éternité à chercher des bouteilles vides qu'il dut laver quand il y parvint. Le temps se graissait au-dessus des arbres. Et la température chutait. La pluie annoncée pour midi risquait de commencer à tout instant.

– Quen! dit Ernest à l'adolescent quand les bouteilles furent enfin prêtes.

De tout le temps que le garçon avait été en sa présence, le père n'avait prononcé que deux mots: *ah* et *quen*. En homme de son temps, Ernest ne parlait guère à ses enfants.

Le garçon se mit en route. La pluie commença alors qu'il émergeait de la forêt. Une pluie froide qui imbibait ses vêtements et les alourdissait. Et il avait plus de mal à tenir son équilibre vu la charge transportée dans ses deux bras.

Enfin à la maison de la Grand-Ligne, il s'abrita tant bien que mal sur la galerie et attendit un temps l'arrivée du Blanc, se doutant bien que le postillon était retourné au village sans l'attendre. Puis, il décida de reprendre sa marche sous la pluie glaciale mais peu abondante. Il arrivait que des autos passent; personne ne s'intéressait à lui. Et lui était bien trop timide pour déposer ses bouteilles dans la neige et lever le pouce pour quêter un passage à quelqu'un. Et il marchait, marchait. Atteignit l'entrée du rang Petit-Shenley, dépassa les maisons rapprochées des frères Lachance, continua son chemin. La température baissait tranquillement, encore et plus. La pluie devint de la neige mouillée. Elle lui collait à la tête et au dos. Chez Narcisse Jobin, on le regarda passer. Chez Éleucippe Jobin, personne ne vint à la fenêtre. Ni plus loin, chez Archelas Nadeau. Maintenant le garçon pleurait de découragement. Un camion passa, et ses pneus projetèrent de l'eau glacée sur lui. Et pas de Blanc Gaboury ! Jamais de Blanc Gaboury ! Il y avait loin entre la chaleur brûlante que le garçon ressentait parfois en certaines parties de son corps et cette hypothermie qui le gagnait tout entier. Et ses maudites bottes qui prenaient l'eau en plus du reste...

Sa tête aussi prenait l'eau. L'eau de la honte. Il n'osait plus regarder vers les maisons. Sa misère était trop grande. Et quand la misère est trop grande, il faut la cacher. Il faut qu'on l'oublie. Et c'est chose facile devant des gens que la misère indiffère ou qui la voient comme une menace à leur propre sécurité.

On devait se dire : c'est à ses parents d'y voir. Ou bien : c'est à d'autres d'y voir. Ou encore : s'il marche, il est pas en danger de mort. Ou peut-être : quand il va tomber, d'aucuns vont s'occuper de lui...

Une voix de femme, tout à coup, se fit entendre, peut-être celle de sa mère ?

– Hey, le p'tit Mathieu, viens icitte !

Pas bien familière, cette voix pointue. Le garçon venait de passer à la hauteur de la maison Stanislas Nadeau. Il se tourna, aperçut sur la galerie la mère de famille qu'il avait souventes fois vue au magasin d'Éva.

– Tu t'en vas au village à pied ?

– Ben... oué...

– Viens icitte. Viens te réchauffer dans la maison là... Envoye, viens...

Le garçon éclata en sanglots, mais il obéit. Bientôt, il atteignit la galerie. La femme, petite, boulotte et autoritaire, tendit les bras :

– Donne-moi tes bouteilles, pis viens dans la maison.

Elle poussa les portes entrouvertes ; il la suivit. Elle posa les bouteilles sur la table et revint à lui :

– Tu vas pas t'en aller de même au village... On va aller te reconduire, nous autres.

– Suis capable de marcher.

– Si c'est Dieu possible ! T'arrives de la cabane ?

– Oué.

– Viens à côté du poêle, viens te réchauffer. Donne-moé ton mackinaw, je vas le faire sécher.

Des personnes se berçaient dans la cuisine : Stanislas, sa fille et son mari. Le petit homme ému ne put s'empêcher de se désoler tout haut, ce qui accentuait ses rides profondes :

– J'vous dis que ces enfants-là, ils sont menés durement chez eux.

– Il a le gros frisson : des plans pour qu'il prenne son coup de mort.

Puis, s'adressant au garçon, la femme demanda :

– Comment ça que t'es à pied en bonne vérité ? On t'a pas vu passer devant à matin. As-tu couché à la cabane ?

– Le Blanc Gaboury, il m'a pas attendu. Il devait penser que je remonterais pas au village...

On prit bon soin du garçon. Il fut reconduit au village en machine chauffée. Il y avait de bons Samaritains dans cette paroisse, même par ce temps de prospérité ayant pour effet d'assécher les cœurs. Les Nadeau en étaient, de ces gens soucieux des autres, généreux et de bon jugement...

∞∞∞

Les accidents sont toujours un concours de circonstances. Cette mésaventure du jeune adolescent relevait en fait de l'accident, et personne n'en était directement responsable. Il y avait eu l'irréflexion d'Éva, le changement brusque de temps et de température, la négligence d'Ernest et son peu de souci des enfants, l'oubli du Blanc. Et cette incapacité du garçon de crier au secours. Il serait mort sur la route sans rien dire à personne. Quelque chose de tordu en son for intérieur lui disait que s'il se trouvait dans cette situation, c'était de sa faute et qu'il devait chercher les moyens de s'en sortir tout seul.

À madame Nadeau qui accompagna André jusque dans le magasin, Éva dit que la faute incombait au Blanc, au temps, à l'enfant. Et on se mit à parler d'un nouveau tissu à la verge et à la nouvelle mode...

L'adolescent tomba malade le jour suivant. Fièvre. Alitement. Le docteur Sabourin lui rendit visite le troisième jour. Il diagnostiqua une pneumonie. Éva lui dit espérer que la tuberculose ne se mette pas de la partie comme pour Victor six ans plus tôt.

– À son âge, la tuberculose, ça prend pas, dit le docteur.

Éva mit sur la poitrine malade des mouches de moutarde.

Bernadette sut tout. Que l'adolescent avait voyagé avec le Blanc et Armand, deux tuberculeux. Qu'il avait eu de la grosse misère sur le chemin. Qu'il avait attrapé une pneumonie. Quand il recouvra la santé, elle respira bien mieux...

∞∞∞∞∞∞∞∞

Chapitre 14

1954...

– Le pire ennemi d'un peuple, c'est son maudit gouvernement!

L'homme qui parlait était manchot. Il ne possédait pas les talents d'Amédée Racine pour se défendre dans la vie et ne survivait que par le secours direct et donc par la peau des dents. Il avait pour nom Jean-Baptiste Nadeau et vivait en transit chez Jean Pelchat après avoir occupé quelque temps le camp à Armand.

L'on discutait dans la petite pièce près du bureau de poste. Il y avait là deux hommes des vieilles générations, soit l'aveugle Lambert et Uldéric Blais ainsi que d'autres d'âge moyen, gens nés dans les années 1910-1920, et qui possédaient sur les choses sociales et politiques des vues assez différentes, plutôt à droite, parfois au centre. Jean Nadeau, Ti-Boutte Beaudoin, Raoul Blais et Donat Bellegarde croyaient fort en l'alternance du pouvoir. Leurs aînés, quant à eux, auraient voulu que le parti libéral soit le seul à jamais détenir les rênes du pouvoir, avec pour opposition un groupement dérisoire qui puisse tout au mieux sauver la face de la démocratie. Mais ce pauvre Baptiste Nadeau penchait en secret en faveur des idéologies de gauche, dont il avait réussi à obtenir de la littérature à travers Armand Grégoire ces dernières années.

C'était mai.

Freddé, de l'autre côté de la planche à bascule, lunettes sur le bout du nez, assis, écoutant les hommes débattre sans intervenir, attendait les sacs de « malle » qui lui seraient apportés par Philippe Gaboury, le frère du Blanc que l'on savait alité depuis les premiers jours d'avril, depuis en fait son dernier aller-retour à La Guadeloupe alors qu'il avait oublié d'attendre son jeune passager aux bouteilles de sirop.

– Pourquoi c'est faire que tu parles de même, Baptiste Nadeau, toé ? fit Donat Bellegarde, un homme grand et tout en nez. Un gouvernement, c'est aussi nécessaire que manger trois fois par jour.

– Ben justement, dit l'autre, un petit homme qui hochait souvent la tête par tic nerveux, j'mange pas trois fois par jour, moé.

– Comment ça, dit Uldéric Blais, les Pelchat te laissent mourir de faim ?

– C'est pas ça pantoute ! C'est une manière de dire...

Donat reprit la parole :

– Quand un homme mange trois fois par jour, il a rien à dire de contre les gouvernements.

Baptiste faisait allusion non point à la nourriture mais aux autres besoins de base comme le vêtement, le besoin minimal d'évasion, les objets de première nécessité. Né dans le Petit-Shenley, il s'était fait bafouer par son père tout le temps de son enfance. Puis, jeté à la porte à l'âge de 12 ans, il s'était mis à travailler dans un moulin à scie de Saint-Éphrem, où il avait perdu son bras droit lors d'un bête accident de grand-scie. Par la suite, il était parvenu à se faire engager comme homme à tout faire ici et là dans les rangs, mais on ne le payait pas pour ses services que l'on considérait comme des demi-services. Il devait donc travailler pour sa nourriture et un toit sur la tête sans plus. Finalement, il s'était échoué dans le camp à Armand et avait dû faire appel au secours direct pour assumer les coûts de sa nourriture. Les faibles sommes qu'il recevait allaient maintenant toutes aux Pelchat pour essuyer les coûts de son couvert, et Baptiste devait survivre dans l'indigence.

Mais ses conversations avec Armand Grégoire de même que de nombreuses lectures de journaux et livres que lui fournissait ce bienfaiteur lui avaient mis en tête des idées très à gauche, de partage équitable entre les héritiers de la planète plutôt que de primauté d'un capitalisme sauvage qui laisse les plus démunis sur le bas-côté de la route.

Il ne trouvait guère d'audience à Saint-Honoré.

Même le curé Ennis était un farouche partisan de l'Union nationale de Maurice Duplessis.

Ses interlocuteurs en ce moment connaissaient tous sa vie misérable et ses faibles ressources. Mais l'on savait aussi que le jeune homme bénéficiait de l'aide gouvernementale et que cela couvrait à tout le moins son premier besoin primaire : celui de manger. Qu'est-ce que Baptiste Nadeau pouvait réclamer de plus de la société, lui qui, sans travail, ne la faisait pas progresser ?

– Si t'as des besoins de plus, dit Jean Nadeau, tu peux toujours aller voir monsieur le curé.

– La charité, c'est rien que bon à donner bonne conscience à ceux qui la font. Aux pauvres, c'est la justice qu'il faut. La terre appartient à tout le monde, pas rien qu'aux plus riches.

Les hommes se regardèrent. Ils étaient perdus devant un aussi impossible discours. Le patrimoine de chacun relève de sa propre responsabilité, de son travail, de ses talents et dans une certaine mesure de la chance : voilà ce que pensaient Uldéric, Donat, Jean et Raoul. Et jusque Ti-Boutte, jeune homme de l'âge de Baptiste. Il n'en était pas de même de Napoléon Lambert qui, grâce à son handicap, comprenait la pensée du plaignard. Mais l'aveugle ne voulait pas s'en mêler, préférant se taire. Lui-même, par divers petits travaux plus une pension pour aveugle, tirait son épingle du jeu. Confronter du bon monde de son village ne l'intéressait guère.

Mais Freddé, qui n'était ni un indigent ni un handicapé, le fit, lui. Il prit la parole sans bouger, et on ne put le voir que par sa voix forte comme le tonnerre :

– Baptiste a raison. Ça prendrait des gouvernements qui se conduisent comme des pères de famille. Un père de famille rejette pas un enfant parce qu'il a pas reçu autant que les autres en venant au monde. Tu dis vrai, mon Baptiste Nadeau, tu dis vrai.

Tous pensèrent à Solange, dont Alfred s'était particulièrement bien occupé depuis sa naissance qui avait presque coïncidé avec le départ de sa mère à l'hôpital. Difficile de raisonner à l'encontre de pareille attitude. Certes, on aurait pu blâmer le père de Baptiste Nadeau, mais on ne blâmait pas les pères en cette époque...

L'échange fut interrompu par un bruit de frottement familier à plusieurs, surtout à l'aveugle : celui des sacs de « malle » qu'on traîne sur le plancher du magasin jusqu'au bureau de poste. Bientôt apparut le souriant Philippe Gaboury qui s'arrêta puis, prenant chaque sac par les cordons de fermeture, leur donna un élan de balancier sous la planche à bascule pour les faire entrer loin dans le bureau proprement dit.

– Comment qu'il va, le Blanc ? lui demanda Freddé.

– Le Blanc ? Il se meurt. Il en a fait une autre hier...

– Une autre quoi ?

– Une hémorragie... Un gros bouillon de sang lui a sorti de la bouche. Une autre pis c'est la mort.

Malgré l'intensité noire du sujet, Philippe gardait sur la bouche, comme s'il y était cloué pour l'éternité, un sourire insignifiant.

Tous ignoraient que des oreilles étaient à l'affût dans le couloir menant du bureau de poste vers l'autre extrémité du magasin et donnant sur la porte du hangar. Armand y était venu pour se distraire un peu sans se montrer ni donc effrayer quiconque avec cette image de la mort qu'il sentait chaque jour un peu plus se répandre sur son visage et dans ses yeux.

Il se demandait s'il devait aller visiter le mourant ou bien s'il valait mieux pas. Tiens, il demanderait à Bernadette d'y aller pour lui. Forte de ce prétexte et curieuse comme une belette, elle ne manquerait pas de s'y rendre le lendemain même.

Le jour suivant, 21 mai, le Blanc Gaboury ne pouvait plus recevoir de visiteurs. À l'aube, il en avait fait une autre (pleurésie hémorragique) et avait rendu son âme au Seigneur à l'âge de 42 ans.

∞∞∞

L'état de santé de madame Jolicœur se détériora. Elle ne tarda pas à faire appel à Éveline Poulin pour prendre soin d'elle. Wilfrid entra en contact avec la femme de 55 ans qui accepta les conditions proposées. Sauf une. Jolicœur voyait d'un bon œil la venue non pas que de la femme mais celle du couple Auguste Poulin. Éveline refusa. C'était au téléphone. Elle répondait dans le couloir de la salle paroissiale.

– J'aime autant m'en occuper toute seule.

– Mais... ça va exiger une séparation d'avec votre époux.

– Le monde va mieux comprendre.

– Peut-être, mais... Je ne sais pas ce qu'en dira ma mère.

– J'en ai parlé avec elle.

– De quelle façon ?

– Je lui ai dit que moi et mon mari, on serait mieux chacun de notre bord. Que notre religion, on va la faire pareil. Que ça nuira à personne, au contraire, que ça va me rendre plus disponible pour elle. Elle a souri sans dire rien.

– Aucune objection ? s'étonna Wilfrid.

– Aucune.

– Bon… d'abord que c'est de même, vous pouvez déménager vos affaires dans la maison et commencer à vous occuper de notre mère.

Après avoir raccroché le récepteur, Éveline se sentit légère comme une plume. Son grand rêve de liberté allait enfin se concrétiser. Autonome comme au temps de sa jeunesse. Elle murmura pour elle-même :

– Respirer, respirer, respirer…

Et regarda tout cet espace qui s'offrait à elle dans ce long couloir au bout duquel une fenêtre donnait sur le cimetière.

Par contre, il restait un poids sur ses épaules : faire part de sa décision à son époux. Elle avait eu beau essayer de préparer le terrain ces dernières années, Auguste ne prenait pas ses propos au sérieux et ne cessait de faire l'autruche en disant chaque fois : « Tu veux encore me faire étriver, là, j'te connais, ma belle p'tite femme… »

Sans tarder, elle se rendit dans sa chambre et commença à faire ses valises. Déjà, elle avait mis des boîtes vides défaites sous le lit. Et un gros rouleau de papier collant Kraft. Pas question d'offrir une discussion à Auguste ! Elle devait le mettre devant le fait à moitié, aux trois quarts accompli. Il ne tarderait pas à rentrer. De coutume, il revenait vers onze heures. Il passait dix heures et demie…

Et l'homme fut là. Elle entendit la semelle de son pied droit frapper le plancher du couloir. Puis, la porte s'ouvrit. Ne l'ayant pas aperçue dans la cuisine, il la savait dans la chambre. Et il tomba le nez sur ces bagages qui jonchaient le lit.

– C'est aujourd'hui que tu t'en vas.

Il n'y avait même pas de point d'interrogation au bout de la phrase jetée et rien d'autre qu'une constatation résignée. Elle en fut surprise. L'homme avait fait semblant de ne pas la comprendre quand elle lui parlait de séparation en termes à peine voilés. Il avait l'air de s'y attendre.

– Oui.

– J'm'y attendais.

– Wilfrid Jolicœur a téléphoné. Je vas m'installer avec sa mère aujourd'hui même.

– Je vas t'aider à déménager tes affaires. Même que Pit Veilleux pourrait venir avec une voiture. Suffit de l'appeler.

– C'est comme tu veux. J'te remercie de t'occuper de moi malgré tout.

– Je t'en veux pas parce que tu t'en vas.

Elle se fit plus sèche:

– Tu sais que tu pourras pas venir coucher.

– Ben certain que j'le sais. C'est ben compris. Pis accepté.

– T'iras pas te plaindre au curé, toujours?

– Es-tu folle? Ça regarde pas le curé. C'est ton affaire.

– Un peu la tienne aussi.

– Non. C'est la tienne. T'as le droit de faire c'est que tu veux avec ta vie.

L'attitude généreuse et détachée de son mari ne pouvait être plus pénible pour Éveline. Certes, elle avait conscience de délaisser un homme bon pour satisfaire son besoin de grand air frais; néanmoins, elle regretterait le dévouement voire la servilité d'Auguste envers elle depuis 1922, l'année de leur mariage, plus de trente ans auparavant.

– T'as pas plus de peine que ça? Je comptais pas beaucoup dans ta vie.

Elle ne croyait pas en ce qu'elle lui reprochait. Les phrases lui servaient de paravent. Auguste joua son jeu:

– Faut ben se faire une raison dans la vie, hein?

– Comme ça, ça va me faire moins de contrariété de m'en aller de mon bord.

L'homme avait le cœur gros et la gorge serrée, mais il avait préparé son propre terrain et pensé aux mots qui lui permettraient de le cacher comme il faut.

– C'est Bernadette qui va être soulagée. Elle m'a dit qu'il fallait qu'elle aille voir madame Jolicœur deux, trois fois par jour depuis quelque temps.

– Ah ? Je le savais pas...

La suite de l'échange tourna autour des nécessités du grand changement, et cela en diminua l'importance. On se tint le plus loin possible des émotions pour ainsi en prévenir les excès et les débordements.

Pit Veilleux vint avec une voiture de déménagement. En fait, une plate-forme à foin. Tout fut embarqué puis débarqué à la demeure d'adoption de la quinquagénaire.

Bernadette s'amena. Malgré son anormalité, elle bénit l'événement de sa joie et de son sourire.

La séparation du couple ne semblait pas devoir créer grande commotion dans le village. Le curé en parla avec Éveline au confessionnal plus tard. Elle fut claire et définitive par le ton et les mots choisis. Les raisons pratiques firent le porte à porte, surpassant les raisons d'ordre émotionnel. On ajoutait, à la décharge de la femme séparée, que cela ne durerait que le temps de la vie de madame Jolicœur ; or, la veuve dépassait largement l'âge de mourir avec ses 80 ans et son usure.

∞∞∞∞∞∞∞

Chapitre 15

1954...

Le père Adolphe se pencha malgré ses rhumatismes, il ferma un œil sous un sourcil blanc, broussailleux comme une araignée, aligna un bon moment sa boule puis la frappa à l'aide de son maillet. Elle roula sur le terre battue entre les broches de la fin et heurta le coq, ce qui signifiait que le vieillard venait de gagner une autre partie.

Il gagnait toujours, le bonhomme. Et quand il se sentait en danger de perdre, il trichait en déplaçant sa boule puis en niant aveuglément son forfait par une phrase menaçante. Il faisait peur.

Les garçons qui jouaient contre lui au croquet à côté de l'église, Marie-Louis Maheux, Clément Fortier (aucune parenté avec le vieux qui s'appelait aussi Fortier) et Gilles Mathieu, se regardaient en pestant par des lueurs féroces dans les yeux tandis que le bonhomme jubilait et ricanait. À 83 ans, Adolphe Fortier battait le plus souvent les jeunesses qui l'affrontaient à ce jeu d'habileté que les adolescents aimaient tous.

Une nouvelle partie allait commencer sous un soleil brûlant du cœur de juillet lorsque André s'approcha du vieil homme pour réclamer son maillet. En réalité, le jeu au complet appartenait à l'O.T.J., mais un maillet restait entre les mains de celui qui l'avait pris le premier à l'ouverture de la petite bâtisse dite le « chalet », érigée par un prêtre visiteur, l'abbé Dumont, deux ans auparavant, pour servir aux patineurs et hockeyeurs à se réchauffer l'hiver au lieu d'aller dans le bas de la sacristie ou dans la salle paroissiale.

– C'est pas à toé, l'maillet, c'est à lui qui l'a.

– Je l'avais tantôt ; vous me l'avez ôté des mains.

– Essaye donc de faire pareil voir.

Enragé, l'adolescent se vida de sa gourme :

– Vieux maudit cochon !

Le père Fortier devint menaçant :

– Sors d'icitte tu suite ou ben j'te fesse avec ça, là, toé, le p'tit v'nimeux.

Il tenait le maillet à bout de bras. Gilles espérait que ça tourne en bataille. Marie-Louis eut crainte pour le garçon fâché et lui tendit son maillet :

– Quen, tu peux jouer asteure !

Voilà qui réglait un conflit grave en train de naître entre un garçon de 12 ans et un vieillard de 83 : deux entêtés de la même espèce.

Il y avait un problème. Tous les maillets sauf un possédaient un manche d'au moins dix-huit pouces de longueur tandis que le favori de tous, celui dont disposait le père Adolphe, mesurait seulement douze pouces et, de ce fait, était bien plus facile à manier.

– Prenez celui-là, pis redonnez-moi le mien, dit le garçon au vieillard.

– Pantoute !

Adolphe ne jouait jamais qu'avec le maillet à manche court et quand il arrivait sur le jeu, il s'arrangeait pour l'obtenir, de gré ou de force, de celui qui s'en servait pour jouer.

– Adolphe Hitler ! grommela André qui dut bien se résigner.

Et une partie commença qui serait de courte durée. La mort devait l'interrompre. Elle fut annoncée par un cri de Freddé depuis la résidence Grégoire :

– Les p'tits gars, essayez de trouver le docteur dans le village ; y a le Bourré-ben-Dur qui se meurt au magasin. On appelle, mais le docteur Sabourin est parti de chez eux... Vite, grouillez-vous le cul.

– On finit la partie ! objecta le père Adolphe.

Freddé ne comprit pas sa phrase et rentra aussitôt. Clément Fortier, Marie-Louis Maheux, resté sur place, et André délaissèrent leurs maillets pour partir en exploration dans le village. Il ne resta sur l'enclos du jeu de croquet que le vieux bonhomme et Gilles Mathieu. Ni l'un ni l'autre ne se sentaient concernés par l'agonie de Bourré-ben-Dur. Surtout que d'autres y voyaient bien assez...

– 75 ans, il a fait son temps, le Cyrille Martin ! marmonna le père Fortier.

– C'est à moé à jouer asteure.

– Ben joue !

Et ce fut une partie au bord de l'agression verbale par l'un et par l'autre. On se bousculait par le ton. On s'intimidait par les coups habiles suivis de ricanements de triomphe. Un jeune coq et un vieux coq s'affrontaient, et aucun ne voulait s'incliner devant l'autre. Gilles prit les devants et quand il fut sur le point de se tuer sur le poteau de bois, soit donc de gagner la partie, le vieux l'accusa de tricherie. Pour une rare fois, Gilles, inspiré par la chance et un fort désir de vaincre le vieux dans le vrai, avait respecté toutes les règles du jeu. L'accusation le révolta. Ses protestations malheureusement tombèrent dans l'oreille d'un sourd.

– Tu vas reprendre ton coup de l'autre côté du panier, mon gars. Autrement, t'as perdu...

– Non, je l'ferai pas.

– Tu vas le fére ou ben t'auras un coup de maillet drette su'a gueule.

– Non, je l'ferai pas. J'ai gagné, pis vous avez perdu, vieux menteur de maudit fou bon pour les vidanges.

Le père Adolphe donna un élan à son maillet et le lança en direction de l'adolescent qui le reçut dans le ventre et en perdit le souffle. Et quand l'air commença de revenir dans ses voies respiratoires, il cracha :

– Vieux tabarnac de vieux tabarnac, m'a t'en tirer moé tou des maillets dans le ventre...

Le bonhomme tourna les talons et partit d'un pas qui ne saurait être celui de la course vu son âge. Un premier maillet lancé par l'adolescent le manqua de peu.

– Reviens jamais icitte, vieux christ de fou, j'vas t'tuer...

Un autre maillet faillit assommer le bonhomme qui, un peu inquiet maintenant, fit les pas plus longs. Après les maillets, Gilles avait l'intention de lancer les boules de bois, toutes les quatre, et il souhaitait que le vieux se fasse frapper par une au moins.

Pendant ce temps, son frère, mu par une intuition en pensant à la maison du docteur Goulet, se rendit sonner chez madame Jolicœur. Éveline vint ouvrir. Elle le regarda de pied en cap, sourit à peine :

– Y a Bourré-ben-Dur qu'a besoin du docteur au magasin. Le docteur est pas ici ?

– Il est ici. Reste là, je vas l'avertir. Non, tiens, retourne avertir au magasin qu'il va venir tout de suite.

Cousin propre d'Éveline, Bourré-ben-Dur était victime d'une crise d'angine, peut-être même d'une crise cardiaque donc d'un infarctus du myocarde. Il souffrait terriblement, accroupi dans les marches du grand escalier à la manière de Édouard Allaire 35 ans auparavant. Coïncidence bizarre, l'homme qui avait tout juste 37 ans alors, avait été témoin de l'attaque de cœur subie par le grand-père de Freddé, de l'intervention du vieux docteur Goulet et d'un homme de Saint-Benoît qui aurait sauvé le malade avec son cognac d'ivrogne.

Mais la boisson alcoolique n'avait plus guère la faveur pour soigner ce genre de malaise. On disposait maintenant de nitro emprisonnée dans un petit contenant de verre qu'il fallait briser dans un fracas de coup de pistolet pour en laisser échapper la vapeur susceptible d'élargir les artères obstruées pour laisser mieux passer le sang.

C'est ce traitement que le docteur Sabourin fit subir au malade, mais il était trop tard, et Bourré-ben-Dur rendit l'âme là même, entre une caisse de bouteilles de Kik et une autre de Pepsi, le visage tombé contre les capsules des bouteilles de Coke. Amanda était présente. Bernadette aussi. André vit pour la première fois quelqu'un mourir. Il en fut troublé autant que par la mort de Luc Grégoire et celle plus récente de Darius Drouin.

Et pendant ce temps, Gilles lança au père Adolphe tout ce qu'il avait sous la main. Aucun maillet, aucune boule n'atteignirent le bonhomme qui plus loin, se retourna en se moquant du jeune coq :

– Un p'tit démon sorti de l'enfer : tu vas r'tourner en enfer un jour ou l'autre.

Jos Page qui passait par là s'arrêta pour rire. Lui comprenait que l'altercation était joyeuse et non haineuse. Gilles alors trouva des petites pierres autour du jeu de croquet et les lança de toutes ses forces. L'une atteignit Jos qui protesta avec véhémence :

– Hey, le p'thi Matcheu, veux-thu m'thuer, toé, coudon ?

– Pas toé, Jos, lui, le vieux christ de malade à Fortier.

Au cours de l'après-midi, le docteur Sabourin fut appelé par la fille du père Adolphe, Léa, épouse de Jos Drouin, l'horloger du village qui habitait l'ancienne résidence-boulangerie de Pampalon Grégoire, au coin de la rue de l'Hôtel.

Le médecin ne put que constater le décès. Le père Adolphe était parti jouer au croquet avec les anges du bon Dieu. Mais peut-être que là-haut, c'est plutôt Hitler et Staline qui le côtoyaient, maillet à la main. Il ferait bien de se méfier, le vieux venimeux...

On jouait aux cartes sur la table centrale du magasin. Léandre Mathieu, Émilien Poulin, Paul-Émile Fortier et René Poirier, tous des jeunes gens aux alentours de la vingtaine, s'amusaient sans songer une seconde à ces deux décès de la veille.

L'un, Léandre, avait passé son hiver au loin dans les chantiers. Un autre rêvait de partir pour l'Ouest. Un troisième ne cessait de parler avec bonheur d'une voisine de rang du nom de Raymonde Boulanger. Et Paul-Émile, quant à lui, s'intéressait avant tout à la cagnotte au milieu de la table, un lot d'au moins deux dollars.

L'on jouait au poker.

André, le frère de Léandre, restait à l'écart, près du présentoir à balais ; il écoutait et apprenait à jouer suivant les diverses variations du jeu dont les noms anglais sonnaient souvent dans la bouche de chacun quand il mêlait les cartes et annonçait son choix. Un *stud*. Un *bluff*. Un *king and low*. Un *low ball*. Un « piss pis l'deux ». Un ci, un ça...

On entendit le ressort de la porte de cuisine. Et des pas lents se préciser. C'était Honoré qui venait s'ajouter au groupe. Plus âgé pour la peine, le fils de Freddé aimait se mêler à des gens plus jeunes. Quelque chose en lui refusait de vieillir. Une inquiétude vague. Un souci. Une crainte devant l'avenir. Devant son propre avenir. Il lui arrivait souvent de perdre la notion du temps. De ne pas savoir le jeudi qu'il s'était passé mercredi après mardi. De ne pas retracer des journées entières dans sa mémoire.

Mais il n'y paraissait pas dans sa conduite. On le trouvait fort sympathique. L'hiver, il faisait partie de l'équipe de hockey locale et en était le meilleur joueur à part Laurent Lapointe, le fils de Jos. Même que l'équipe de Shenley faisait partie d'une ligne de quatre en tout, comprenant celles de Saint-Évariste, de Beauceville et de Saint-Georges. Et voici qu'Honoré en avait fini deuxième meilleur compteur la saison précédente.

– *High ball*! annonça Émilien Poulin, jeune homme blond qui semblait avoir le nez bouché à l'année tant sa voix se faisait nasillarde.

Le « pot » d'avant avait été remporté par Paul-Émile, le fils à Fortunat, que fascinaient au plus haut point tous les jeux de hasard.

Chacun misa.

– Tu veux jouer ? demanda le brasseur, celui qu'on avait surnommé le Zoo.

– Pourquoi pas ? fit Honoré.

Et la partie se poursuivit à cinq. Entrèrent bientôt dans le magasin deux jeunes filles dont Françoise, l'amie de cœur de Léandre. Elle ignorait qu'il s'y trouvait et lui sourit au passage en se dirigeant vers le bureau de poste.

– Celle-là, déclara le Zoo, j'y ferais pas mal. Donnez-moé un peu de temps, pis elle va sortir avec moé, hein...

Paul-Émile éclata de rire :

– Trop tard, le Zoo, c'est Léandre qui a pris la place.

– Tu me dis pas, mon maudit, toé... Ben je vas m'essayer pareil. Le soleil reluit pour tout le monde.

Bernadette, qui travaillait derrière des dames, n'entendit que cette dernière phrase ou plutôt ne porta attention qu'à cette portion de l'échange entre les joueurs et lança par-dessus ses lunettes en lueurs et en mots :

– Y a rien de plus vrai, monsieur Zoo...

Tous se mirent à rirent d'entendre ce grand mot « monsieur » accolé au surnom d'Émilien.

Durant la partie, il fut question du Yukon où le Zoo voulait s'exiler pour gagner un gros « pot » avant de revenir s'établir dans la Beauce ou à Montréal. Honoré parla de son grand-oncle Thomas qui avait passé sa vie là-bas, ainsi que de la tentative avortée de son oncle Henri pour s'y rendre dans sa jeunesse, et son retour précipité faute d'argent et même d'audace pour *jumper le tender*.

Assis entre les joueurs et l'étal de balais, André fut à ce moment saisi par un bien étrange sentiment. Un frisson inconnu. Et rien à voir avec les premiers frissons de la puberté. Celui-là en était un concernant la mort. Il lui parut qu'un de ces joueurs connaîtrait bientôt une fin tragique. Mais lequel ? La vision était floue. Personne n'y apparaissait. Il s'agissait d'une impression bien plus que d'une image. Comme quand on rêve intensément à quelqu'un sans le voir. Qui de Léandre, du Zoo, de René, de Paul-Émile ou bien d'Honoré perdrait la vie sous peu ? Ce qu'il ressentait n'appartenait pas à un futur lointain, pas même à un avenir situé au-delà de quelques années, mais à un futur très prochain. Comme si l'ange de la mort avait été autour de cette table de poker à rôder et à hésiter dans son choix. Ou bien cet ange attendait-il de voir qui gagnerait la partie pour le désigner de sa faulx ? Ou mieux qui la perdrait. Ne sont-ce pas les battants, les gagnants qui survivent et ne sont-ce pas ceux qui baissent les bras qui sont emportés prématurément au fin fond des enfers ?

Quand cette perception nouvelle et lugubre le quitta, le garçon qui en gardait quand même le souvenir, se mit à raisonner sur les joueurs pour savoir lequel était pointé par le doigt de la fatalité. Léandre, qui s'était cassé la jambe voilà moins d'un an ? Un accident n'est pas garant d'un autre tout de même. Le Zoo, qui rêvait de partir au loin? Quand on veut à ce prix construire son avenir, rien en soi ne prédispose à s'en laisser couper. Paul-Émile peut-être, qui sait? Il possédait un bazou et aimait s'en servir comme d'un jouet. Il se pourrait bien qu'il heurte quelque chose avec cette chose bancroche de tôle mal rafistolée... Éva ne cessait de répéter à Léandre de ne pas monter avec son ami pour faire la course sur la Grand-Ligne. Et si c'était René, le fils à Émile Poirier du bas de la Grand-Ligne? Il voyageait de chez lui au village à bicyclette et ne cessait de serpenter, comme s'il avait possédé un très mauvais sens de l'équilibre, et ne parvenait pas à circuler en ligne droite, toujours obligé de déplacer son centre de gravité... (En fait, la pensée de l'adolescent était moins scientifique, mais telle en était la substance...). Enfin, Honoré. Sous la table, on le disait atteint d'une maladie mentale semblable à celle qui avait obligé Freddé à faire hospitaliser sa mère en 1931. On murmurait qu'il faisait pas mal de vitesse avec la jument jaune. Ou bien il surviendrait un accident de travail dans sa petite usine...

Comment savoir?

André regarda le profil de chacun.

Honoré emporta le prochain «pot». Il brassa les cartes en annonçant un *stud* à sept cartes. Au moment où il reçut sa quatrième carte, le Zoo Poulin se tourna doucement la tête et regarda l'adolescent droit dans les yeux, sans la moindre raison immédiate, apparente.

Insista. Sans dire un seul mot. Quelqu'un de la table le ramena à la réalité des cartes:

– Envoye, monsieur Zoo, décide-toé!

On rigola. Et le Zoo revint à son jeu.

André avait-il eu sa réponse? Le Zoo se trouvait-il au bord de finir ses jours? Son destin le guettait-il au prochain tournant? Le visionnaire profondément troublé descendit de la table et quitta les lieux sous le regard curieux de Bernadette qui avait levé les yeux au-dessus de ses lunettes...

∞∞∞

Le professeur Beaulieu désigna un pupitre près des fenêtres pour André Mathieu. Il savait que le jeune homme ne se laisserait pas distraire par les choses de l'extérieur autour de la salle. C'était vendredi, le 8 octobre 1954, deux mois après cette partie de cartes du magasin. Dehors, les feuilles mortes roulaient sur le sol, emportées au hasard par un vent capricieux qui allait et venait dans tous les sens, venu, paraissait-il, du cimetière où il se faisait balayeur de tombes.

Une camionnette noire apparut à l'arrière du presbytère. Elle s'approcha de la salle et s'arrêta à l'entrée du cimetière. Deux inconnus en descendirent. André put lire en petites lettres blanches dans la vitre arrière: Gédéon Roy inc. Le professeur vint se mettre face à la première fenêtre à l'avant de la classe et regarda ce qui se passait dehors. Il fronçait les sourcils et ne s'inquiétait pas de ce que certains élèves tournent la tête pour chercher à comprendre.

Les hommes sombres et sobrement vêtus ouvrirent la portière arrière et tirèrent une boîte en bois naturel. Tous ceux qui la virent surent que c'était une fausse tombe. On la déposa à côté du chemin d'entrée du cimetière et on quitta les lieux sans lever les yeux, comme si les travaux requis par la mort de quelqu'un faisaient cul-de-sac au bout de la curiosité la plus élémentaire.

Deux entreprises funéraires se disputaient le marché des défunts de Saint-Honoré: Giguère et Frères de Saint-Georges, maison qui était représentée par Octave Bellegarde, et Gédéon Roy inc, représentée par Uldéric Blais qui avait délégué ses pouvoirs à son fils Dominique.

Qui donc était mort ?

Peut-être le vieux France Jobin, atteint d'un chancre de pipe et dont le visage était rongé un peu plus chaque jour ? Ou le vieux Charles Rouleau, que l'on disait alité depuis six mois et très souffrant ? Le professeur pensa aussi qu'il pouvait s'agir de Louis Champagne qui dépassait allégrement les 80 ans maintenant et qu'il voyait au magasin d'Alphonse, son fils, mais moins souvent depuis que le vieux faisait de l'angine au dire de ses petits-fils Jean-Paul et Guy, tous deux commis au magasin de leur père.

Laval Beaulieu n'y tint plus. Il était rare qu'il cédât ainsi à sa curiosité. Sa nature lui commandait une habituelle discrétion qui faisait sa réputation. Qui pourrait le renseigner à part les prêtres ? Il pensa appeler au presbytère, mais se ravisa. Puis, il vit venir près de l'église la maîtresse d'enseignement ménager. Ils se parlaient souvent et avec agrément. Elle avait pour nom Léola Duchesne et venait d'arriver dans la paroisse en remplacement de sa sœur Antonine, retournée dans leur milieu d'origine, à Dolbeau.

Il se rendit l'attendre dans le couloir tandis que libérés de la contrainte de ses regards lourds, les élèves levaient la tête, même ceux du fond de la classe, afin de voir de quoi il retournait avec ce corbillard à peine venu là et cette boîte de bois blond qu'on savait devoir contenir un cercueil et l'empêcher de pourrir trop vite sous terre.

– Bonjour, Laval !

– Bonjour, mademoiselle Duchesne.

– J'ai vu la fausse tombe dehors. J'ignore pour qui elle est.

– Moi, je le sais. Je l'ai entendu chez monsieur Grégoire tout à l'heure, au magasin.

– Et ?

– C'est un tout jeune homme.

– Tu sais son nom ? Sûrement un de mes élèves du passé.

– Il a un surnom... Zoo... c'est un petit Poulin.

Laval demeura impassible, murmurant :

– Le Zoo Poulin ? Émilien de son vrai nom. Parti pour le Yukon au mois d'août.

– C'est là que ça s'est passé. Le cercueil serait sur le train, en route pour ici. Paraît qu'il arrivera demain et qu'ils vont l'enterrer sans attendre.

André qui ne pouvait entendre la conversation du professeur, regarda la fausse tombe une autre fois et le même sentiment étrange qu'il avait connu à cette partie de cartes lui revint. Il se souvint avec netteté de ce regard que lui avait lancé le Zoo sans aucune raison, un regard intense et bizarre qu'il avait fui, lui, en quittant le magasin cette fois-là.

Le professeur entra. Il voulut servir une leçon à ses étudiants et prit la parole après s'être approché de la fenêtre :

– Y a un élève de la classe d'il y a six ou sept ans qui aura sa place dans la boîte que vous voyez là. Il s'assoyait là.

Il désigna le pupitre occupé par André.

– Pour ceux qui le connaissent, son nom, c'est Émilien Poulin. D'aucuns l'appelaient Zoo. Un accident de voiture au Yukon. Il sera enterré aussitôt que le corps sera arrivé... Comme vous pouvez voir, la mort n'attend pas le nombre des années... la valeur non plus heureusement, mais ça, c'est une autre histoire.

Ce fut tout. Laval soupira et retourna à son bureau à l'avant de la classe. Rien n'y paraissait dans son visage. La mort avait passé, qu'elle passe ! Elle ne pouvait pas de toute manière s'empêcher de passer et de repasser... Sa mission, à la mort, n'en finissait jamais...

Il se dit qu'à 40 ans, il était peut-être temps pour lui de fonder une famille. Léola Duchesne accepterait-elle de l'épouser ? Qui d'autre de toute façon ? Aucune avant elle, pas même sa grande sœur Antonine, n'avait embrasé quoi que ce soit en son for intérieur...

André restait figé sur son siège. Blanc comme un drap. Il pensait que le Zoo lui avait annoncé sa mort par ce regard insistant et si bizarre à la partie de poker du mois d'août... Une partie qu'il avait gagnée haut-la-main puisqu'il s'était alors rempli les poches au grand dam des autres joueurs...

∞∞∞∞∞∞

Chapitre 16

1955

La bâtisse avait l'exiguïté du camp à Armand. Elle jouxtait la maison de Georges Lapointe, un homme à sa retraite qui continuait d'agir comme pompiste. Cet endroit était séparé du magasin à Freddé par quatre maisons, celles de Bernadette, de madame Jolicœur, de Joseph Poirier et de Morin La Botte maintenant occupée par un jeune couple: Gérard Nadeau et son épouse. Lui était le frère aîné de Baptiste. Et, au fond d'une cour se trouvait un garage de mécanique opéré par Gérard Buteau, le gendre de Georges Lapointe.

Le voilà, le *shack* des Anglais, ainsi que l'on avait surnommé cette chaudière à boucane où la fumée de tabac était à couper au couteau. On y jouait à la dame de pique entre hommes adultes du coin et on fumait cigarette sur cigarette quand ce n'était pas la pipe par les plus âgés et le cigare par les plus riches ou ceux qui, comme Pit Roy, rêvaient d'être premier ministre de leur province, même sachant qu'à une élection, ils n'obtiendraient pas un seul vote à part le leur. Et pas même ce vote sans doute...

Un enfant de plus de 10 ans était toléré en ce lieu que les poumons entre eux devaient honnir et maudire. André s'y rendait tous les samedis après ses travaux à l'étable, sa corvée de bois et son repas du midi. Il arrivait, quand il manquait un joueur, qu'on l'acceptât à la table à cartes constituée d'un tabouret surmonté d'un échiquier, lui-même recouvert d'une grande affiche de carton vantant les mérites de la cigarette Sweet Caporal.

Ce jour-là, toutes les places étaient prises, tant à la table des joueurs que sur les bancs autour. L'industriel Dominique Blais, les journaliers Pit Roy et Alphonse Quirion, les bûcherons Alphonse Fortin et Réal Poulin (frère du Zoo), et Arthur Bégin, un homme à chevaux, jouaient aux cartes avec grands cris de joie et fracas des coups sur la table, tandis que d'autres les regardaient faire. Parmi eux, le vieux Joseph Vaillancourt, rentier, le dangereux Emmanuel Gilbert, un voleur de poules reconnu, le bûcheron Fernand Champagne et le plus jeune de tous, André Mathieu, élève de septième année à l'école à Laval.

Le propriétaire restait en arrière du comptoir, appuyé, fumant sa pipe et surveillant les manières de jouer de Pit Roy qu'on disait le meilleur joueur de cartes de toute la paroisse. («Pis même de la province», enchérissait parfois Arthur Bégin, histoire de flagorner un peu.) La tête de Pit étant plus volumineuse que la normale, sans doute que son cerveau l'était aussi et par voie de conséquence sa mémoire. Il retenait par cœur toutes les cartes jouées et ça lui donnait une longueur d'avance sur les autres. Pas très loin derrière le suivait Alphonse Fortin.

Survint Armand Grégoire au milieu de l'après-midi. Impossible pour un homme comme lui de survivre plus de deux, trois minutes dans un environnement aussi lourd d'une fumée aux 4,000 produits toxiques. Il se mettrait à tousser et risquait de se cracher alors un morceau de poumon avant de retourner chez lui, dans la maison à Bernadette.

– Veux-tu jouer une *game*? lui demanda Dominique dès son arrivée.

– Non, non... Un Pepsi, ça va faire. Bernadette fait des *euchres* des fois, pis je joue pas...

Il s'approcha du comptoir. Le père Lapointe décapsula une bouteille brune sortie du réfrigérateur à eau. Il l'essuya comme il faut avec un vieux torchon humide et sale, et la présenta au visiteur qui paya les dix cents requis et trouva une place au bout d'un banc, à côté de Gilbert Les Poules qui eut à se déplacer un peu en disant:

– Fait frette aujourd'hui, hein, mon Armand?

– Le frette, c'est bon pour la santé, mon Manuel. Y a pas mieux.

Dehors, c'était au moins quinze Farenheit sous zéro et quand la porte de la cabane s'ouvrait, il en sortait un pan de fumée de tabac poussée dehors par un pan de vapeur qui s'engouffrait et refroidissait tout l'intérieur. Un brusque changement de température capable de provoquer une pneumonie aux voies respiratoires les plus endurcies.

– À part de ça, comment qu'ils vont, les gens du 9?

– Ça va comme c'est mené.

Tout le monde savait qu'Armand souffrait de tuberculose, mais on se plaisait à croire que son séjour au sanatorium l'avait guéri comme bien d'autres dont Ti-Lou Boutin qui habitait Saint-Georges, comme Victor Mathieu, comme Albéni Quirion et Barthélémy Maheux de même que Berthe Grégoire de Sillery. On connaissait la capacité du corps humain de se défendre contre cette maladie. On commençait à penser que l'affronter valait mieux que la fuir. La médecine avait grandement évolué depuis quelques années versus ce mal du siècle que l'on guérissait le plus souvent désormais sans avoir à charcuter le malade.

Mais ceux qu'elle avait rongés par l'intérieur n'avaient plus pour porte de sortie que la mort. Ç'avait été le triste sort du Blanc Gaboury et c'était celui qui attendait Armand Grégoire au tournant, et il le savait depuis belle lurette. D'autant que pour l'en convaincre, il y avait au-dessus de son esprit, comme une épée de Damoclès, le propos alarmiste de la Patte-Sèche. « Tu te rendras pas à 50 ans, Armand Grégoire. Oublie ça ! »

– T'es pas dans le bois ct'année, Les Poules ?

– C'est moins dur courir les poules que courir les bois, répondit Emmanuel du tac au tac.

À part eux et André, personne n'entendait leur échange. Les attentions allaient toutes à la partie de cartes qui, de la dame de pique venait de passer au poker. Et tous parlaient en même temps pour se persuader de gagner plus sûrement par la détente et le détachement.

Le bonhomme Vaillancourt, personnage à cheveux blancs comme neige, et abondants comme les vagues d'un lac, rougeaud plus que le père Noël, s'exclama alors que l'on constitua la cagnotte :

– Jouez pas trop aux cennes fort, les gars, parce que ça porte pas chance. Monsieur le curé chialerait d'vous voir...

Et voici qu'il s'esclaffa en sifflant comme une marmotte. Car en fait, il taquinait ceux qu'il appelait aussi les jeunes, des gens quand même dans la trentaine et la quarantaine voire de 60 ans dans le cas d'Arthur Bégin et de 65 dans celui de Georges Lapointe.

Arthur fit le signe de la croix et produisit un bruit de langue en la faisant frapper rapidement ses lèvres inférieure et supérieure, puis dit en claquant les doigts des deux mains pour faire rire :

– S'amuser, c'est pas péché, poussette d'enfant, jarrets croches de pattes fines...

Il faisait rire les petits sur le trottoir avec ses grimaces et simagrées et, en situation le moindrement tendue, faisait appel à ses dons puérils pour dérider les autres. Hélas! il était un très mauvais joueur de poker, et les meilleurs appréciaient sa présence car il était pourvoyeur d'argent pour le pot à chaque donne et ne remportait pas souvent, moins qu'à son tour en tout cas.

Armand et Gilbert Les Poules prêtèrent attention un moment à la tablée puis revinrent à leur échange, tandis que les écoutaient deux grandes oreilles d'enfant de 12 ans, oreilles écartées qui avaient pourtant l'air de se livrer entièrement aux propos énervés des joueurs.

Quasiment une scène du Far West. Il ne manquait plus que les revolvers et les danseuses. Et le piano, bien sûr. Mais on ne risquait pas de voir du sang versé en pareil lieu enfumé de la tranquille campagne beauceronne en ce rigoureux hiver 1955.

– Ton père, Manuel, est-il pas mal séparatiste de ce temps-là ?

– Séparatiste ?

– Ben oui, vu que la paroisse veut se séparer du village. Frid est-il pour ou contre ?

– Y a pas un cultivateur qui est pas pour. Pourquoi c'est faire qu'on paierait, nous autres, pour l'aqueduc du village qui sert rien qu'aux gens du village.

– La municipalité pourrait faire creuser des citernes pour le feu pis même l'eau potable dans tous les rangs.

– Un aqueduc à grandeur de la paroisse, Armand, mais t'es-tu tombé su' la tête ?

– Pour le feu, pour le feu, mon ami. Tu te rappelles pas l'année du grand feu, toi ? On sait jamais, ça pourrait arriver encore.

– Tu devais pas être haut su' pattes toé non plus, Armand, l'année du grand feu.

– J'avais... un an.

Gilbert, jeune homme bien planté au visage cramoisi, se mit à rire et ajouta :

– Pis moé, j'en avais encore pour 25 ans à me promener d'une gosse à l'autre dans la poche du père...

Armand sourit :

– C'est vrai, le grand feu, ça fait quarante-six ans... mais on m'en a parlé pas mal.

Dominique Blais, qui prêtait oreille, intervint, et sa voix puissante domina toutes les autres :

– Ton père, Armand, pis mon père, ils avaient sauvé une famille du neuf encerclée par le feu. Personne voulait y aller. Eux autres y sont allés. Dans la Ford du père. Ils se sont fait chauffer la couenne, j'te dis.

– Je l'ai entendu conter souvent par mon père avant sa mort.

– Quand est-ce qu'il est mort, ton père ? demanda Gilbert.

– En 1932.

– Pis moé, suis venu au monde en 1934.

– Ce qui veut dire que t'as 20 ans et plus.

– En plein ça ! Tu comptes vite, en maudit, toé.

Armand prit une gorgée de Pepsi et soupira :

– C'est une bonne affaire : deux municipalités. La paroisse d'un bord, le village de l'autre. Chacun dans sa cour avec ses bébelles. Chacun ses affaires...

Quelqu'un ouvrit la porte : un nuage bleu s'échappa pour laisser la place à un nuage blanc. Tout le monde connaissait l'arrivant, un homme de 38 ans, Raoul Drouin, qui venait d'immobiliser son camion devant le réservoir de gazoline. C'est lui qui ouvrait les chemins de Saint-Évariste à Saint-Martin, donc les deux Grands-Lignes. Il referma la porte, sourit doucement à tous, sortit son paquet de cigarettes de l'intérieur de son parka et alluma.

– Que ça fait donc du bien, fit-il en expulsant une touche d'homme sous sa moustache frimassée.

– Comment que sont les chemins ? demanda Dominique. Le Grand-Shenley, c'est-il ouvert jusqu'à Dorset ?

– Pas mal partout !

– Mais ça rencontre-t-il à des places ?

– À des places.

– On a pas mal de bois à haler cette semaine, nous autres. La cour du moulin est vide.

– Si ça fait pas à la p'tite gratte comme moé, vous ferez une trace avec votre bulldozer, Dominique.

– Qui c'est qui va payer pour ?

– C'est votre bois, pas le mien.

– T'as ben raison !

Moins d'un quart d'heure s'était écoulé quand soudain, Armand fut pris d'une quinte de toux. On ne le remarqua pas. Cela arrivait à bien du monde dans cette 'fournaise à boucane', même aux poumons les plus frais comme ceux du jeune André. Quant à Réal Poulin, lui, c'est à tout bout de champ qu'il toussait, mais jamais bien longtemps. Il sortait sa gourme puis il crachait dans un des deux « spitounes » mis par terre par le père Lapointe.

– Voyons, Armand, vas-tu te cracher les poumons ?

Drouin, lui, n'avait pour seul intérêt que le jeu de cartes. Le poker le fascinait. Le bingo aussi. Le jeu le rendait aussi malade que la tuberculose à Armand. Son camion attendait, brûlait du carburant ; les chemins à ouvrir attendaient ; des cultivateurs pestaient contre lui : il ne pouvait s'empêcher de s'arrêter au *shack* des Anglais chaque fois qu'il passait devant, sachant qu'on y jouait pour de l'argent.

Soudain, le corps d'Armand sur lequel l'homme n'avait plus aucun contrôle, ramassa toutes ses forces afin d'expulser de ses poumons et bronches ce qui les obstruait, et c'était le produit d'une hémorragie interne. Il s'arrêta un court moment puis toussa une seule fois, et le sang accumulé fut projeté devant lui. Un jet atteignit les mains de Raoul Drouin, et les gouttes catapultées frappèrent le visage de l'adolescent sur l'autre banc et le mur derrière lui.

Alphonse Quirion jeta ses cartes sur la table, se leva et juronna :

– Barnac, il va-t-il nous cracher sa consomption su' tout nous autres ?

Et il quitta la table et partit en claquant la porte.

Raoul essuya tant bien que mal ses mains sur ses culottes d'étoffe ; son regard brilla : une place s'offrait à lui à la table de poker.

– J'pourrais passer une p'tite demi-heure avec vous autres, déclara-t-il.

Georges Lapointe accourait, lui, avec sa guenille humide et brunie par la crasse afin d'essuyer le sang tout partout. André frotta son visage avec la manche de son mackinaw puis la regarda ; rien n'y paraissait du sang d'Armand dans les carreaux de tissu rouge. Et seulement un peu de rosé dans les carreaux beige.

Alors, Armand perdit conscience et s'affala sur Gilbert Les Poules qui ne cessa de dire en le recueillant :

– Ça prend le docteur, ça prend le docteur. Mon p'tit Mathieu, cours chercher le docteur Sabourin.

– Laisse faire, lui dit aussitôt Georges Lapointe, je vas aller téléphoner de la maison. Quen, va donc porter la guenille su'l'comptoir.

Ce que fit l'adolescent, et il resta debout près du comptoir en attendant la suite.

Les autres hommes de la table se sentaient impuissants devant l'événement. On se demandait si Armand n'était pas mort ou sur le point de rendre l'âme. Gilbert fit lever le père Vaillancourt et allongea le malade sur le banc.

Le docteur ne tarda pas à venir. Pendant ce temps, Gilbert courut emprunter une sleigh chez la veuve Albéni Fortier, qui demeurait en face de la maison Lapointe, et la ramena au *shack* en se pressant. On y installa tant bien que mal ce pauvre homme à demi-conscient, et Gilbert prit le chemin pour se rendre chez Bernadette, escortés, lui et le malade, par le docteur Sabourin.

Armand put s'aider à rentrer. Son heure n'était pas venue. Mais tout comme le Blanc l'année d'avant, il venait à son tour d'en faire une (pleurésie hémorragique). Combien d'autres avant la dernière ? pensait-il en gravissant péniblement les marches de l'escalier qui menait à sa chambre, solidement soutenu dans sa progression par Gilbert Les Poules.

Durant ce temps, la partie de poker battait son plein à travers quelques commentaires sur la crise traversée par le pauvre Armand.

Georges Lapointe remplit à capacité le réservoir du camion à Raoul Drouin.

Raoul eut le temps de perdre cinq dollars durant la demi-heure qu'il passa à la table de jeu.

Pit Roy était demeuré blême comme un vieux cadavre depuis l'attaque dont avait été victime Armand Grégoire. Personne dans cette paroisse plus que lui, à part peut-être Philias Bisson, n'avait autant peur de la mort.

Au contraire, Dominique Blais s'en moquait, lui. Préposé aux pompes funèbres à ses heures, il avait manipulé bien des cadavres depuis le temps, et ça l'indifférait totalement. Il avait même souvent fait de l'embaumement et ne dédaignait pas travailler avec un Pepsi et un Jos Louis à portée de la main, mis là, sur un couvercle de cercueil... Après tout, si le mort n'avait plus besoin de boire et de manger, il n'en était pas ainsi des vivants.

Au retour de Georges Lapointe, Alphonse Fortin lui demanda une tranche de fromage. Le bonhomme, qui avait le sens de la propreté, reprit sa même guenille, en frotta un long couteau puis souleva la cloche à gâteau transparente qui recouvrait la meule et trancha un morceau. Il gratta ensuite la tranche pour ôter un résidu noir, sans doute un peu de jus de pipe, piqua la tranche épaisse avec la lame et la tendit au joueur de cartes qui la reçut dans sa main libre et la regarda, l'air colérique.

– C'est qu'il y a ? demanda le bonhomme.

– Monsieur Lapointe, vous me servez ça comme ça ?

– Ben...

– Du fromage pas de sel, c'est pas du fromage, ça...

– Ah oui, certain ! Quen, quen, v'là la saldjére...

– Mais tu pues donc ben la boucane, André ! protesta Éva quand l'adolescent fut de retour à la maison à la fin de l'après-midi.

– J'étais su' Georges Lapointe.

– Avais-tu besoin de le dire ? J'sais pas pourquoi que tu vas là ? Tu serais ben mieux d'aller patiner avec les autres de ton âge, là. Respirer du bon air avec des jeunes comme Claude Cloutier pis Marie-Louis Maheux.

– J'aime pas ça, patiner. Pis d'abord, j'ai même pas de patins. Pis j'ai pas d'argent pour m'en acheter.

– Prends ceux à Léandre.

– Ils me font pas.

– Ramasse donc ton argent pour t'en acheter d'abord !

– Des patins, ça coûte dix piastres, c'est pas avec dix cents par jour que j'vas pouvoir m'en acheter. Ça prend cent fois dix cents pour faire dix piastres. Cent jours d'ouvrage, de train pis de bois à rentrer pour avoir des patins...

– Si t'en dépensais moins pour fumer...

– J'ai pas fumé.

– T'as même pas besoin, t'as rien qu'à te tenir cinq minutes dans la 'chaudière à boucane'... pis tu fumes pour ta semaine...

– C'est pas pareil comme fumer.

– Hum! Demande à tes poumons, voir c'est qu'ils vont te dire...

– Mes poumons, ils parlent pas.

– Une chance parce qu'ils te crieraient par la tête.

Ils étaient à la table du soir. Victor qui avait fini de manger, était retourné dans sa chambre d'où il pouvait entendre l'échange. Leur mère reprit la parole:

– C'est pas du monde de ton âge su' Georges Lapointe.

– Je les r'garde jouer aux cartes. J'apprends.

– J'te dis que t'apprends, oui... t'apprends le vice.

– Jouer aux cartes, c'est pas du vice. C'est juste un amusement, c'est tout.

– Tu reviens pis t'as même pas faim pour manger tes 'binnes' là. Y a trop de boucane là. Tu vas attraper une maladie de poumons comme ton frère pis Armand Grégoire.

– Armand, il a craché le sang su' Georges Lapointe tantôt pis a fallu que Gilbert Les Poules le ramène chez Bernadette avec le docteur Sabourin.

– Bon, tu vois, là: t'as eu la preuve en dessous du nez.

– Quelle preuve?

– Que la boucane tue.

– C'est pas la boucane, c'est la consomption, maman.

– Les fumeux de boucane, ils vont l'avoir, la consomption pis le cancer pis tout c'que tu voudras...

– Ah, on peut jamais rien faire dans la maison.

– Vas-y tant que tu voudras, c'est pas moi qui vas t'en empêcher, André, mais t'en subiras les conséquences. C'que tu sens, c'est de la crasse de boucane, imagine l'épaisseur que t'as sur les poumons après une demi-journée au *shack* des Anglais...

La garçon boucha mentalement ses oreilles et continua de manger à grosses cuillerées des fèves au lard bien brunes et bien sucrées...

∞∞∞

On crut que le grand fils à Freddé se dévouait pour faire courir le cheval roux dans l'hiver blanc afin que la bête garde la forme et n'attrape aucun mal venu du froid mordant que 1955 servait à répétition à la Beauce et à toute la province de Québec. Mais Honoré souffrait d'un désordre mental qui frôlait la crise. Tout son corps était survolté, pire que celui d'Amanda dans ses meilleurs jours. C'est ainsi qu'il attela sur la sleigh fine. Jane le ressentit, qui parfois entamait un hennissement et faisait un hochement de museau, tête haute et crinière frissonnante.

Alfred s'inquiétait. Assis près de la grille de la fournaise du magasin, pipe à la bouche, souffrance dans le regard, il se demandait si le tour d'Honoré ne viendrait pas d'aller subir une hospitalisation dans un établissement spécialisé. Soit peut-être la clinique Roy-Rousseau où Ovide Jolicœur s'était fait traiter pour son alcoolisme et Ernest Mathieu pour sa dépression nerveuse, soit, bien plus affligeant, à Saint-Michel-Archange où Amanda avait passé dix longues années de sa pauvre vie.

Toutes ces années, le père de famille avait surveillé, étudié chacun de ses enfants aux fins de savoir si leur héritage maternel ne comportait pas un quelconque désordre mental. Raoul était un homme de qualité, plus intelligent que la moyenne, instruit, bien établi et qui n'avait jamais inquiété son père. La vie l'avait épargné. Mais pour Rachel, ce n'était pas la même histoire. Elle était rentrée de Montréal depuis quelques années et vivait dans une immense solitude, à boire dans sa chambre au deuxième étage à l'arrière de la résidence, et à fumer cigarette sur cigarette. Sa seule sortie de la semaine : l'heure de la messe-basse du dimanche. Elle vivait cloîtrée dans une sorte d'autisme volontaire...

Les autres filles, Hélène, Monique, Yvette, Marielle et Thérèse, n'avaient jamais donné le moindre signe de déséquilibre émotionnel. Comme si le Créateur avait gardé toutes les faiblesses pour les donner à la seule Solange. Honoré, lui, avait toujours paru exempt de ce mal qui avait coûté au père de famille tant et tant de souffrances morales, mais il paraissait bien bizarre depuis quelques jours. Et celui-là en particulier. Il s'était levé plus tôt que de coutume, aux aurores, en fait, avait parcouru nerveusement tous les êtres de la maison et du magasin à la recherche d'une chose inexistante. Il s'était même assis un temps dans l'ancien salon d'Émélie devenu petit entrepôt pour marchandise sèche, et avait parlé avec un interlocuteur invisible.

Entendre des voix et leur répondre, on appelait ça de la schizophrénie. C'est le mot qu'utilisait le psychiatre quand l'homme allait visiter son épouse en bas (hôpital Saint-Michel-Archange).

Pourtant, les choses allaient bien récemment pour Honoré. Aux parties de hockey, quand il entrait sur la patinoire pour y évoluer avec élégance et compétence, on l'applaudissait. Entre-temps, les jours de semaine, il continuait de fabriquer des bâtons qui trouvaient preneurs aux quatre coins de la province. Honoré possédait l'art de la menuiserie et le pratiquait avec bonheur. Il montrait beaucoup d'affabilité envers tous malgré parfois la sécheresse de ses mots, ce qui n'était qu'une façon à lui de parler, vite effacée par un sourire plein de sollicitude.

Il y avait ses amours. Honoré ne se faisait guère loquace à ce propos. Tout comme Alfred lui-même autrefois. Peut-être que la perturbation venait de ce côté-là. Freddé rejeta une bouffée de fumée puis ses yeux s'embuèrent. Il repensait à ce jour de 1909 où Eulalie, la première jeune femme aimée au cours de sa jeunesse, lui avait annoncé son prochain mariage avec un autre...

– J'ai reçu mes lettres patentes pour mon lot avant-hier, annonça Alfred à Eulalie alors qu'il retournait pour la première fois depuis des mois à Saint-Gédéon.

– Suis très contente pour toi, très contente.

Ils étaient de nouveau à leur endroit favori de la grande classe, près du poêle à deux ponts qui servait à cuisiner et à chauffer. Et qui, durant un hiver particulièrement dur, n'avait pas toujours permis aux enfants de se dévêtir, sa chaleur ne suffisant guère à les protéger du froid qui pénétrait à l'intérieur, porté par le vent coulis et des portes qui fermaient tout de travers.

...

– T'as réalisé ton rêve. T'en rêvais et là, tu l'as, ta terre.

– Pour la perdre aussi vite.

– L'important, c'est ce qu'il nous reste dans le cœur.

...

– Je ressens... de l'amour pour toi, dit Eulalie.

– Ah oui ? C'est la première fois que tu me le dis.

– C'est la première fois que je le ressens autant.

– Tu veux dire que... on peut commencer à se voir tous les bons soirs ?

– N... non, mais... ça ôte rien au sentiment que j'ai pour toi, vraiment pas.

– Tu m'avais dit : au printemps...

– J'avais une grande décision à prendre cet hiver.

Eulalie avait enroulé ses cheveux sur eux-mêmes. Ils formaient des beignes sur ses oreilles. Sa robe d'un coutil gris et marine n'avait pas les attraits de celles qu'il lui avait vues sur le dos depuis qu'ils se connaissaient. Par ses mots, elle lui paraissait si proche ; par les airs, si loin...

– Je t'écoute, mais...

Alfred croyait la partie perdue. Elle l'était, mais Eulalie voulait lui faire comprendre que non, que leurs rencontres avaient été enrichissantes et demeureraient pour elle inoubliables.

– Tu sais, quand t'as commencé à venir me voir à l'école, j'avais un fiancé à Saint-Georges. Et la décision qu'il m'a fallu prendre, c'est si je l'épouserais ou non, d'abord qu'il m'avait demandée en mariage et que je le faisais attendre pour bien réfléchir. Puis t'es venu dans ma vie et j'ai eu besoin d'encore plus de temps. J'ai pris l'hiver... Et là, c'est fait... Je vais me marier cet été.

Alfred sentit un tombeau s'ouvrir sous ses pieds. Il avait tant de fois rêvé d'elle comme épouse, comme partenaire de vie, de travail au magasin, comme reine de son foyer, comme celle qui remplacerait la terre qu'il ne pourrait labourer, tout comme la terre avait remplacé Marie-Rose et l'amour dans la vie de son grand-père Allaire. Elle poursuivit en cherchant ses yeux qu'il avait abaissés dans la tristesse et le désarroi :

– Tu restes dans mon cœur, Alfred. Je serai... comme la maison rouge chez vous, tu m'en as parlé si souvent. Je serai le bon souvenir. La belle d'autrefois si je peux dire. Je serai celle qui aura connu un grand sentiment pour toi. Et pour qui tu auras ressenti la même chose.

Une belle grande lueur traversa son regard en même temps qu'elle poursuivait :

– Tu te reposeras dans une image de moi comme si t'allais te reposer dans la maison rouge. C'est ça que je voulais dire... C'est important, la mémoire du cœur.

Le tombeau devint encore plus profond sous le jeune homme, et quelque chose l'y aspirait irrémédiablement. Il chercha à fabriquer un morceau de colère en lui pour ne pas sombrer dans le néant :

– T'aurais pu me le dire, que t'avais un cavalier.

– Je pensais sincèrement que t'avais autant d'importance que lui dans mon cœur.

– Ça se fait pas, deux cavaliers en même temps.

– Oui, ça se fait quand on a le cœur grand... Comme Lady Guenièvre avec le roi Arthur... et le chevalier Lancelot qu'elle faisait souffrir mais aimait tout autant...

– De quoi c'est que tu parles ?

– Le roi Arthur et les chevaliers de la table ronde. T'as jamais entendu parler ?

– Ben... un peu...

– Je vais t'en parler un peu...

Elle prit sa main qu'elle enveloppa des siennes sans parvenir à ramener le soleil dans son âme mourante. Puis un barrage éclata en lui. Un flot de larmes s'en échappa. Elles roulèrent sur ses joues rougies par l'émoi et le désespoir.

Les années grises, chapitre 8

Et voici que 46 ans plus tard, des larmes chaudes et abondantes se mirent à rouler sur les joues rouges de cet homme de 68 ans maintenant. Elles jaillissaient de deux cœurs : celui de l'amour éternel, source infinie de tristesse profonde, et celui de l'amour paternel devant un fils qui donne du souci grave sans qu'il n'en soit de la faute de personne et seulement celle du mauvais sort.

Après cet aveu d'Eulalie, il était parti (de l'école) en disant vouloir revenir, ce qui n'était pas sa véritable intention. Et il avait regagné son camp de Saint-Gédéon...

Il parvint à sa terre de Saint-Gédéon passé la brune mais sous un quartier de lune qui rendait la nuit moins opaque. Avant de dételer, il alluma une lanterne et se rendit compte que la porte de son camp était entrouverte bien que les planches qu'il avait clouées aux fenêtres à l'automne fussent intactes. Quelqu'un avait sans doute défoncé et pénétré à l'intérieur pour voler des objets.

...

On avait emporté les outils : pelle, hache, sciotte, pic, pince de fer, cannedogue. Vaisselle et ustensiles, draps et couvertures, fanal, lampe, seaux, il ne lui paraissait rien rester sauf le poêle, la table et deux chaises. Et personne pour lui venir en aide à moins d'un demi-mille. Par chance qu'il avait toujours une pelle dans la voiture. Il alla la quérir ainsi que ses provisions et vida le camp de la neige invasive puis referma la porte.

Tout cela lui permit de moins penser à sa blessure morale sans pour autant cesser de la ressentir. Il alluma le poêle, s'étendit sur la paillasse du lit et s'abrita sous la couverture qu'il avait prise au cheval en s'excusant de le laisser dormir sans rien pour le protéger, se disant qu'une bête qui avait marché dehors tout l'hiver avait développé une toison naturelle suffisante pour la protéger du froid quand même très modéré d'une nuit de fin d'avril.

Et il se sentit seul.

Si seul.

Et il pleura tout son soûl, lui qui connaissait bien la vertu des larmes. Pas comme sa mère qui leur faisait barrage au risque d'éclater non pas qu'en sanglots mais en morceaux de cœur. La fatigue l'emporta dans un monde rose où il aurait voulu s'installer pour l'éternité. Il s'y trouvait Eulalie habillée de ses seuls cheveux qui lui recouvraient tout le corps jusqu'aux chevilles. Et qui marchait à son côté dans un grand champ d'avoine mûrie par le soleil, dorée, pleine de vie et de promesses.

« C'est toi que je veux épouser, Alfred. »

« C'est toi que je veux marier, Eulalie. »

Un bonheur extrême dans son intensité parce que d'une simplicité extrême.

Vidé de ses larmes, arrosé par elles, l'être d'Alfred était en train de se régénérer dans la nuit, et les rares rais de lumière lunaire s'insinuant à travers les planches des fenêtres y semaient des graines d'espérance... infiniment petites... imperceptibles.

Un autre que lui aurait abattu rageusement une dizaine d'arbres pour se libérer de son impuissance morale. Alfred remballa ses provisions et les quelques petites choses que les voleurs avaient dédaignées, et se rendit chez le voisin le plus proche pour lui faire savoir – et pour qu'il le dise le dimanche sur le perron de l'église – que sa terre, claire de toutes redevances et obligations, était à vendre à très bon prix. En fait, l'acheteur obtiendrait gratuitement tout le travail et toute la sueur que le jeune homme avait dépensés pour obtenir ses lettres patentes.

Puis, il reprit le chemin de Shenley et… du magasin.

Les années grises, chapitre 8

Honoré imprima une secousse sur les cordeaux de câble, et Jane comprit qu'elle devait accélérer. La jument baie avait la capacité de courir et le devoir de le faire vu l'état qu'elle pressentait chez son maître du moment.

Une lisse glissait sur la glace de l'accotement, et l'autre traînait sur le pavé noir. Le jeune homme regardait fixement devant lui. Les gens croisés ne l'intéressaient pas ; il ne les voyait même pas. Il lui semblait seulement que le cheval roux l'emporterait hors de sa prison intérieure, et pour ça, la bête devrait courir encore et encore, jusqu'au moment où lui retrouverait son identité coutumière.

Il prit la direction du haut de la Grand-Ligne. Par chance, le temps n'était pas rigoureux ce vendredi-là. Ou bien Honoré serait rentré avec des morceaux frigorifiés ou carrément gelés. Car il se rendit jusqu'au rang 4, à mi-chemin entre les deux villages de Shenley et de Saint-Martin.

Le jeune homme avait les cheveux coupés en brosse mais peignés avec de la brillantine. Il avait dans sa chambre une photo de son grand-père dans sa jeunesse et quand il la regardait, il avait l'impression de se regarder dans un miroir tant les deux se ressemblaient. Mais ça lui convenait. Même qu'il aurait voulu être son sosie à l'intérieur de sa tête aussi, mais là, il soupçonnait que s'y cachait à l'affût un legs maternel moins agréable.

Bien mis dans son manteau noir, port de tête altier, on le voyait comme un monsieur. Et les jeunes filles ne dédaignaient pas ses regards. On aurait pu croire qu'aucune n'y aurait droit cette heure-là, et pourtant, Honoré parut sortir de son univers mental quand il fit engager Jane dans une entrée de cour pas loin dans le rang 4.

C'était la demeure de Eddy Breton. Et chez Eddy Breton, il y avait deux jeunes adolescentes bien curieuses et d'une grande beauté : Jeannine, 15 ans et Réjeanne, sa cadette. Elles vinrent se mettre à la fenêtre et saluèrent de la main. Il leur répondit d'un geste, puis fit tourner l'attelage et reprit le chemin, et ensuite la Grand-Ligne.

Hasard peut-être. Le temps de la crise avait vécu peut-être. Honoré se demanda ce qu'il faisait là avec le cheval roux de son père. Il ne se souvenait pas être parti sous le prétexte de le faire marcher comme on doit le faire parfois pour un cheval enfermé tout l'hiver.

Mais l'animal l'avait emmené au bout de sa crise, et cela seul comptait. Il revint au village, dételа et entra pour manger en vitesse. Après quoi, il prit son équipement de joueur de hockey et sortit pour se rendre au chalet de l'O.T.J. Il y avait une partie importante ce soir-là, opposant l'équipe locale à celle de Saint-Évariste. Il fallait gagner, et le jeune homme y mettrait tout son cœur...

∞∞∞∞∞∞

Chapitre 17

1955...

Atteint d'un cancer de la bouche, France Jobin, un vieillard de 86 ans, s'éteignit au printemps. On imputa sa maladie et son décès à sa pipe et non au tabac lui-même. Et bien sûr à son vieil âge. Voilà pourquoi on parla d'un chancre de pipe et non de bouche. Comme si sa pipe était malade et pas lui.

Au plan politique, on démembra Saint-Honoré (dans la réalité en 1954). Naquit une nouvelle municipalité sous le nom de Corporation de la paroisse de Saint-Honoré et fut formé un conseil avec Honoré Champagne pour maire. Quant à la Corporation municipale du canton de Shenley, elle conserva son maire Alphonse Champagne pour quelques mois encore, ainsi que son conseil. Déçu de la décision des cultivateurs de séparer les rangs du village, le marchand annonça à son entourage qu'il terminerait son mandat et quitterait définitivement la mairie. Il suggéra même en secret dans le tuyau de l'oreille de certains conseillers, le nom d'un remplaçant possible, jeune homme de qualité, d'ambition, de savoir-faire et de sens politique.

La prospérité avait conduit la paroisse à la division. Plus on possède de bien, plus on cherche à le garder pour soi bien jalousement. La nature, elle, demeura prodigue de ses dons, et vinrent les beaux jours comme chaque année. Un samedi, alors que le vaste feuillage vert ombrageait le village, les cloches de l'église sonnèrent à toute volée. Bernadette entra au magasin dire à son frère de bien belles choses sans même reprendre son souffle :

– C'est notre Jean-Paul Racine qui se marie à matin. Un beau mariage, j'te dis.

– Comment tu le sais ? T'es pas au mariage, t'es icitte.

– Ah, je l'sais. Il marie une p'tite fille de Saint-Martin, pis pas n'importe qui. D'aucuns disent qu'elle serait la plus belle fille de toute la Beauce.

– Qui c'est ?

– Une fille à Martin Bégin... Paule. Une vraie bonne musicienne, il paraît. Une voix d'or. Une perle. Un beau mariage pas pour rire. C'est notre Doré qui va y penser à son tour. Sont du même âge, lui pis Jean-Paul, hein !

Freddé fumait sa pipe au bureau de poste, chapeau à l'arrière de la tête, paupières inférieures légèrement affaissées et laissant voir une couleur rouge clair qui conférait au visage un air de tristesse à rendre triste.

– Doré, il aime trop 'jeunesser' pour se mettre la corde au cou, tu sauras.

– Va falloir qu'il se case comme tout le monde.

Alfred rit sans bruit et seulement dans un souffle :

– Comme toi pis Armand.

La femme agrandit les yeux :

– Moi, c'est pas pareil.

– Toi, t'es mariée avec tes souvenirs.

Elle fit les yeux plus foncés et brillants que de coutume :

– Tu veux dire quoi, là ?

– Le tien a donné sa vie au bon Dieu...

Jamais Alfred n'avait fait une allusion aussi directe aux sentiments de sa sœur pour Eugène Foley. Elle avait toujours su qu'il savait, mais son sentiment pour le prêtre n'appartenait qu'à elle seule et au silence de son entourage. Freddé, songeant au lien qui l'avait uni à la belle Eulalie jadis, s'était fait respectueux et discret. Pas même Armand ne l'avait taquinée là-dessus depuis des lunes. Elle continuait de vivre son rêve impossible, et dans tous ses gestes, jardiner, servir au magasin, prendre soin du lot des Grégoire au cimetière, faire du porte à porte pour annoncer de bonnes nouvelles, trouver vite des excuses aux gens quand on les attaquait devant elle, prier à l'église ou à la maison, il y avait sa pensée profonde pour son ami d'enfance.

On fêterait les 25 ans de prêtrise d'Eugène Foley dans deux petites années...

– Changement de sujet, savais-tu que Lise Boutin aura son deuxième enfant à l'automne ?

– Certain que je le sais !

– Son petit Jacquot a neuf mois déjà, imagine. Il vient de venir au monde, cet enfant-là.

– Toi itou, tu viens de venir au monde, pis te v'là à 50 ans, dit Alfred en rigolant de nouveau.

– Pas 50, 51 ans.

Un bruit de pas furtifs indiqua à la femme qu'il devait s'agir de Napoléon Lambert. Elle céda la place près de la planche à bascule. On se dit deux ou trois mots, et elle quitta les lieux après cet autre échange à bâtons rompus avec son frère de dix-sept ans son aîné.

∞∞∞

Le couple Michaud se rendit chez Ovide Jolicœur. On stationna la voiture devant la porte et on allait descendre quand Odette et Christine sortirent de la maison, chacune avec une petite valise, et accoururent au chemin. Les deux adolescentes avaient été invitées par leur tante Alice à les accompagner à Old Orchard où ils se rendaient pour toute la semaine. Et au retour, le samedi, on s'arrêterait pour une journée à Saint-Honoré chez Bernadette d'où l'on ramènerait André qui y passait un mois de ses vacances. C'était la fête !

Berthe craignait que sa sœur et son beau-frère ne descendent pas de l'auto et sortit pour leur faire signe d'entrer. Stanislas mit les valises dans le coffre de la voiture et fit monter les jeunes filles sur la banquette arrière.

– On va aller voir votre mère un peu, dit Alice. Ça sera pas long qu'on va partir.

Pour elles, rien ne pressait plus. Le plus important, c'était d'être à bord du train. Et le train, c'était la Buick noire de leur oncle Michaud. Sauf qu'il y faisait une chaleur d'enfer en ce jour de canicule. Chacune portait des bermudas, et le cuir de la banquette leur brûlait les cuisses.

Quand les Michaud furent de retour, les deux sœurs attendaient près de la portière. Alice leur dit :

– On a une ben bonne nouvelle à vous annoncer. On vient de le savoir par téléphone. À Old Orchard, vous allez rencontrer vos cousins Alice et Henri-Paul. Leurs parents ont décidé de venir nous rejoindre là-bas. Ça va vous faire de la belle compagnie.

– Mais ils parlent pas un mot de français, eux autres, s'inquiéta Odette.

– Tu baragouineras en anglais comme tu pourras. Et toi aussi, Christine.

Chacune possédait un anglais de classe française, mais possédait un don qui ne s'enseigne pas : la débrouillardise. Elles sourirent en fin de compte à la nouvelle et reprirent leur place à l'arrière en multipliant des petits « ayoye » venus directement de leur postérieur...

∞∞∞

Là-bas, la famille d'Henri Grégoire fut la première arrivée. On avait réservé des chambres dans le même motel; les Michaud y arrivèrent au milieu de l'après-midi après une route agréable et tranquille, malgré les fantaisies de leur nièce qui ne cessa de chanter, de s'émerveiller devant un paysage, une maison, une église, un porc-épic traversant la route, un oiseau volage, un papillon.

Les quatre adolescents furent présentés. Ils parurent mal à l'aise pendant quelques minutes. On se sépara le temps de s'installer puis on se retrouva. Et sans se comprendre pour de bon mais juste assez, on décida de se rendre sur la 'pier', la grande jetée où se trouvent des boutiques colorées et des casse-croûte odorants.

Des quatre, Henri-Paul était fasciné par ses cousines. Il ne cessait de leur poser des questions. Odette croyait saisir et répondait avec beaucoup de gestes. Les réponses n'allaient pas forcément très bien au bout des questions, Clara et Henri s'en rendraient compte plus tard, mais qu'importe puisque le courant passait bien entre les cousins et que se faisait une communication joyeuse et heureuse autour d'un hot dog, d'une barbe à papa ou dans un manège du parc d'attraction.

La semaine fut bonne et belle pour tout le monde.

Les adultes, eux, passèrent en revue bien des années distantes, jasèrent de maints personnages de Saint-Honoré, vivants ou disparus, aussi bien les Cipisse Dulac que les Amabylis Couture en passant par la famille Lepage et les Dubé, Lacasse et Mercier, qui, tous, avaient marqué de leur empreinte vaillante et sensée la vie de cette paroisse, le berceau des Grégoire où Alice et Henri étaient nés tous deux quelques années avant le vingtième siècle. Et le samedi matin, on se quitta sur des promesses de se revoir le plus souvent possible... Par-delà la barrière de la langue, Henri-Paul et Odette avaient créé un lien durable.

Dès leur retour à la maison, les deux enfants d'Henri se mirent à l'apprentissage de la langue française...

∞∞∞∞∞∞∞∞

Chapitre 18

1955...

Freddé avait vendu sa terre principale, celle des Foley incluant le cap, à un jeune cultivateur, Donat Bellegarde, un fils d'Octave, personnage grand, solide, sociable et généreux. Son épouse et lui aimaient les enfants, et pourtant, le ciel leur refusait le bonheur d'en procréer. Ils en adoptèrent.

L'été, Donat, d'une certaine façon, adoptait André Jolicœur qui venait passer ses vacances chez Bernadette. Le garçon de 11 ans y était encore cette année-là.

Et tous les jours, il faisait le train matinal avec le couple. C'est lui qui allait chercher les vaches au pacage ; on lui avait montré à les traire. Après quoi, il déjeunait puis montait avec Donat dans le bois des Breakey au fond du Grand-Shenley y bûcher du bois en vue de la construction d'une maison entre celle de Bernadette et la grange des Foley qui appartenait au jeune cultivateur.

Ce jour était le dernier que l'adolescent passerait à Shenley. Les Michaud, au retour d'Old Orchard, le ramèneraient chez lui, à Québec, où il reprendrait l'école en septembre. Mais le garçon avait d'autres idées en tête...

Et la visite chez Bernadette survint sur le coup de midi. André brillait par son absence au dam de sa tante, qui téléphona aussitôt à la femme Bellegarde.

– C'est moé, Hannette.

La jeune femme avait hérité de l'accent allemand semé en Beauce au dix-huitième siècle par des seigneurs et d'autres habitants de ce peuple venus s'établir près de la Chaudière, entre autres Georges Pfotzer et le docteur Ernest Munkel. Elle prononçait donc les « j » comme des « h » aspirés.

– Jeannette, as-tu vu André, toi, à matin ?

– He l'ai vu cartain, il a fait le train avec nu sautr'.

– Ensuite, il est parti pour le bois avec Donat ?

– Non, non. Donat est pas allé dans le bois auhourd'hui. Il est allé voir quelqu'un dans le 6 pour l'engaher...

– Il est pas revenu à maison, notre André ?

– Après le train, on pensait qu'il r'tournerait avec toé.

Quelques mots de plus et Bernadette raccrocha pour annoncer aux Michaud, à Odette et Christine, qu'on mangerait sans l'adolescent et qu'on se mettrait à sa recherche par la suite.

– Quand il va avoir faim, il va revenir, argua Odette.

– C'est plein de bon sens ! fit Alice.

Et on se mit à table sans plus s'inquiéter.

– Pis... parlez-moi un peu de votre voyage. Les filles, vous avez aimé ça ?

Ce fut un débordement de signes de tête affirmatifs et de oui sonores de leur part, au grand plaisir des Michaud qui seraient disposés à les inviter de nouveau l'année suivante.

On parla d'Henri et de Clara ainsi que de leurs enfants. On se désola que ces derniers n'apprennent pas le français, ignorant qu'il s'y était mis déjà. Mais on le comprenait et Alice couronna l'échange par une phrase de conclusion :

– C'est que vous voulez qu'un Américain fasse avec notre langue française ?

Après le repas, Odette et Christine se mirent à la recherche de leur frère d'un bout à l'autre du village. Quelqu'un avait posé des affiches sur une bonne moitié des poteaux de téléphone ;

on annonçait pour le soir même, à la salle paroissiale, le spectacle de Ti-Blanc Richard et ses joyeux copains. Elles auraient voulu y assister, mais la veille, les Michaud avaient décidé de partir plus tôt des États afin de retourner à Québec dans la journée même du samedi.

Leur marche ne servit qu'à provoquer l'intérêt des curieux. D'aucuns reconnurent les filles à Ovide et en parlèrent à leur entourage en leur prêtant gratuitement une attitude qu'elles n'avaient pas. « Asteure que leur père est riche, j'te dis qu'elles se promènent la tête haute ! » D'autres s'étonnèrent plus agréablement sur un commentaire plus généreux. « Mais c'est les filles à Ovide Jolicœur : c'est donc rendu des belles grandes filles asteure ! »

Elles revinrent bredouille.

– On l'a pas vu nulle part.

Alice eut une intuition :

– Peut-être qu'il se cache pour pas retourner à Québec ?

– Mais non, fit Stanislas. Il sait ben qu'il doit retourner à l'école au mois de septembre.

– Ben j'pense que t'as peut-être raison, Alice !

Toutes les têtes se tournèrent vers l'escalier. C'était Armand qui, en toute discrétion, avait pris place sur les dernières marches du haut, le plus loin qu'il allait quand sa sœur recevait quelqu'un, et qui même, à la demande de Berthe, s'arrangeait pour ne jamais côtoyer André durant son séjour à Saint-Honoré. Il couvait sa chambre et descendait manger seulement quand l'adolescent avait quitté la maison pour retourner travailler avec Donat Bellegarde.

– Sais-tu des choses qu'on sait pas ?

– Des fois, il vient me parler à travers la porte. Hier soir, il m'a conté que l'autre jour, il est allé sur le cap avec Donat qui lui a dit que le métier de cultivateur, c'est le plus beau du monde... Qu'a dit aussi: « D'aucuns vont en dire du mal; tu leur répondras que le cultivateur est le roi de la terre. »

– Tu devais pas être d'accord, Armand, dit Alice, t'as toujours méprisé l'ouvrage d'un cultivateur.

– J'ai rien dit au petit gars pour pas le contrarier. Mais... on dirait qu'il a pris les paroles à Bellegarde pour une pointe à Ovide qui a abandonné ce métier pour partir à la ville.

Bernadette s'étonna, s'affola presque:

– Es-tu en train de dire qu'André voudrait rester avec les Bellegarde? Se faire adopter, laisser l'école pis devenir cultivateur?

– On sait pas ce qui se passe dans la tête d'un petit gars de son âge. Tu le sais comme il aime ça, la terre. Comme son arrière-grand-père Édouard Allaire. Comme son oncle Freddé. Pis même comme Ovide, son père. Parce que sans Berthe qui ruait dans le bacul, Ovide serait cultivateur, pas entrepreneur.

– Pis pauvre comme la gale comme son père Gédéon toute sa vie, commenta Alice. Il a ben fait de changer de cap. Pis Berthe a ben fait de le pousser à ça.

Odette et Christine entendaient tout, emmagasinaient tout dans leur mémoire largement ouverte. Mais où donc se situaient les plus belles valeurs? Chacune se sentait interpellée sans pouvoir répondre à la question.

Armand reprit la parole:

– Finalement, matin et soir, on voit André aller chercher les vaches avec le petit chien à Donat.

– Même qu'il l'amène souvent ici, enchérit Bernadette.

– Moi, dit Armand, je le chercherais du côté de chez Freddé. Dans les hangars quelque part ou ben même à la maison privée.

– Amanda l'endurerait pas longtemps dans sa maison, argua Bernadette.

– Encore drôle ! La femme à Freddé le déteste pas, le p'tit gars. Il s'entend ben avec Freddé itou. Le dimanche, souvent, Freddé attelle son cheval roux et André embarque avec lui dans le boghei. Ils vont dans le haut de la terre ensemble. Freddé dit pas un mot, mais le p'tit gars aime ça pareil.

Alice s'adressa aux filles :

– Bon, ben allez faire un tour chez votre oncle Freddé pour voir si André serait pas là. Autrement, va falloir passer la nuit ici pis retourner à Québec rien que demain.

Voilà qui faisait l'affaire des adolescentes. Elles auraient la chance d'aller à la soirée Ti-Blanc Richard. Pour cette raison, une fois dehors, de concert, elles décidèrent de ne pas essayer de trouver leur frère à tout prix. Et se rendirent frapper à la porte de la résidence chez Freddé. Amanda vint leur ouvrir. Elle afficha une fausse joie :

– Si c'est pas les filles à Ovide Jolicœur ! Vous voulez quoi au juste, vous deux ?

– On cherche André, dit Christine.

– Suis pas la gardienne de votre frère. Demandez à votre tante Bernadette.

– Il est pas là.

Amanda se gratta la nuque en soupirant :

– Bah ! Dans ce cas-là, il sera chez Donat Bellegarde.

– Il est pas là non plus, dit Odette. Monsieur Bellegarde est parti sans lui.

Amanda éclata de rire :

– Dans ce cas-là, André aura pris un autre bord... Regarde donc ça, t'as encore tes tresses, Odette.

– Oué...

– Oué... ben... vous pouvez repartir asteure que vous savez ce que vous vouliez savoir.

Et la femme referma la porte dans leur visage sans plus de civilités. Odette, la démone, ne lui disait rien qui vaille de plus que du temps où elle faisait ses mauvais coups à Saint-Honoré. Qu'elle retourne à Québec et qu'elle y reste!

– On devrait aller voir dans la maison rouge, suggéra Christine.

– Oué... On ira plus tard...

∞∞∞

– Ah, les hommes... chanteurs de pomme...

Accompagnée en musique par Simon Blanchet au piano, Orient Blouin à la contrebasse et Ti-Blanc au violon, une fillette de 9 ans y allait de sa petite chanson sur la scène de la salle paroissiale devant un parterre bien garni. En effet, au moins deux cents personnes assistaient au spectacle de la troupe à Ti-Blanc. Et cette enfant leur avait été présentée comme sa propre fille et celle de Mignonne, autre membre de la troupe. Elle avait pour prénom Michelle, portait des cheveux noirs et arborait un sourire qui charmait son auditoire habitué aux amateurs transis de peur et constipés qui offraient leur prestation une fois l'an aux soirées organisées par Auguste Poulin.

Quand sa chanson fut finie, Michelle salua à trois reprises sous les applaudissements puis s'en alla dans la coulisse du côté gauche de la scène. La grande toile fut abaissée. On entendit du bruit. Quelque chose se préparait.

– On devrait aller voir si André est pas là.

– Où ça?

– Ben... là...

Odette désignait du doigt la porte donnant accès à la coulisse gauche. Sans plus attendre, elle se leva et entraîna sa sœur à sa suite. Le garçon n'était pas là, mais la jeune chanteuse s'était endormie sur un divan tandis que les musiciens achevaient de monter un décor afin de présenter une pièce dont ils seraient les comédiens tous.

Odette s'approcha de la fillette ensommeillée et la réveilla en lui poussant une épaule pour la secouer un peu :

– T'as pas vu notre frère... un gars de 11 ans...

– N... non... qui c'est ?

– C'est mon petit frère. Il serait pas ici ?

– Tu vois ben que non !

Odette dut se rendre à l'évidence : elle n'avait pas réfléchi avant d'agir. Qu'est-ce que son frère aurait pu venir faire là ? Une lourde voix masculine l'interpella, et une ombre se profila au-dessus d'elle :

– Qu'est-ce qu'on peut faire pour vous autres, les petites demoiselles ?

C'était Ti-Blanc qui venait jeter un coup d'œil sur sa fille et avait surpris les visiteuses. Il les avait prises pour des admiratrices de Michelle devenue enfant-vedette suite à quelques apparitions à la télévision. Elles s'expliquèrent. Il ne fut pas tendre et leur demanda de quitter les lieux par l'escalier arrière qui débouchait au premier étage dans la petite salle des Chevaliers de Colomb. Il y faisait noir, mais Odette connaissait l'endroit et se rendit à tâtons à la porte donnant sur le long couloir.

Quand elles y furent, Michelle apparut à son tour dans la porte et attira l'attention des deux sœurs.

– Peut-être que je l'ai vu, votre frère, moi.

– Comment ça ? fit Odette.

– Ben... il a aidé mon père à monter son matériel quand on est arrivés tout à l'heure.

– Qui dit que c'était mon frère ?

– Il s'appelait André.

– Il a fait quoi ensuite ?

– Mon père lui a donné dix cents... il est reparti.

– La seule place où qu'on est pas allées pour le trouver, c'est la maison rouge, fit Christine.

– Y en a qui disent que la maison rouge est hantée, dit Odette sur le ton du secret craintif. Y a au moins deux fantômes qui rôdent dedans. Mais ça fait rien, on y va quand même. Viens. Veux-tu venir, toi, la p'tite Richard?

– Ben...

L'enfant regarda derrière, vers la porte, puis vers le plafond comme pour dire qu'elle ne devait pas, que son père lui faisait défense de s'éloigner. Odette comprit son inquiétude:

– Viens, on va te ramener ensuite. Personne va le savoir.

Enfant de la balle à sa manière, trop souvent confinée aux coulisses, brimée dans son côté explorateur, aventurière par nature, Michelle sourit et suivit avec un O.K. enjoué.

Une fois dehors, Christine s'inquiéta:

– Mais on a pas de lumière pour aller dans la maison.

– Ben voyons, mon oncle Freddé a toujours une lampe de poche dans l'entrée du hangar en arrière. On va la prendre.

On marcha jusqu'à la maison que l'on contourna en passant sur le petit cap voisin pour arriver sur le trottoir de bois entre les deux résidences.

– Attendez, je vas chercher la lampe de poche.

Odette s'éloigna dans le noir. Christine et Michelle ignoraient qu'au-dessus de leur tête, au second étage de la résidence, des oreilles entendaient, écoutaient. Rachel avait l'ouïe fine, et quand sa fenêtre de chambre était ouverte en belle saison, elle était en mesure de percevoir tout bruit humain en bas. Toutefois, elle n'aurait pu entendre les petits animaux discrets comme les chats, les mouffettes, les marmottes passant par là, encore moins les fantômes de la maison rouge...

Odette revint en s'aidant du faisceau de lumière qu'elle faisait surgir de la lampe par petits coups et rejoignit les deux autres.

– Suivez-moi !

Elles se prirent par la main, l'aînée devant, Michelle entre les deux et gravirent les marches de l'escalier. Puis, Odette sonda la porte qui n'était pas verrouillée. Pendant longtemps Amanda y avait mis le cadenas, mais depuis qu'il était question de fantômes, une légende qu'elle-même avait lancée, pas un enfant du village ne s'approchait plus de la maison rouge après la brunante.

Entrèrent sans faire de bruit.

Mais la porte grinça un peu sur ses gonds.

On entendit alors un aboiement de petit chien que la distance rendait imprécis.

Les trois visiteuses eurent tendance à se serrer les unes sur les autres.

– J'ai pas peur des chiens, moi, dit Michelle à mi-voix.

– Allons voir en haut ! suggéra Odette qui alluma la lampe et marcha vers l'escalier de la demi-pièce arrière.

Les jeunes filles se suivirent, la plus jeune entre les deux, jusqu'au deuxième étage, où ne se trouvait qu'un espace plutôt restreint sans plafond et limité par la toiture.

Plusieurs aboiements se firent entendre cette fois, et la lumière fut braquée dans la direction du bruit.

– Tiens, tiens, si c'est pas notre petit frère qui est venu se cacher ici ! s'exclama Odette.

– T'as pas peur des fantômes ? enchérit Christine.

Le garçon était assis dans un coin. Il y avait des restes de repas à ses côtés : peaux de banane, papier cellophane, bouteille de Pepsi.

– Sais-tu que mon oncle Michaud est pas de bonne humeur après toi ? On t'a cherché partout.

– Je retourne pas à Québec.

– En attendant, tu vas revenir avec nous autres chez ma tante Badi. Dépêche !

Le chien accourut vers les jeunes filles et s'intéressa plus à Michelle qu'aux autres. Elle s'accroupit pour le flatter, mais incapable de se retenir plus longtemps, fortement émue par la situation et la peur des fantômes, voici qu'elle se mit à faire pipi par terre sans qu'on la voie car les deux autres s'intéressaient alors à leur frère.

Et l'urine coula jusqu'au trou de l'escalier pour dégoutter en bas.

– Où c'est que t'as passé ta journée ?

– Chez monsieur Pelchat.

– Quel monsieur Pelchat ?

– La boutique de forge. Je regardais ferrer les chevaux, c'est pas un crime. Monsieur Georges prépare les fers au feu pis monsieur Georges-Édouard les pose aux pattes des chevaux.

– T'as passé la journée là ? Tu serais pas allé monter les affaires à monsieur Ti-Blanc Richard après le souper ?

– Non.

– C'est pas ça qu'on a su, nous autres.

– Non. J'ai acheté à manger chez monsieur Lacasse pis suis venu dans la maison rouge.

Odette se tourna vers Michelle qui achevait son œuvre de soulagement profond et se relevait. Elle l'éclaira avec le faisceau :

– Regarde : c'est pas lui, le André qui a monté les affaires à ton père ?

– N... non... C'te André-là, ben il avait une grosse tête pis des oreilles décollées... C'est pas lui.

Odette prit une décision :

– Bon, on s'en va. On va la reconduire à la salle et on revient chez ma tante Badi.

L'aventure ne devait pas se terminer là. Aucun revenant ne s'était encore manifesté. Ni Émélie Allaire, ni Honoré

Grégoire, ni Marie Allaire, celle qui, disait-on, revenait le plus souvent hanter les lieux.

– Descendez en avant, je vais vous éclairer !

Christine prit les devants. Michelle suivit. André lui emboîta le pas, et Odette ferma la marche.

– Attendez-moi en bas !

Le groupe se reforma devant la porte. Mais alors qu'on s'apprêtait à sortir, un son inquiétant se fit entendre. Puis, de ce qui avait été la chambre d'Émélie autrefois sortit une forme blanche que la lampe éclaira à peine. Une voix féminine grossie et allongée dit :

– Allez-vous ennnnnnnnn...

Même Odette prit peur. Et les quatre se précipitèrent dans l'embrasure de la porte et quittèrent les lieux sans demander leur reste. Après une première impulsion, toutefois, André retrouva sa raison et revint sur ses pas pour entendre le rire familier de sa tante Amanda. Il comprit le stratagème et n'en parla jamais à ses grandes sœurs.

∞∞∞

De retour chez Bernadette avec le petit chien Pitou, une bête qui appartenait aux Bellegarde, André dut raconter sa journée sous interrogatoire serré par ses deux tantes et même son oncle Stanislas.

Il annonça qu'il ne voulait pas retourner à Québec.

Bernadette téléphona à Ovide et lui fit part de la situation. Le père parla à son fils et ne parvint pas à le faire sortir de son entêtement. Il dut en venir à la menace :

– Je vas être obligé d'aller te chercher moi-même.

– J'irai pas plus ; je vas me cacher dans le bois.

Ovide comprit que la solution passait par Donat Bellegarde et, après avoir raccroché, il refit un autre appel à Saint-Honoré.

Et l'on trouva divers compromis. André pourrait passer encore une semaine chez Bernadette. Ovide viendrait le chercher le dimanche suivant. Le garçon pourrait emporter à Québec avec lui le petit chien Pitou de même qu'un chat appelé Money.

Lors d'un appel subséquent, André accepta la proposition.

Et quelques jours plus tard, il retrouvait sa place sur une chaise à bras crasseuse de l'autre côté du feu de forge à la boutique de Georges Pelchat. Ce jour-là, il était arrivé deux chevaux de l'ouest canadien pas domptés ni l'un ni l'autre. On les avait entravés, mais les bêtes se débattaient au point d'effrayer l'adolescent autrement plus que le faux fantôme de la maison rouge.

Et Georges Pelchat, coiffé de son petit casque rond, bardé de son tablier de cuir et revêtu de sa chemise kaki, levait parfois une main menaçante en direction d'un des étalons. Ce geste n'avait rien pour convaincre les bêtes de se tenir tranquilles. D'ailleurs, l'homme se sentait moins sûr de lui depuis qu'un cheval récalcitrant lui avait arraché le pouce d'un coup de gueule un jour qu'il lui donnait des ordres à main levée. Et c'était le pouce qui tenait le marteau... Même à 66 ans, le forgeron en gardait le cuisant souvenir...

∞∞∞∞∞∞

Chapitre 19

1955...

Les adolescents du village se retrouvaient le soir au restaurant chez Ronaldo (Plante), et comme la famille comptait huit filles en ligne, la clientèle n'avait pas tardé à rester fidèle au petit bistrot situé près du magasin Champagne, voisin du garage opéré par Philias Bisson.

Jos Lapointe avait dû fermer son restaurant et concentrer ses énergies et celles de ses fils et filles à son magasin voisin où l'on vendait des vêtements – du prêt-à-porter – pour les deux sexes. Jos et son fils aîné Laurent faisaient augmenter le chiffre d'affaires par du porte à porte dans les paroisses voisines de Dorset, de Courcelles, de Saint-Sébastien, de Saint-Samuel.

Un soir de la mi-août, il apparut un nouvel adolescent parmi les flâneurs devant le restaurant. Rougeaud, visage moucheté de taches de rousseur, souriant, grassouillet, il fit comme un vieil habitué et entra dans la conversation sans qu'on ne connaisse son identité. Parfois, il lissait sa chevelure noire et trop vaguée à son goût. Il devait avoir 16 ans, guère s'en manque, guère plus...

Grâce à Bernadette qui, elle, savait, les autres surent. Elle passa, venue de visiter la famille Hormidas Boutin dans le haut du village, et s'exclama quand elle aperçut le jeune homme de l'autre côté de la rue :

– Mon p'tit Gaboury, t'es revenu ? J'ai su que tu viendrais à l'école à Laval au mois de septembre ?

– Ben... oué... Mais suis pas un Gaboury, suis un Fontaine.

– Ton père, c'est Philippe Gaboury, non ?

– Mais ma mère, c'est Noëlla Fontaine.

Le jeune homme avait perdu son sourire. Il ne voulait pas qu'on l'identifie à son père, un homme de Shenley dont sa mère s'était séparée voilà quelques années pour aller vivre à Montréal en y emmenant son fils.

Elle acquiesça du chef et du ton, agrandissant les yeux :

– Ah, c'est ben entendu ! On va t'appeler Jean d'Arc Fontaine pis jamais Jean d'Arc Gaboury.

L'adolescent retrouva son sourire. C'est ainsi que sans l'avoir voulu expressément, la femme venait de présenter à ceux présents qui ne le connaissaient pas ce garçon parti de la paroisse alors qu'il n'était encore qu'un enfant. Sa mère l'envoyait vivre chez ses grands-parents pour la durée de l'année scolaire. Il venait faire sa neuvième année à l'école à Laval Beaulieu.

Puis, Bernadette reprit sa route, le dos légèrement voûté, mais l'œil aux aguets. Suffisait qu'on se berce sur une galerie pour qu'elle s'arrête et entreprenne une conversation. Elle trouvait invariablement de quoi à dire. Et combinant des aptitudes de politicien et de météorologue, elle promettait à chacun du bien beau temps pour le lendemain.

Devant chez Amédée Racine, elle fit un autre arrêt pour saluer Claudine Lapointe, l'amie de cœur de Laurent Racine, et Laurette Labbé, qui vivait dans cette maison depuis l'adolescence et se berçait elle aussi avec le jeune couple à qui le sort réservait un futur fort agréable : le mariage.

– Suis partie sur la trotte pis je commence à avoir mal aux pieds. Mais c'est pas grave quand on voit du beau monde comme vous autres...

Claudine et Laurent formaient un couple haut de gamme. Elle possédait la beauté classique d'une Grace Kelly et lui l'élégance et le charme discret d'un Gary Cooper. Amis d'enfance, voisins d'en face, les grandes lignes de leur avenir étaient déjà toutes tracées. Il ne restait qu'à en inventer les interlignes.

– Vous êtes flatteuse, Bernadette, dit Laurent qui lissa doucement se petite moustache.

– Je le dis comme je le pense.

– Votre réputation est faite, dit Claudine avec un large sourire.

– J'en reviens pas des beaux grands cheveux blonds comme de l'or que t'as, Claudine. Où c'est que t'as donc pris ça ? C'est vrai que ton père est pas mal blondin. Ta mère tire plutôt sur le roux, elle.

Un marcheur approchait depuis le centre du village. Il s'arrêtait comme pour cacher son malaise d'être, puis reprenait son pas court en tournant la tête dans toutes les directions pour faire voir son détachement et son indifférence devant les regards qu'il savait l'observer tout les jours de sa vie quand il passait devant des gens ou leur demeure.

C'était François Bélanger.

Voilà quarante-sept ans qu'il promenait son visage de plus en plus laid, tout fait de plis sombres, où dominait un nez affreux, aplati, semblable à celui du vampire Nosferatu que d'aucuns avaient vu dans un film voilà des années, dans les premiers temps du cinéma.

Il ne savait pas trop où aller. C'était un soir tranquille et humide. Des gouttes d'eau perlaient sur son front fuyant, issues semblait-il de ses cheveux poivre et sel. François n'avait jamais connu la femme malgré ses dires et vantardises au moulin à scie. Et il avait noyé ses déboires dans la boisson. Chaque samedi, il s'enivrait. Cela commençait en après-midi, et il finissait par retourner chez lui – sa mère vivait toujours – aux petites heures, en tricolant, en titubant, en oubliant sa pauvre existence.

– Tiens, si c'est pas François Bélanger! J'ai affaire à lui. Vous allez m'excuser... Pis bonsoir vous trois là... Madame Racine va bien de sa santé?

– Numéro un, dit Laurent.

Bernadette fit un sourire et deux hochements de tête puis continua à la rencontre de François qu'elle interpella:

– Sais-tu, François, que j'aurais du bois de poêle à faire rentrer dans la cave. Comme de raison, Armand est pas capable de faire ça, malade comme il est. Mais toi? Je vas te payer le prix qu'il faut. Sais pas... mettons cinquante cents de l'heure. C'est à peu près ça que tu gagnes à chauffer la bouilloire chez Blais?

– Y gân mieux... soisant'i cen'...

Bernadette agrandit les yeux:

– Soixante-dix cents? Mais ça se peut pas...

François mit sa tête en biais et fit des gestes affirmatifs:

– Soisant'i cen'... moé, 'l'sé...

– Ah, j'te crois d'abord que tu me le dis. Bon, je te le donnerai, le même prix à l'heure. Pis j'te dirai que madame Éveline, elle en aura, elle itou, du bois de poêle pis de fournaise à faire entrer. J'pense que Dal Morin va lui en livrer un voyage ces jours-ci. Peut-être plus.

– Ben... j'vas y aller... 'angdi... 'angdi... atin...

– T'auras beau commencer sans moi. Y a une barouette dehors en arrière. Je m'en sers pour aller jardiner. Tu la prendras pour rentrer le bois. J'ai mis deux planches à terre dans la cave: c'est pour les cordes de bois.

Puis, chacun poursuivit son chemin. François fourcha pour ne pas passer sur le trottoir devant les Racine, par trop d'embarras devant tant de grâce et de belle apparence. On croirait, on saurait qu'il se rendait au garage Bisson. Mais Laurent le héla:

– Comment ça va, François?

Il obtint une réponse qu'il ne sut déchiffrer, lui, pourtant, un homme qui s'y connaissait en chiffres, ayant terminé son cours commercial et travaillant à la caisse populaire à titre de gérant depuis deux ans et plus. C'est qu'il fallait une grande simplicité pour comprendre l'énigme François Bélanger: une âme souffrante, secrète, discrète... De plus, il fallait quelqu'un qui lui ressemblât moralement par certains aspects. Parmi ces rares personnes se trouvaient Dominique Blais, qui le côtoyait tous les jours à la manufacture de boîtes à beurre, Freddé Grégoire, qui savait le questionner pour obtenir des réponses simples, faciles à cerner, et Bernadette dans une moindre mesure, comme dans son précédent échange avec lui. Aussi Victor Mathieu, un être capable de décoder le vrai à travers les douleurs masquées.

L'homme, inoubliable par la monstruosité de son visage, entra par les deux grandes portes ouvertes dans le garage de Philias Bisson. On le reçut par une large exclamation:

– Bonsoir, monsieur François! Sais-tu qu'on travaille en maudit, moé pis toé, pour gagner notre vie? La différence, moé, suis à mon compte pis toé à salaire. J'ai travaillé à salaire déjà, quand j'ai appris mon métier de mécanicien: c'est le pire qui a pu m'arriver dans ma vie. Vive l'indépendance! On travaille plus à notre compte, mais avec plus de cœur...

Philias, personnage qui avait franchi le cap de la cinquantaine, rondouillard, cheveux vagués, noirs comme l'huile qu'il était à vidanger de sa propre voiture, une rutilante Pontiac 1953, parlait et parlait. Autant dire n'importe quoi que de ne pas comprendre les paroles de François. Comme ça, il savait où il allait, et l'autre se laissait faire tout en se croyant intéressant.

En ce moment, le garagiste était dans le puits de ciment sous l'automobile, éclairé par une lampe-torche.

D'autres pas se firent entendre après ceux, plutôt silencieux, de François Bélanger: ceux, familiers, d'Auguste Poulin à la semelle qui claquait. Mais presque aussitôt, un quatrième homme entra; Philias sut que c'était le curé étant donné qu'il pouvait apercevoir de son trou le bas de la soutane noire s'approchant. De plus, le vicaire Gilbert, lui, ne se montrait jamais le nez au garage.

Et ce fut un échange à trois auquel François prêta oreille sans y prendre part. Après les commentaires d'usage sur le temps du jour et celui prévu pour le lendemain, on se parla de la nomination toute récente de Jean-Paul Racine comme maire de la municipalité du canton de Shenley (village).

– À 28 ans, c'est le plus jeune maire de la Beauce, dit le curé.

– On peut être fier de ça, commenta Auguste Poulin.

Philias ajouta:

– C'est un jeune homme intelligent, instruit, renseigné pis de bonne composition. On pouvait pas trouver mieux.

Auguste déclara:

– On a eu un homme de cette trempe-là déjà à la tête de la paroisse.

Philias sortit sa tête du trou devant le pare-chocs rutilant de la voiture noire et approuva, lunettes abaissées sur le bout du nez. Il détacha mots et syllabes du nom cité:

– J'te dirai que j'sais qui c'est... Noré Grégoire.

Le curé parla tout en gardant serrée entre ses dents sa pipe fumante:

– Je l'ai un peu connu. Même que j'étais à ses funérailles, mais c'était avant que je devienne curé par ici. Un homme de grande réputation, le père de monsieur Alfred et de Bernadette. Préfet du comté... Quasiment député.

Auguste dit :

– Ben moé, j'vous dis que Jean-Paul Racine sera un jour préfet du comté à son tour et même notre député.

– Député ? Un député issu de notre paroisse, ce serait un honneur incomparable, je dirais même incommensurable, fit le curé.

– L'avenir le dira, l'avenir le dira, commenta Philias qui retourna à son huile.

Auguste conclut :

– En tout cas, la voie aura été battue par Noré Grégoire. Ce qui ôte pas sa valeur d'homme à Jean-Paul, ben entendu.

En cet automne 1955, les regards vers l'avenir étaient remplis d'optimisme à Saint-Honoré-de-Shenley comme en bien d'autres endroits de la province de Québec. L'abbé Ennis en était conscient, mais en homme réaliste, il se demandait comment concilier son appui à Duplessis avec la foi libérale de Jean-Paul Racine, une foi tout aussi bien enracinée, disait-on, que celle d'Honoré Grégoire à la belle époque...

∞∞∞∞∞∞

Chapitre 20

1955...

Bernadette traversa le chemin à fine épouvante. Elle gravit les marches de l'escalier menant sur la galerie de la maison Mathieu, marcha jusqu'au coin et se rendit à la porte de côté où elle frappa avant d'entrer sur un oui pointu de sa voisine d'en face.

– Suis venue t'annoncer une belle nouvelle, Éva.

– Assis-toi pour me dire ça.

– Non, faut que je le dise à Freddé qui le sait pas encore. C'est Lise... Lise Boutin à Mégantic. Elle vient d'avoir son deuxième.

– Ah oui ? C'est Dolorès qui sera contente de l'apprendre.

– Une fille. Elle l'a fait appeler Élisabeth. Comme la reine du Canada.

– Ah, c'est un beau nom ! Son premier, c'est...

– Jacques... comme son père. Mais tout le monde l'appelle Jacquot.

Éva se berçait à l'arrivée de la visiteuse. Elle faisait rouler un bonbon dur dans sa bouche.

– Écoute, je vas écrire à Dolorès... Comme tu sais, elle est à la veille de se marier.

– Pas cette année toujours ?

– Non. Cette année, c'était Léandre.

– Avec la petite Plante, ah oui !

– Ah, les enfants, on les a pis ça s'en va. Comme des oiseaux qui s'envolent du nid.

C'était là un cliché qui revenait dans tous les échanges remplis de soupirs des mères de famille. Éva les connaissait, tous les clichés à la mode, et les servait à profusion à ses clientes qui, de la sorte, se sentaient en sécurité en sa présence. Et chaque fois qu'elle entendait la comparaison entre la famille et les oiseaux, Bernadette y allait de son vieux commentaire :

– Ma maison, c'est comme un nid sans oiseaux. Un nid vide quasiment. Les Foley l'ont rempli comme il faut, eux autres, mais moi, une vieille fille...

– Armand, faut que tu t'en occupes comme d'un enfant quasiment.

– Pauvre lui, j'te dis qu'il en mène pas large !

– A-t-il fait une autre crise depuis l'hiver passé ?

– Non... Mais il passe son temps à répéter que sa mort est au coin de la rue à l'attendre. Qu'il va partir au plus tard l'année prochaine vu qu'il aura ses 49 ans. C'est la Patte-Sèche qui lui a mis ça dans la tête quand il était jeune. La Patte-Sèche, tu l'as connu ?

– Certain ! Il est mort dans le camp à Armand... pas longtemps après qu'on soye arrivés par icitte, nous autres.

– Ben oui, je m'en rappelle. (Longtemps après la mort du célèbre mendiant visionnaire de Mégantic, on avait appris qu'il était mort dans le camp d'Armand, mais personne ne savait que sa dépouille avait été mise en terre en catastrophe derrière le cap à Foley, en passant par les mains et la complicité d'Armand Grégoire et d'Ernest Mathieu.)

– Ernest dit que les quêteux, ils savent des affaires que nous autres, on sait pas... pis que les prêtres savent pas non plus...

Un jour, l'homme avait rabroué un mendiant venu tendre la main, tandis que lui suait, soufflait en 'tâcheronnant' sur la patte d'un cheval nerveux afin de lui clouer un fer neuf. Le quêteux avait alors fait la leçon au forgeron en lui prédisant que sa dureté ne lui porterait pas chance. Et voici que peu de temps après, le fautif perdait tous ses cheveux, une calvitie qu'il attribuait au mauvais sort que l'étranger lui avait jeté en ce jour difficile.

– Suis pas prête à croire ça, fit Bernadette avec des lueurs profondes dans les yeux. J'te dis que monsieur Ennis... pis l'abbé Foley, ils en savent des affaires, eux autres. Ils disent qu'il faut pas croire aux mauvais sorts.

– J'y crois pas non plus! Si mon mari a perdu ses cheveux, c'est parce qu'il a reçu des chocs électriques à la clinique Roy-Rousseau, pas parce que le quêteux Labonté lui a fait des menaces. Mais il a honte de sa dépression et il veut pas qu'on parle des chocs qu'il a subis à Québec.

– C'est pas moi qui vas en parler non plus.

– La tuberculose pis les maladies mentales, c'est mal vu encore aujourd'hui, en 1955.

– C'est donc de valeur que le monde pense de même.

Et la petite conversation se poursuivit encore un temps jusqu'au moment où on entendit la porte du magasin s'ouvrir.

– Une cliente... Tu vas m'excuser, Bernadette...

– Ben sûr! Je repasserai un autre tantôt.

– T'es toujours la bienvenue.

∞∞∞

À 56 ans, malgré ses rêves et ses hormones, jamais Éveline n'avait connu un autre homme que son mari. Elle portait profondément en elle le désir d'une rencontre charnelle avec un être qui soit capable de stimuler ses sens, mais qui ne soit pas l'époux d'une autre. Il lui fallait donc dénicher un partenaire de lit qui soit célibataire. Son consentement était par avance donné. Il fallait qu'elle prépare l'occasion, la bonne, celle qui ne prêterait pas à ragots dans le village. Et qui ne risquait pas de la faire renvoyer comme aidante chez madame Jolicœur.

Deux fils Joliçœur, Albert et Léopold, des hommes respectivement âgés de 49 et 46 ans, subissaient une forte attraction pour cette femme séparée si bien en chair, si agréablement parfumée et qui leur préparait une cuisine si appétissante quand ils visitaient leur mère, maintenant inactive et qui passait ses heures assise ou au lit.

Éveline les traitait bien mais elle emmagasinait leurs allusions sans réagir. Du moins, en surface. Ils la félicitaient pour sa nourriture, pour son apparence, pour son dévouement, et chacun allait un peu plus loin à chacune de ses visites. Ils ne venaient jamais ensemble et avaient même parié. Le gagnant serait celui qui partagerait le premier son lit.

Les deux frères plaisaient à la quinquagénaire, mais elle avait crainte des conséquences qu'une liaison avec l'un d'eux pourrait avoir. Le mieux était de se tenir tranquille. Qui lui reprocherait sa vertu ? Mais elle avait du mal à s'endormir quand l'un ou l'autre dormait dans une chambre voisine du second étage. Et elle devait tenir sa porte entrebâillée pour le cas où madame Jolicœur aurait eu besoin d'elle en bas, dans sa chambre de malade.

Une rencontre chez Freddé serait un point tournant dans sa vie intime. Alors qu'elle s'y rendait prendre le courrier du matin, elle croisa la fille à Jos Fontaine et son fils Jean d'Arc, qui était venu s'acheter des chaussures.

Noëlla Fontaine n'avait pas 40 ans. C'était une femme blonde au visage sanguin. Une nature forte. On ignorait ce qu'elle faisait à Montréal pour gagner sa vie, et elle n'en disait mot. Et tutoyait aisément les gens.

– Éveline, comment vas-tu ? s'exclama-t-elle avant que l'autre n'ouvre la bouche.

– Très bien. Je vis comme toi, en femme seule, asteure.

– La meilleure manière de se sentir libre pour une femme.

– Lui, c'est ton garçon ? J'te dis qu'il a grandi. La dernière fois que je l'ai vu, il était haut comme trois pommes.

Jean d'Arc blagua :

– Pis asteure, suis haut comme le pommier.

Le jeune homme avait le rire facile et cramoisi. Les deux femmes sourirent. Elles pouvaient se parler plus librement d'autant qu'il ne se trouvait personne d'autre dans le magasin, sinon Freddé occupé au fond, dans le bureau de poste.

– Paraît que t'es venu faire ta neuvième année par ici ?

– C'est ça. Pis je reste chez mon grand-père.

Il passa une idée dans la tête d'Éveline. Un jour ou l'autre et peut-être très bientôt, cet adolescent rencontrerait quelqu'un (ou plutôt quelqu'une) qui ferait de lui un homme. Pourquoi pas elle ? Mais aussitôt née, elle chassa cette pensée indésirable venue spontanément à son esprit, surgie de sa chair et non de sa raison, encore moins de sa conscience.

– Ça fait un mois qu'il a commencé son école, et ça va bien. Il aime ça, étudier.

– Une neuvième année, c'est important de nos jours. À moins de faire un cours classique comme les prêtres pis les docteurs. Voyez ça : à 26 ans, Victor Mathieu la fait, lui aussi, sa neuvième année, en même temps que son petit frère de 13 ans.

– C'est ça : le petit moins, c'est une neuvième année. Même pour travailler sur la construction, ça prend quasiment ça. À Montréal, j'en vois souvent des gars qui sont sur la construction, pis c'est ça qu'ils disent.

Il vint à Éveline une très vieille image, toujours aussi vivante dans toutes ses mémoires : celle d'un noir forgeron qui tisonne dans son feu de forge, muscles saillants, sueur sur le corps, regard rouge. Pensée gratuite et vaine puisque les travailleurs de la construction n'offraient pas du tout pareille image. Qu'importe, ses sens travaillaient...

– Sais-tu, mon garçon, j'aurais un peu d'ouvrage pour toi si ça te le dit. Je te paierais, c'est sûr. J'ai pas mal de bois à rentrer pour l'hiver. Dal Morin est venu m'en livrer trois voyages cette semaine. Tout est dans la cour. On va te donner soixante-quinze cents de l'heure.

Éveline fut la première surprise de ce qu'elle venait de dire. Comme si la proposition lui avait été insufflée par une voix extérieure à elle-même. Elle prenait fort bien conscience que derrière cette proposition se cachait une intention profonde inavouable, si peu catholique qu'elle n'osa y repenser à deux fois.

Noëlla devina ce qui pourrait arriver si son fils passait du temps seul dans une maison avec une femme comme Éveline qui exhalait tant de sensualité sous des dehors apparemment froids et réservés. Loin de l'horrifier ni même de la contrarier, cette possibilité lui convenait. Il coulait du sang très chaud dans les veines de son fils, du sang de Gaboury, et elle avait pu s'en rendre compte dès les premiers temps de sa puberté, vers l'âge de 11 ans. Autant qu'il devienne un adulte par les mains d'une femme de cette expérience, de cette valeur, loin du milieu qui était le leur à Montréal.

Son regard devint très intense :

– Suis sûre qu'il va vouloir se faire des sous. Et ça va lui faire du bras.

Éveline n'en croyait pas ses oreilles ni ses yeux. Il passait des lueurs fortes et approbatives dans le regard vert de la jeune femme. Deux intuitions se croisaient.

– Je peux y aller demain, dit Jean d'Arc sans penser, lui, à autre chose que du bois à charroyer dans une cave de maison.

Noëlla parla pour lui :

– Samedi, demain, parfait! J'y pense, tu vas pas à l'école aujourd'hui?

– Étant donné que je pars à soir, j'ai téléphoné au professeur pour lui demander s'il pouvait prendre sa journée *off*. C'est un homme ben avenant, Laval Beaulieu.

– Sévère mais ben d'arrangement. Jamais eu de trouble avec lui le temps qu'on restait à la salle paroissiale. Ses élèves nous ont jamais causé de trouble non plus.

L'échange prit fin bientôt, et l'on se sépara. Éveline dit en terminant:

– T'oublieras pas mon bois, Jean d'Arc, là!

– Ben non! Demain matin...

∞∞∞

Le garçon fut là de bonne heure, mais pas assez pour devancer François Bélanger, qui, lui, avait commencé de rentrer le bois dans la cave chez Bernadette. Son visage ne posait pas de problème à l'adolescent, qui avait connu le personnage dans son enfance; or, qui avait vu François une fois se souvenait de lui toute sa vie durant.

Jean d'Arc regarda tout autour sans trouver de brouette comme François en avait une pour lui faciliter la tâche. Ça n'avait pas de sens de rentrer à la main, par brassées, cette montagne de quartiers de bois d'érable. Il faudrait trois jours entiers. Sans doute qu'il se trouvait quelque part une brouette aussi; quelle maison en était dépourvue? Mais il poussa la porte de la cave et la laissa largement ouverte afin de faire entrer à l'intérieur toute la lumière du jour possible, sans rien trouver ensuite qui puisse lui servir.

«Madame Poulin doit ben savoir!» se dit-il.

Il emprunta l'escalier et frappa à la porte qui menait à la cuisine. On lui ouvrit. Il demanda ce qu'il cherchait. La femme lui dit d'aller voir dans une remise au fond du terrain. Éveline était en robe de chambre et ne se montra pas. Même qu'elle répondit sèchement. La nuit porte conseil, et elle avait fait volte-face. Ça n'avait pas de sens qu'une femme de son âge, dans le plus extravagant de ses rêves, dépucelle un garçon de 16 ans, même avec le consentement tacite de sa propre mère.

Elle porta à manger à la malade puis retourna au second étage pour y prendre son bain. Quand son corps fut dans l'eau, elle le regarda d'une autre façon que de coutume. Rembrandt eût aimé l'avoir pour modèle. Car il y avait beaucoup de chair à voir. Cette poitrine que l'eau aidait à flotter à moitié : des seins aussi importants que ces pains qu'elle faisait cuire tous les samedis. Et ces aréoles foncées de la grandeur d'hosties servant aux prêtres à dire la messe... Un ventre pas trop abîmé et qu'elle avait vite fait d'oublier quand elle posait ses yeux sur ses cuisses abondantes. Quelle femme marchait plus qu'elle dans cette paroisse et pourtant, quoique durcis, les tissus de cette partie de sa personne physique refusaient de diminuer de volume. Plutôt que ces formes excessives et vieillissantes, ne fallait-il pas celles de la jeunesse, fermes et joyeuses, saines et candides, pour initier un garçon de l'âge de Jean d'Arc à sa vie d'homme ?

Et le postérieur, lui, qu'elle ne pouvait voir autrement que dans un miroir, en tout cas pas dans cette position, assise dans une baignoire ! Il était lourd, lourd de chair, certes, mais également des farces grivoises d'Auguste toutes ces années de mariage.

Elle se lava doucement à l'aide d'une éponge, réfléchissant, muselant ses intentions dans son courage, loin de la chaleur qui réchauffait trop son corps depuis tant d'années. Non, elle ne toucherait pas à cet adolescent. Aucun démon de la concupiscence ne l'y conduirait. Mais aucun diktat de l'Église ne lui dirait non plus comment se conduire. Elle ne reconnaissait aucun péché possible dans la jouissance de son corps. Mais de s'emparer de celui d'un jeune homme, voilà qui avait une tout autre résonance en son esprit.

Enfin, elle se leva et apparut nue comme le personnage de la toile *Suzanne et les vieillards*. Une autre idée surprenante lui vint en tête, comme si encore une voix extérieure la lui insufflait à l'esprit. Et si elle prenait le jeune homme dans son lit, mais sans jamais lui montrer son corps ? Il n'aurait qu'à imaginer les formes qu'il voudrait. Et s'il ne parvenait pas à être Rembrandt dans la nuit noire, alors qu'il se fasse Modigliani ! (La femme possédait des notions sur la peinture comme il en est fait état dans *Rose et le diable*, du même auteur.)

Elle ramassa une grande serviette blanche suspendue au tube du rideau de douche et s'y enroba sans cette fois regarder son corps. Puis, elle se rendit dans une chambre qui donnait sur l'arrière et s'embusqua derrière un rideau de fenêtre. Les images qui lui apparurent la firent frémir dans toute sa chair. Et pour deux raisons diamétralement opposées bien que situées sur un même clavier. Directement en bas se trouvait l'adolescent en train de remplir la brouette qu'il avait fini par trouver dans la remise construite à la place de cette laiterie que le docteur Goulet avait vendue à son voisin Armand pour l'aider dans sa santé morale et s'en faire un petit camp de fortune sur le terrain Grégoire. Et pourtant, ce n'était ni la petite histoire des bâtisses ni les choses autour de Jean d'Arc qui captivaient la femme et bien plutôt la personne même de ce jeune homme en si belle santé. En elle, une chaleur naquit des profondeurs du temps et se répandit dans toutes les parties de son corps, surtout les plus intimes. Elle l'imaginait sur elle, en elle, loin en elle, là où il fallait qu'une chair d'homme pénétrât pour enfin apaiser cette soif qui la tenaillait depuis toujours.

Mais elle parvint à détacher son regard quand du côté de chez Bernadette, François Bélanger reparut à l'extérieur après avoir transporté dans la cave une brouettée de quartiers d'érable. L'homme s'arrêta, délaissa les poignées, se redressa, jeta un coup d'œil du côté d'Éveline. Elle eut un léger mouvement de recul. Puis, songea que c'était la manière de faire de cet homme défiguré par la nature: on pensait qu'il regardait haut alors qu'il regardait droit devant lui. Et elle en eut la démonstration quand elle le vit s'adresser à l'adolescent qui lui répondit, puis s'approcher du fossé de ligne entre les deux propriétés.

Ils se parlèrent.

Ils se parlaient. Elle observait. Ses yeux de femme allaient de l'un à l'autre. François lui faisait pitié. Le sort voulait que jamais, quels que soient ses mérites sur terre, il ne connaisse la femme dans ce qu'elle a de plus doux à offrir à un homme. Les seuls bras qu'il avait connus étaient ceux de sa mère; les seuls seins qu'il ait touchés étaient ceux de sa mère. Pareille idée la révoltait. Parce qu'on est repoussant, il faut souffrir en plus le rejet? Et elle-même parce que ses formes n'étaient plus celles de ses 20 ans devrait museler ses pulsions? En tout cas ne pas toucher à un jeune homme parce qu'il mérite quelqu'un de son âge et de sa santé? Mérite, mérite? Mais où donc se trouve le mérite ici?

Mais pourrait-elle accueillir dans son lit un être aussi monstrueux que François Bélanger? La réponse était non. Alors, comment attendre d'un gars de 16 ans qu'il se laisse tenter par une femme de 56 ans? Le compromis se trouvait dans la double réponse d'accueil. Si Jean d'Arc avait le désir d'être son amant, pourquoi se ferait-elle vertueuse à sa place, pourquoi donc? Il fallait qu'elle dise oui à sa propre chair et à celle de l'adolescent. Il faudrait qu'il dise oui à son désir et à une femme de trois fois son âge.

Néanmoins, elle ne saurait dire oui à François malgré tous les mérites du pauvre infirme, toutes ses douleurs, toutes ses résignations. Devant l'image de l'homme grimaçant, sa fleur se refermait; devant celle du jeune homme souriant, elle s'ouvrait toute grande...

Ce qu'elle voyait mettait un terme à toutes ses hésitations et ses volte-face. Une dernière pensée avant de quitter cette fenêtre: elle se ferait d'une grande discrétion, mais advenant que soit connue, cette liaison anticipée avec l'adolescent, elle ne risquait aucun tracas légal puisque l'âge du consentement charnel n'était que de 14 ans, peut-être moins encore.

Il ne restait plus qu'à séduire l'adolescent.

∞∞∞

C'était un jour de grand soleil frais. Les arbres de la cour ombrageaient les choses, et le jeune homme qui travaillait comme une fourmi depuis son arrivée et avait fini d'entrer la moitié du bois au moins. Éveline sortit par la porte arrière, un grand verre à la main:

– Voudrais-tu un peu de limonade?

– Ben...

– Je l'ai faite pour toi. Viens prendre ça!

– O.K.

Il s'approcha, prit le verre et but une gorgée. Elle dit:

– T'as pas besoin de te presser autant; pourvu que tu finisses avant la nuit. Même que tu pourrais revenir demain matin, tu sais.

Elle avait endossé une robe démodée mais qui moulait son corps à la poitrine et aux hanches. Et bougea par un ou deux pas d'un côté puis de l'autre. Les yeux du jeune homme se poseraient forcément sur elle. Cela se produisit quand elle se hancha. Et François dans l'autre cour arrière fit semblant de ne rien voir, lui. Il désirait cette femme depuis bien longtemps, elle comme bien d'autres d'ailleurs, mais elle n'était pour personne, même plus pour son mari légitime.

De sa cuisine, Bernadette pouvait voir son homme engagé ainsi que celui d'Éveline – Armand avait été le premier à le voir par sa fenêtre de chambre et il en avait dit un mot à sa sœur au déjeuner –, mais pas sa voisine sur la galerie. L'adolescent buvait sûrement de l'eau qu'on lui avait donnée, et la femme s'en voulut de n'avoir pas une seule fois pensé que François pouvait avoir soif aussi après tant de sueur versée depuis le petit jour. Elle remplit donc un grand verre de belle eau fraîche puis sortit sur sa minuscule galerie arrière pour l'offrir à l'infirme, qui cessa d'envier Jean d'Arc et accepta avec reconnaissance.

Les deux voisines purent jaser un peu.

– J'pensais que tu prendrais François pour rentrer ton bois, Éveline, mais le p'tit Fontaine, c'est un bon choix. Il a l'air fort comme un ours.

– Pour rentrer du bois, ça prend pas Samson. Lui, il est étudiant pis il essaie de se gagner un peu d'argent le samedi.

– Ah, j'te critique pas pantoute, là ! Tu fais pour le mieux, pis c'est beau comme ça.

– Pis comment qu'il va, Armand, de ce temps-là ?

– Toujours pareil ! Il se dit dans l'antichambre de la mort.

– Il est pas allé à son camp cet été ?

– Une fois ou deux, pas plus. Comme pour faire ses adieux à ses affaires privées. Il a mis deux cadenas sur la porte pour faire savoir que personne doit rentrer là. Imagine que c'est pas ça qui arrêterait un malfaiteur la nuit. Comme on dit : la nuit, tout est permis. Mieux, la nuit, tous les chats sont gris.

Et Bernadette éclata de rire. Sa voisine engrangea avec soin les deux dernières phrases et l'encouragea :

– C'est trop vrai, ce que tu dis, trop vrai.

Puis, songeant à ce qu'elle aurait à faire oublier si l'autre ou Armand devaient surprendre Jean d'Arc entrant ou sortant de chez elle à des heures indues, elle rappela à Bernadette par une question anodine qu'elle-même n'était pas blanche comme neige côté cœur:

– As-tu eu des nouvelles de l'abbé Foley dernièrement?

Bernadette eut un mouvement de recul:

– Voyons, tu me surprends avec ta question. L'abbé Foley a pas de raisons particulières de me donner de ses nouvelles à tout bout de champ.

– Ben... j'ai toujours pensé que vous avez toujours été des proches.

Bernadette devint rouge comme une tomate. Heureusement, la distance empêchait sa voisine de lire dans cette couleur excessive sur son visage. Elle dit un peu sèchement:

– Si j'en ai des nouvelles, je t'en donnerai.

– J'disais pas ça pour ça.

– Pis madame Jolicœur, elle, comment qu'elle va ces jours-ci?

– Toujours pareil! Toujours égal! Un bout de temps, elle était souvent au lit, mais là, de clarté, elle se tient au salon et dans la cuisine. Je m'entends parfaitement avec elle. Pour une femme de 80 ans, elle se maintient.

– Tant mieux! Moi, je pense que c'est de la compagnie qu'il lui fallait. Elle reprend du poil de la bête, comme on dit depuis que t'es avec elle, Éveline. C'est les enfants Jolicœur qui seront contents. En tout cas, Ovide m'a dit que tu faisais de la ben bonne ouvrage. La maison est propre comme un sou neuf, pis ta cuisine chatouille les papilles.

– En tout cas, messieurs Albert pis Léopold ont l'air satisfaits quand ils viennent.

– Sont donc dévoués envers leur mère, ces deux-là! Ils viennent assez souvent...

– Sont ben attachés à leur mère, ça, tu peux le dire. Ils viennent chacun une fois par mois.

– Chacun leur tour, comme ça, ça fait de la belle visite à madame Jolicœur plus souvent.

– Tu peux le dire.

François écoutait. Jean d'Arc écoutait. Rien de ce qui se cache derrière les mots dans une conversation entre femmes ne leur était accessible. Pas une allusion. Pas la moindre nuance dans le ton. Ni le choix des mots eux-mêmes. Rien. Et encore moins une perception empirique de ce non-dit. Chacun possédait un esprit linéaire, comme la base d'une corde de bois, et il y entassait les phrases les unes sur les autres, l'une enterrant la précédente du poids de l'oubli.

Puis, l'on aperçut Honoré Grégoire qui, en voiture fine, se laissait emporter par le petit trot du cheval roux. Éva (Pomerleau) aurait dit de lui qu'il préférait la jument rousse à la jument jaune ce matin-là, mais elle était fort occupée par un grand inventaire de la marchandise de son petit magasin.

– Doré qui s'en va faire courir la jument! fit Bernadette qui regarda vers lui un court moment.

Elle était inquiète de son état mental. Son neveu avait parfois, surtout en période de pleine lune, des comportements si étranges, si anormaux. Pour ces mêmes raisons qu'elle connaissait, quoique moins bien, Éveline n'aurait pas cherché à exercer la moindre séduction sur cet homme avec qui sa différence d'âge eût été bien moins sujette à réprobation... «Un si bel homme!» songeait-elle parfois le soir avant de s'endormir.

Et la conversation prit bientôt fin. Les deux hommes remirent leur verre aux femmes qui rentrèrent. Sur l'heure du midi, Bernadette et sa voisine, sans s'être consultées, préparèrent à manger à leurs engagés. Chacun mangea des sandwiches, assis dans les marches de l'escalier. Et chacun eut pour boire une bouteille de Pepsi... Et chacun se sentit traité aux petits oignons... Il ne semblait pas y avoir de différence entre les motivations profondes de l'une et l'autre femme...

∞∞∞∞∞∞∞

Chapitre 21

1955...

– Suis venu pour me faire payer comme vous l'avez demandé après-midi.

– Ben oué... entre, mon grand, entre !

Jean d'Arc se glissa à l'intérieur par la porte avant de la maison. Il avait terminé son travail tard, était allé souper chez sa grand-mère et revenait vers neuf heures chez Éveline après avoir flâné au restaurant chez Ronaldo.

Il faisait noir dehors. Les lumières de rue ne permettaient pas de discerner la couleur des chats. Il faisait sombre à l'intérieur de la maison. La vieille dame reposait dans sa chambre pour la nuit. Éveline avait écouté la télévision qu'on avait installée au salon quelque temps auparavant sur commande de Wilfrid Jolicœur. L'image n'était pas excellente, mais on se contentait de peu en ces débuts de la grande merveille du siècle.

– Finalement, tout le bois de corde est entré ?

– Pis cordé comme il faut.

– J'ai compté tes heures. En tout, t'as gagné six piastres et quart. C'est-il ça que t'as compté, mon gars ?

Il haussa une épaule :

– Ben... oué... ça doit être ça...

Elle s'adressa à lui à voix très basse, presque un souffle à son oreille :

– Je vas te demander de parler tout bas, mon garçon. Tu sais que je prends soin d'une vieille dame malade et faut faire ben attention, surtout le soir et la nuit.

Il répondit sur le même ton :

– C'est ben correct !

Éveline portait la même robe que durant la journée, à décolleté en cœur, afin de laisser voir la ligne de naissance de sa poitrine abondante. Et suivit le regard du jeune homme qui, forcément, tomba dans cette rivière prometteuse où la seule eau qui coulait était celle du désir.

La couleur du tissu était d'un rouge bourgogne, mais n'apparaissait au visiteur que par le souvenir qu'il en avait retenu des scènes du jour quand la femme était venue le voir et lui parler sur la galerie.

– Y a-t-il ben du monde sur le chemin à soir ?

– Personne ! On entend le tonnerre. Il va faire de l'orage, c'est certain.

– On dirait, hein ! Faudrait pas que tu t'en retournes à grosse pluie.

– J'serai pas longtemps.

– Ta grand-mère t'oblige à rentrer à maison de bonne heure le soir ?

– Ben non ! Elle dit rien. Elle dort souvent quand j'arrive. Elle se lève de bonne heure le matin. Des fois, quand je vas aux vues à Saint-Évariste, je retourne à maison à minuit pis plus. C'est pas péché...

Ils continuaient de se parler à mi-voix. Elle referma la porte derrière lui sans se priver de faire du bruit. Jean d'Arc ne comprit pas que la femme voulait faire savoir de la sorte à madame Jolicœur, si d'aventure la vieille dame n'avait déjà sombré dans la discrétion du sommeil, que le visiteur du soir avait quitté les lieux.

Elle mit son doigt sur sa bouche :

– Sais-tu, on va monter en haut pour pas faire de bruit en bas. Parce que l'argent est dans ma chambre. Bouge pas de là, je vas aller fermer la porte de madame Jolicœur pour pas la réveiller. Je reviens.

– O.K.

Ce qu'elle fit. Et de retour au salon, elle lui toucha le bras pour qu'il la suive dans la pénombre :

– Viens... ça sera pas long. As-tu déjà visité la maison ici, j'pense pas, viens que j'te montre un peu le haut. Fais attention à la quatrième marche de l'escalier, elle craque pas mal. La quatrième...

– O.K.

Deux yeux cernés mais avides en ce moment regardaient du côté de chez madame Jolicœur et donc d'Éveline. Des yeux rougis par des vaisseaux enflés. Cela pouvait se voir grâce à une petite veilleuse dans la chambre d'Armand Grégoire. Tous les soirs depuis longtemps, tous les jours aussi, il prenait place au bord de son lit, toile levée de quelques pouces, et il surveillait le peu d'espace que cette ouverture en forme de rectangle lui permettait de voir.

Ce soir-là, il attendait, il espérait l'orage.

Les autres soirs, à cette heure, souvent il pouvait apercevoir le profil d'Éveline derrière la toile de sa fenêtre. Il suivait des yeux ses formes silhouettées par l'éclairage de sa chambre. Et ça le faisait ricaner. Car un pareil spectacle qui eût émoustillé les sens d'un voyeur ordinaire ne produisait aucun trouble sur un curieux de sa trempe. En effet, il ne s'agissait que de cela : de la curiosité. Il n'avait pas plus le goût d'une femme maintenant qu'il était malade et presque mourant que de tout temps de son vivant. Par ailleurs, il avait perdu le goût de l'alcool, et c'était la raison pour laquelle il avait abandonné son camp sur le terrain à Freddé, le laissant à la seule merci du temps qui passe et des intempéries qui usent.

Armand Grégoire ne rêvait plus qu'à la mort qui l'emporterait loin d'une vie vaine et vide. Le plus vite le mieux... Mais il restait curieux. Qui ne le serait pas quand ce qu'il reste à voir passe par la seule fenêtre étroite et basse d'une cellule mouroir ?

Mais il restait rebelle et imaginait un monde bâti sur d'autres fondations, d'autres principes, d'autres lois, un nouveau et meilleur système...

Pour l'heure, blafard, hagard, bizarre, bras croisés sur sa camisole blanche, l'homme au visage plus blanc que celui du Blanc restait embusqué derrière sa fenêtre quand la lumière se fit dans celle d'Éveline, suivie d'une faible lueur qu'il comprit être celle d'un éclair lointain, annonciateur d'un orage prochain.

– Veux-tu ton lait tu suite, Armand ?

– Hey, barnac, tu me fais lever drette en l'air.

Le sursaut était celui de la contrariété. Bernadette le prit à rire :

– À ton âge, t'es mieux pas.

– Pas quoi ?

– Pas lever drette en l'air.

– Ben drôle ! Ben drôle ! Mets-moi ça sur la table de chevet pis bonne nuit.

– O.K. d'abord ! Bonne nuit !

Avant de refermer, elle dit :

– Tu ferais peut-être mieux de fermer ton châssis, tu pourrais voir des affaires à soir.

– Des affaires ?

– Ben du mauvais temps. L'orage s'en vient.

– Je m'en suis aperçu.

– Bonne nuit !

– C'est ça, bonne nuit !

Elle referma. Armand se reprit d'attention pour la fenêtre de sa voisine. Surprise ! Il aperçut deux silhouettes. Et l'une n'avait rien de celle d'une femme. C'était donc un homme... Le tonnerre se rapprocha...

Éveline referma la porte derrière eux. Puis se dirigea vers sa commode pour prendre l'argent de la paye destinée à l'adolescent. Mais n'y parvint pas. Se retourna. Ne dit mot. Regarda le jeune homme qui n'osait parler, qui n'osait bouger, qui n'osait penser...

– T'as travaillé fort aujourd'hui, veux-tu te reposer quelques minutes. Essaye le lit : j'ai un ben bon matelas.

– Ben... sais pas...

Elle se montra autoritaire, mais plus maternelle que paternelle :

– Étends-toi un peu, je vas aller aux toilettes, ça sera pas long.

– Ben...

Elle s'approcha et le poussa gentiment jusqu'au lit...

Armand assistait au spectacle et en devinait la signification. Il lui manquait seulement de connaître l'heureux élu qui partagerait le lit de cette femme capable d'exercer une forte attraction sur les gens de l'autre sexe, à en juger par les nombreux discours entendus dans le passé de la bouche de personnages comme Philias Bisson, Auguste Poulin, Pit Roy, Léopold Bélanger (le frère de François) et d'autres, même mariés comme Ernest Mathieu, Fortunat Fortier, Pit Veilleux. Il savait, lui, le gars instruit et observateur, la force du pouvoir sexuel d'une femme qui se servait, même à moitié seulement, dudit pouvoir par ses mots et allusions, par ses gestes à peine esquissés, par ses regards et sourires calculés, par sa démarche même, une démarche d'ouverture au mâle de l'espèce sans qu'il n'y paraisse vraiment au regard des autres femelles du groupe. Armand Grégoire avait beaucoup réfléchi à la sexualité humaine et animale, aux similitudes et aux différences énormes entre les deux, avait beaucoup lu sur ces questions, connaissait Freud, Jung et jusqu'aux travaux du docteur Kinsey, comme le rapport historique sur les habitudes sexuelles des Américains, publié en 1948, avait fait l'effet d'une bombe, ce qui n'avait pas manqué d'intéresser au plus haut point le rebelle en lui.

Il vit la silhouette masculine du côté du lit qu'il savait contre le mur avant de la maison puis la silhouette féminine s'en détacher pour marcher dans l'autre sens et présuma que la femme se rendait quelque part, sans doute à la salle de bains de l'autre côté du couloir.

Puis, l'ombre masculine s'assit et disparut dans le mouvement de quelqu'un qui s'étend. Impossible d'en voir ni d'en savoir plus. Le lit d'Éveline était entouré sur deux côtés par des murs impénétrables... pour le regard en tout cas. Armand devait deviner désormais...

La femme se rendit aux toilettes. Elle n'avait pas envie d'uriner mais vida quand même sa vessie du peu de liquide s'y trouvant afin de ne pas devoir interrompre l'action si action il devait y avoir... De retour à la chambre, elle trouva le jeune homme étendu comme souhaité.

– T'es ben comme il faut?

– Ben... oué...

Le tonnerre se rapprocha encore. Il dit:

– Va falloir que j'parte ou ben je vas me faire mouiller.

– T'as tout ton temps.

– Le tonnerre?

– Le tonnerre saura attendre.

– Ah!

Elle se rendit au lit:

– Tasse-toi un peu, je vas te faire du bien d'abord que t'as travaillé fort de même aujourd'hui. Imagine, rentrer trois voyages de bois franc. Pis j'te dis qu'un voyage de bois par Dal Morin, c'est pas que le p'tit voyage.

– Y en avait pas mal. J'me suis fait quelques bonnes échardes avant-midi, ça fait qu'après-midi, j'avais des gants.

Le regard de la femme s'illumina. Le jeune homme venait de mettre au moins un rondin dans la cheminée :

– Des échardes ? Montre-moi ça...

– Ah, je les ai ôtées à midi.

– Montre, montre...

Elle prit place et s'empara de la main droite, qu'elle mit entre les siennes...

Armand pouvait à peine apercevoir la silhouette féminine au bord du lit. Son imagination fertile n'aurait pas su perdre son temps avec une histoire d'échardes à la main, et c'est la main d'Éveline qu'elle dessinait, tenant autre chose qu'une autre main...

– Ah Seigneur du bon Dieu ! Une chance que Bernadette voit pas ça, elle...

Il ricana sur une pensée d'un goût douteux :

– Elle passerait ben sa nuit à rêver à Eugene (à l'anglaise) Foley...

Et l'homme malade songea un moment à la réprobation générale que s'attirerait Éveline – car ce n'était pas son mari là-haut– , à commencer par celle du presbytère si d'autres comme lui étaient témoins de la scène présente et de celle anticipée. Peut-être devrait-il glisser un message discret à sa voisine afin qu'elle ne risque pas d'être devinée dans une pareille situation à scandale. Ce qui, pour lui, n'avait rien de scandaleux, bien au contraire. Éveline lui avait toujours paru une femme brûlante qui avait quitté son mari par insatisfaction sûrement, puisque Gus était le meilleur gars du jour. Éveline, tout comme lui, trouvait sa définition dans la rébellion : elle était une rebelle avec pour cause la sexualité. On était loin du *Rebel without a cause*, ce film de l'été qui avait propulsé un certain James Dean au rang de vedette du cinéma mondial, futur mythe américain.

– Mais quelle belle main toute douce!

La femme fit glisser son pouce droit sur la paume tendre. Poursuivit son mouvement exploratoire jusque sur le poignet, un lieu du corps qu'elle savait à la fois sensible et bavard, en ce sens qu'il avait tôt fait de parler haut et fort à la libido masculine.

– Elle est où, ton écharde, que je te l'ôte?

– Il en reste une là...

Jean d'Arc montra son annulaire gauche.

– Je vas te mettre un peu de salive pour attendrir la peau et la désinfecter en même temps. Ensuite, je vas essayer de l'ôter...

Elle porta le doigt à sa bouche et lécha doucement la partie «malade»...

Armand vit le bras masculin et la main atteindre le visage de la femme. Il crut à une caresse de lui à elle... Un éclair zébra le ciel et le coup de tonnerre suivit de près. La question de tantôt le turlupinait de plus en plus: mais de qui pouvait-il donc s'agir? Pas d'un des Jolicœur célibataires en tout cas puisque Bernadette savait toujours quand Albert ou Léopold étaient de passage chez leur maman... Un autre éclair fulgurant se produisit, mais pas dans le ciel et plutôt dans sa tête: et si cet homme n'était qu'un adolescent, celui qui avait transporté du bois toute la journée? Et si c'était le neveu du Blanc Gaboury revenu faire sa neuvième année à Laval? Il l'avait connu enfant et l'avait revu ce jour-là par les fenêtres de la maison... Loin de le révolter, cette idée l'enchanta. Une femme de 56 ans, un garçon de 16 ans: ça, c'était de la rébellion!

– Que ça aille au boutte, Seigneur du bon Dieu, mais que ça aille au boutte de toute!

Éveline vit le regard du jeune homme plonger dans sa robe. Il était temps d'accélérer la démarche. Elle dirigea la main obéissante vers des parties de son corps : sa hanche, son ventre et, fort lentement, sa poitrine.

– Tu veux toucher là... et là... et là...

Puis, elle remit la main sur le ventre du garçon. Elle put apercevoir une bosse dans le pantalon. Voici que Jean d'Arc venait d'une certaine façon de perdre son innocence du moment d'avant. Il était venu là, avait obéi à toutes les demandes de cette femme sans jamais penser le moins du monde à une relation intime avec elle. Il avait vu Éveline comme il aurait considéré sa propre mère. Mais elle ne l'était pas et en fait lui était étrangère jusqu'à la veille, et les attouchements qu'elle lui avait imposés allumaient sa chair très prompte et bien plus forte que sa volonté propre.

Un éclair et un coup de tonnerre presque simultanés suivis d'un bruit de gouttes de pluie qui frappent le toit et les murs de la maison vinrent servir la cause féminine :

– Va falloir que tu restes un bout de temps en attendant que l'orage passe.

– C'est ben correct !

– Je vas t'aider à ôter tes chaussures, ton chandail pis ton pantalon. Tu pourras te reposer en attendant de pouvoir retourner chez vous. Ton argent est là, sur la commode : je te le donnerai plus tard.

Il se contenta de soupirer et relâcha ses muscles alors que tout son sang bouillant accourait en un même lieu de son corps, prêt à jaillir pour arroser la terre entière.

La pluie grise battue par le vent formait un rideau devant le regard d'Armand. Les ombres chinoises devinrent floues. Il nourrit son imagination des quelques bribes d'images qui lui parvenaient sporadiquement. Des bras qui se lèvent, un chandail qui est tiré par le haut, rejeté comme un obstacle et non posé avec un certain soin par qui veut dormir. Des chaussures qu'on délace, qu'on laisse tomber par terre. Des pantalons qu'on fait glisser... Tout était écrit dans les gestes mesurés d'Éveline...

– Que ça continue, que ça continue! disait tout haut le rebelle sans que le tonnerre ne l'impressionne le moins du monde.

Non, ce n'était pas le démon de la concupiscence annoncé par la femme indienne, non, ce n'était pas de la perversion stigmatisée par l'Église et ses prêtres, non, ce n'était pas de l'abus d'un enfant sans défense, c'était l'appel de la vie, l'appel des sens, l'appel de cette nature créée à l'image de Celui qui l'avait ainsi faite: telles étaient les pensées de cette femme assoiffée que rien ne saurait plus arrêter, rien sauf peut-être une certaine honte indélébile de son corps trop usé, trop âgé...

La solution à cette hésitation était déjà toute trouvée. Elle l'avait en tête depuis son bain du matin: le moment venu, la lumière serait éteinte.

– Te sens-tu bien comme il faut, mon grand?

Elle ne devait surtout plus dire mon garçon, pas même mon gars. Jean d'Arc devait se sentir un homme. De la façon dont il bougeait les jambes, elle devina l'intensité qu'il était sûrement à contrôler. Plus rien ne ralentissait la progression de l'événement, car cette rencontre en était une en fait de nouveauté pour chacun. Ce sont ses propres 16 ans qu'Éveline allait mettre au jeu de l'amour charnel devant les 16 ans de ce jeune homme.

– C'est quoi que je vois là? Mais t'es un vrai homme, toi, mon beau Jean d'Arc!

Et la main féminine enveloppa ce rondin de bouleau qui s'élevait au-dessus du corps masculin dans le tissu étiré. Le grand garçon émit un long soupir issu de l'énorme plaisir ressenti. La main experte s'agita mais avec une infinie lenteur et une douceur apaisante et exaltante. Il ne fallait surtout pas précipiter la fin avant même le véritable commencement des choses sérieuses...

Cette fois, Armand devina juste. Entre deux éclairs, entre deux torrents de pluie sombre, il vit le bras constructeur à l'œuvre sans pourtant apercevoir l'œuvre elle-même. Geste familier mais si loin dans son passé...

L'orage augmentait encore...

Éveline était envahie par une chaleur qui naissait dans ses cellules profondes, alimentée par tous ces désirs refoulés depuis presque l'enfance, mis à la cave dans l'ombre, cordés comme du bois de chauffage et devenus secs à force d'années au point de s'enflammer à la première étincelle. Or, le feu des sens, déjà, avait éclaté en elle, et elle avait bien l'intention qu'il se transforme en véritable brasier.

Elle délaissa la tige cachée et tira sur une corde au-dessus du lit...

– Ah, ben, baptême de baptême! s'exclama Armand. Elle a soufflé la lumière. Baptême, Éveline, rallume-moi ça pis ça presse!

Peine perdue. Il comprit qu'elle gardait une certaine pudeur, en fait une pudeur excessive. Rendue au point où elle en était et ne pas vouloir montrer sa nudité...

– Baptême de baptême... de poil de chèvre... de jarrets croches... de...

Armand juronnait à la Arthur Bégin, mais ça ne le faisait pas rire. Un coup de pluie tourbillonnant vint frapper sa fenêtre, et il entra de fines gouttelettes par le moustiquaire. Atomisées, elles atteignirent son visage comme pour ajouter l'insulte à l'injure.

Éveline poussa l'adolescent à se glisser sous le drap jusqu'au fond du lit en disant doucement:

– Je te rejoins dans une minute; on va se reposer le temps que l'orage passe.

Un coup de tonnerre claqua. Jean d'Arc put voir sur l'éclair la quinquagénaire qui se défaisait de sa robe. Alors, il imagina l'enfer. Déjà, il avait vu pareille image dans les mots d'un prêtre qui prêchait en faveur de la pureté en passant par la dénonciation de l'impureté mortelle capable de précipiter le jeune homme le plus pur au fond du pire enfer de flammes et de folie furieuse.

Éveline ne portait pas de corset. Il put entrevoir la générosité de sa poitrine qu'il n'avait pas imaginée, même en plongeant ses yeux dans cette vallée charnue qu'elle lui avait fait voir le plus possible plusieurs fois cette journée de corvée de bois. Elle laissa son jupon blanc glisser par terre. Il n'en vit l'image fugitive que sur le prochain éclair. Puis, elle se coucha, et une fois sous le drap, se débarrassa de sa petite culotte qu'elle repoussa du pied comme un objet indésirable.

– T'as-tu bu ton lait, Armand ?

Contrarié par cette autre entrée intempestive de sa sœur, l'homme eut le goût de morigéner :

– Baptême, c'est que tu veux encore, Bernadette ?

– Ton lait... Tu l'as pas bu. Suis venue voir...

– Pis ?

– Y a pas de pis, y a du lait.

– Je vas le boire quand l'orage sera fini.

– Ah !

– Tu peux retourner en bas pis me lâcher la paix un peu.

– T'as peur du tonnerre, hein, Armand ?

Il lui mentit effrontément :

– Peur, tu peux pas savoir. Un orage, ça me fait mourir.

Elle s'exprima naïvement :

– Pauvre toi ! Veux-tu que je reste un bout de temps, tant que ça va durer aussi fort ?

– Tu le sais que j'aime autant rester tout seul.

– Même avec la peur ?

– Surtout avec la peur. Tu peux repartir. Je vas descendre le verre demain matin.

– Oublie pas de le prendre, là!

– J'oublie jamais...

Elle soupira et repartit. Il maugréa:

– Peur du tonnerre, baptême de baptême! Armand Grégoire avoir peur du tonnerre pis des éclairs...

Son regard se remit à la fenêtre. Pas même l'orage ne lui révéla les secrets de l'alcôve d'Éveline. Il ne put que les imaginer, sachant bien qu'il ne se trompait guère...

Éveline, qui gardait son soutien-gorge, s'approcha du jeune homme qui riait aux éclats de gêne et d'embarras. Mais l'énervement que lui valait la situation étrange dans laquelle il se trouvait et où il voulait continuer d'être fut brutalement transformée en désir excessif quand de nouveau la main de la femme trouva son sexe. Elle le toucha un peu puis tira sur l'élastique du caleçon pour le libérer de cette dernière entrave à la grande ascension. Car l'orgasme est le seul sommet sur terre que l'on atteint d'autant plus vite et mieux que si on a perdu ses vêtements...

Elle s'empara de lui de nouveau. Et prit la main du jeune homme et la fit glisser sur son ventre. Il parvint à dire à voix qui titubait:

– C'est... qu'il faut... faire?

– Mets du bois dans la fournaise!

– Quelle fournaise?

– Celle-là...

Elle enfouit la main obéissante entre ses jambes.

– Glisse tes doigts... de même... de même...

– Où c'est qu'ils en sont rendus là?

Un éclair alluma toute la maison Jolicœur. Il sembla à l'observateur qu'un ange ou bien un démon avait étendu sa brillance sur toute la surface du mur. Même de jour, Armand trouvait un visage à chaque maison. A fortiori par nuit de grand orage.

– Viens su' moi, Jean d'Arc, viens...

Elle écarta ses jambes et le fit s'installer. Puis, sans rien dire guida l'objet si dur et si chaud à l'intérieur de sa chair fiévreuse. Elle se sentait une vierge qui connaît l'homme pour la toute première fois. Douleurs en moins. Craintes en moins. Désir intense en plus. Plaisir fou de surcroît...

Armand savait sans voir. Il dit et redit :

– Envoyez vous deux, encore, encore, encore, encore... Ouiiiiii... Envoye, mon chenapan de Jean d'Arc... fonce, fonce, fonce...

Puis, il prit plusieurs courtes respirations car ses poumons ne permettaient pas d'en prendre de plus longues. Un éclair blanc accompagné d'un violent coup de tonnerre inscrivit sur son visage tordu un énorme sourire. Lui vint une pensée qu'il jeta par la fenêtre vers celle d'Éveline en espérant qu'elle atteigne les deux amants :

– Faire l'amour en plein cœur d'orage, c'est tellement... diabolique... que ça en est divin...

∞∞∞∞∞∞

Chapitre 22

1956

Ce fut l'année où naquit une nouvelle jeunesse dans tous les pays du monde occidental. À vrai dire, jusque là, on passait de l'enfance à l'âge adulte, l'espace d'une décision de ne plus fréquenter l'école et de commencer à travailler. Au Québec et dans la Beauce, beaucoup d'adolescents poursuivaient des études classiques ou supérieures. Ceux-là voulaient devenir plus instruits, du moins, autant que leurs collègues de l'autre sexe.

Mais il y avait le trop-plein d'énergie que les plaisirs solitaires ne permettaient pas d'évacuer en assez grande quantité. Était apparu l'année précédente avec un certain Bill Haley un phénomène étonnant appelé par on ne sait qui le rock'n roll, qui envahissait la planète entière. Les adolescents de tout l'Occident et du Japon se ruaient vers les salles de cinéma pour y voir James Dean, première vraie idole de la jeunesse et dont l'étoile passerait aussi vite dans le ciel que son bolide sur la route. Il y avait surtout ce nouveau chanteur aux déhanchements scandaleux et qui, de sa voix puissante et sensuelle, remplissait tous les bons restaurants du monde de son *Blue Suede Shœs* avant, dans une même soirée, de susurrer son *Love Me Tender* aux oreilles des gars et filles cachés dans des autos quelque part dans la nature à s'y livrer de drôles de duels amoureux faits de demandes et refus, répétés jusqu'à épuisement ou parfois de consentements tardifs obtenus à l'arraché...

Elvis Presley faisait ombrage au soleil dans le cœur des jeunes, et les adultes en étaient pour plusieurs très jaloux. *That's all right, You're a heartbreaker, Heartbreak Hotel:* les tubes se suivaient dans les juke-box, et le jeune artiste de 20 ans né au Mississippi dans une famille miséreuse faisait la conquête de qui l'entendait, adolescentes en premier.

Tout n'était qu'avenir dans les yeux brillants d'une jeunesse forte et joyeuse...

André (Mathieu) se rendit au magasin chez Freddé afin de s'y procurer un missel. Il avait reçu du collège où il avait demandé son admission une liste d'objets requis et que se devait de posséder tout pensionnaire qui se respecte. L'on était en juillet. Il avait fait très chaud ce jour-là. Et pourtant, l'intérieur de l'établissement conservait sa fraîcheur de la nuit précédente.

Pas âme qui vive!

Dans le magasin Grégoire, le temps s'était presque arrêté. À quelques détails près, le magasin restait tel qu'Honoré et Émélie l'avaient fait construire au début du siècle, et l'atmosphère créée par les fondateurs était si bien préservée que nul n'aurait été surpris de les voir apparaître subitement.

Un clocher dans la forêt, par Hélène Jolicœur

– Monsieur Grégoire? demanda l'adolescent en dirigeant sa voix vers le second étage, après avoir constaté que Freddé ne se trouvait pas au bureau de poste.

Nulle réponse. On aurait pu entendre marcher un fantôme. Peut-être s'en trouvait-il que le jeune homme ne soupçonnait pas là? Émélie, Honoré, Ildéfonse, Eugène, Éva, tous debout dans le grand escalier de chêne à se dire qu'ils devraient confier à ce futur collégien la mission d'écrire une partie de leur histoire afin que leur nom parle au-delà de la poussière du temps. Peut-être qu'en second plan, plus haut dans l'escalier se trouvaient aussi Édouard Allaire, Pétronille Tardif et leurs enfants, Georgina, pauvre fillette ébouillantée à mort, et Marie, si bafouée par sa vie terrestre. Et en mezzanine, tous ces autres que la mort avait emportés dans un monde nouveau et plus serein, les Marie-Rose Larochelle, Restitue Lafontaine, Grégoire Grégoire, Cipisse Dulac, Odile Blanchet, Marcellin Lavoie, Obéline Racine, Tine Racine, Napoléon Martin, Cyrille Bourré-ben-dur Martin, Onésime Lacasse, Ti-Peloute Boutin, la Patte-Sèche...

André promenait son regard sur la garde en U du second étage qui entourait le grand puits de l'escalier, comme si une partie de lui-même voyait, en ce moment de ses 14 ans, défiler tous ces disparus dont il n'avait par ailleurs pas le moindre souvenir pour la plupart ni même la connaissance de leur existence passée. Les sœurs Jolicœur, Marie-Laure, Marie-Ange et la si belle Monique aux doigts de fée et au visage angélique. Luc Grégoire, Ti-Louis Pelchat, Léonard Beaudoin...

– Monsieur Grégoire ?

Nulle réponse. Silence de mort. Que le regard des fantômes dans cette grande pièce sombre... Le vieux docteur Goulet venu soigner un malade et aidé en cela par Amédée Pomerleau. Les Foley qui dormaient au cimetière : Joseph et Lucie ainsi que leur fille Mary et ses deux fils emportés par la grippe espagnole. Hilaire Paradis et ses rodomontades ; Anna-Marie Blais et ses rêves perdus ; le timide et réservé curé Quézel...

Ils avaient presque tous été là, en ce magasin, un jour ou l'autre, et leur empreinte y demeurait. Des cris joyeux d'enfants espiègles, des voix de femmes qui discutent... Amabylis Couture, Arthémise Boulanger, Julia Coulombe... Et même des bêtes comme le chien Chasseur et le cheval d'Eugène, le vieux Den.

Ils parlaient tous au jeune homme qui, lui, n'était dans l'attente que d'une seule voix: celle du marchand...

Le magasin Grégoire avait amorcé un long et lent déclin à la mort de ses fondateurs au début des années 1930. Certes, il y avait eu la crise économique, un esprit de consommation un peu exagéré de la part des filles à Freddé, mais aussi le vol, devenu pour certains pas loin d'un droit acquis.

Durant les années d'Émélie, bien malin aurait été celui qui aurait pris quoi que ce soit dans les hangars ou le magasin sans payer. Après sa mort, quelques-uns s'y risquèrent. Un jour, Cipisse Dulac prit un paquet de tabac dans le hangar et, plutôt de le porter au magasin par l'intérieur comme toujours, il le mit sous son bras et, par distraction volontaire, s'en alla directement chez lui. Durant l'après-midi, il se rendit voir Freddé pour s'en confesser, s'excuser et payer la marchandise. Voici qu'il préparait le terrain pour la prochaine fois alors qu'il ne paya pas son tabac de la semaine. Par la suite, il continua de s'approvisionner, mais en payant seulement une fois sur deux.

Des cultivateurs oubliaient de payer leur cent de fleur ou de sucre. Il arrivait que Freddé s'en rende compte: il ne disait rien le plus souvent. Ou bien, dans un grand rire bruyant, il pardonnait au fautif par le ton conciliant de sa remarque: «J'pense que t'as oublié de payer ta poche de farine, Clophas, la dernière fois».

Entre-temps, la clientèle du magasin Champagne en croissance et celle du magasin Buteau de Saint-Évariste grugeaient lentement mais sûrement celle du magasin Grégoire. Chez Champagne, on disciplinait les clients. On ne leur laissait aucune chance ou presque de voler. Les portes du hangar ne restaient jamais déverrouillées, et on ne les ouvrait que si un commis se trouvait là pour le faire. Et dans les regards de Jean-Paul et de Guy se pouvaient lire des avertissements sévères aux clients mal intentionnés. Cette façon de faire, un pareil encadrement, plaisait davantage aux acheteurs, en les sécurisant, que le laisser-aller chez Freddé. On en venait même à croire qu'une boîte de soupe Aylmer venant de chez Champagne avait meilleur goût que celle achetée chez Freddé. Et cela, même à un cent ou deux de plus. Car on vendait tout un peu plus cher chez Champagne.

– Monsieur Grégoire ! lança l'adolescent pour la troisième fois.

Il entendit le vieux ressort de la porte de cuisine, et Solange parut, qui se mit à lui sourire.

– Ton père est pas là ?

– Nananananan...

Elle se mit à rire.

– Il est où ?

Elle leva le bras et indiqua la direction du lieu où elle savait qu'il se trouvait. Ce n'était ni l'extérieur par l'avant, ni la direction de la maison à Bernadette, ni celle des hangars et non plus celle de la résidence. De plus, le jeune homme connaissait assez le langage muet de Solange pour savoir qu'elle ne voulait pas signifier non plus la cave ou le deuxième étage.

– Dans la maison rouge ?

– Nanananananan....

Et elle pointa du doigt en bougeant la main à la manière égyptienne vers le nord-est.

– Au cimetière ?

– Naanananan...

Elle éclata de rire pour redire à nouveau du doigt :

« La salle. »

– La salle paroissiale ?

Elle croisa ses bras sur un long rire de satisfaction. Elle s'était fait comprendre. Oui, mais qui sert au magasin ? se questionna le client. La jeune femme infirme avait toujours refusé de servir quelqu'un. On le lui avait fait défense dès son jeune âge, et comme elle était têtue plus qu'une mule, rien à faire pour acheter sans Freddé ou Doré, parfois Bernadette, derrière le comptoir.

Puis, Solange s'agita, rit encore et montra la porte du hangar. Elle avait perçu les pas de son père et le signalait. Le bruit indiqua bientôt au jeune homme que le marchand revenait de la salle. Il entra :

– Ouè... fit-il simplement en apercevant l'ado.

– Ça fait un bout de temps que j'attends, mais j'ai le temps. En plus que ça presse pas.

Freddé sentit le besoin de s'expliquer :

– Suis allé au corps.

– Ah oui ? Qui c'est qui est mort encore ?

– Louis Champagne.

– Le vieux Louis Champagne ?

– 84 ans. Ça faisait longtemps qu'il traînait. C'était un peu plus jeune que mon père, mais pas loin. Cinq, six ans de moins.

– Ils devaient pas s'aimer, votre père pis lui, vu qu'ils se faisaient concurrence.

– Ben non, ben non, le soleil reluit pour tout le monde. C'est ça que mon père a toujours dit. Ta mère a parti un magasin dans les mêmes lignes que nous autres, pis on vous en jamais voulu pour ça.

L'adolescent ne s'était jamais arrêté à cette question. Il en prit conscience et ressentit de l'admiration pour ce brave homme que dans son enfance, il avait souventes fois vu pleurer sans comprendre pourquoi.

– Je pars pour le collège pis j'ai besoin d'un missel.

– Oué, on a ça du côté des femmes.

Et Freddé, que ses vêtements gris grossissaient du ventre, se rendit de son pas lourd et claudicant derrière le comptoir. Il ouvrit un tiroir, qu'il retira complètement de son trou et mit sur le comptoir. Il contenait divers objets religieux, chapelets, images pieuses et deux missels noirs à la couverture burinée d'un grand IHS.

– Celui-là, c'est quel prix?

– Deux et soixante-quinze.

– Il a l'air complet...

Le marchand le prit dans ses mains, l'ouvrit en même temps qu'il mettait ses lunettes pour lire:

– Seize cents pages: t'as de quoi prier longtemps avec ça. T'as j'sais pas le nombre de messes là-dedans, les fêtes des saints... aujourd'hui, c'est le 9 juillet, c'est... attends... sacréyé, y a rien pour aujourd'hui... Hier, y a de quoi. C'était la fête à saint Dié.

André se mit à rire:

– Au lieu de dire 'sacréyé' aujourd'hui, on aurait pu dire 'sacré Dié' hier...

Mais Freddé ne saisit pas ce calembour assez peu recherché. Il dit en feuilletant le livre de messe:

– Je cherchais pas à bonne place. Là, je vas trouver le 9 juillet... Le 7, le 8... l'autre page, le 10... Ça parle au yable, rien pour le 9 encore une fois! Le 8, c'est pas saint Dié, c'est sainte Élisabeth, pis le 10, c'est saintes Rufine et Seconde, vierges et martyres... C'est écrit... *Saintes Rufine et Seconde, deux sœurs, avaient voué leur virginité au Seigneur, et souffrirent la torture et la mort pour conserver intacte leur chasteté.*

L'homme referma le missel dans un bruit sec pour dire:

– Ouais, j'en connais pas beaucoup de nos jours qui se rendraient au bout de la torture pour conserver leu'... leu'... Deux piastres et soixante-quinze... je te le laisse à deux piastres vu que tu pars pour le collège.

– Ça marche, fit l'ado qui était en train de songer à une histoire semblable à celles de Rufine et Seconde, et dont l'héroïne avait été Maria Goretti, une histoire portée à l'écran et qui avait bouleversé bien des jeunes filles prudes.

Il paya avec un billet de cinq dollars et s'en alla. Édifié.

∞∞∞

Grâce à de l'argent « emprunté » au magasin de sa mère et à celui gagné dans la cour du moulin des Blais à cager de la planche, l'adolescent put se rendre aux 'vues' tout cet été-là. Il se devait d'en profiter, sachant que la vie de collège la gâterait moins. Il ne manqua donc aucun des films présentés à la salle de cinéma de Saint-Évariste.

Les diables de Guadalcanal, un film de guerre avec John Wayne.

Haute Société, mettant en vedette Grace Kelly, Bing Crosby, Frank Sinatra et Celeste Holm qui y chantait « *Who wants to be a millionnaire* ? »

L'Aigle rouge de Bagdad avec John Derek.

Marqué par la haine, film de boxe avec Paul Newman.

Scaramouche, beau film de cape et d'épée avec Stewart Granger.

La rançon qui faisait valoir Glenn Ford et Donna Reed.

Toutes des productions américaines avec les deux sempiternels ingrédients de base : le bien et le mal qui se chamaillent pendant les trois quarts de la durée du film, suivi du triomphe du bien incarné par la vedette masculine, un beau et fort surhomme qui protège une faible mais charmante dame appelée à lui donner une belle et joyeuse descendance pour le remercier de ses nobles services.

Mais un soir noir, alors que le mois d'août commençait à pousser ses premiers bâillements, voici que le jeune homme se rendit voir *L'homme au masque de cire*, film d'horreur mettant en vedette Vincent Price, le roi du genre dont l'immense chapeau noir faisait plus peur que son visage affreusement brûlé. Au retour à Saint-Honoré, André descendit au restaurant qui, à cette heure, avait fermé ses portes, et il dut, comme d'ailleurs chaque soir, s'en aller seul à la maison dans les ombres de la nuit tranquille. Il lui semblait à chaque pas qu'il faisait que le monstre surgirait d'entre deux maisons ou bien lui courait après...

Souvent, il se retournait pour tâcher de voir derrière avec pour maigre allié l'éclairage fourni par les lumières de rue, blafardes et dépourvues de la moindre générosité, surtout indifférentes à la peur qui lui talonnait les pieds. Il passa devant l'église à l'immensité sombre puis longea la terrasse devant l'hôtel, marchant peut-être sur un ancien emplacement tombal d'avant 1902 et que les déménageurs de cimetière avaient laissé dans l'oubli pour ne pas empirer les terribles odeurs de cet été-là, un demi-siècle auparavant.

L'histoire de *L'homme au masque de cire* se situait justement à la fin du dix-neuvième siècle, début vingtième, avant les vrais débuts de l'automobile en tout cas, et ce sont des fiacres qui parcouraient les rues lugubres où l'artiste-assassin poursuivait des jeunes filles en pied de bas.

L'adolescent allait fourcher pour traverser la rue en biais quand soudain, il s'arrêta sans trop savoir pourquoi. Comme s'il fallait qu'il le fasse. Le délinéament de la façade du magasin apparaissait tout de même, grâce peut-être à un quartier de lune caché derrière une couche nuageuse qui tardait à se vider ou bien à s'en aller pour de bon et laisser la voie libre à la lumière d'étoile.

Un bruit se fit entendre. Un bruit insolite. Celui d'un être qui bouge. Mais quel être ? Qui donc, à dix heures d'un samedi soir noir, pouvait à peine bouger dans la nuit d'un cœur de village endormi ? Un petit animal ? Les chats, les chiens ne rôdent pas la nuit.

Un coup de quelque chose frappa le sol dans la direction du magasin. Il se trouvait une lumière de rue entre la cour Mathieu et la maison Pelchat, et une autre entre la maison Mathieu et celle de Raoul Blais. Que de petites ampoules qui dispensaient bien peu de lumière, mais assez pour que le jeune homme n'aperçoive rien du tout sur le perron du magasin. Une petite bête aux randonnées nocturnes, mouffette, porc-épic, marmotte, ne saurait frapper le sol comme on venait de le faire... André songea à l'homme au masque de cire qui sautait de haut quand il ne pouvait faire autrement... Il marcha les fesses serrées. Et pas même en vue une fichue automobile dont les phares auraient pu démasquer l'être mystérieux qui semblait se cacher de l'autre côté du magasin. La rue fut traversée. L'adolescent s'arrêta pour se traiter de tous les noms. Le rationnel revenait prendre sa place en tête de sa tête. Un personnage de film ne court pas les rues tout de même. Surtout la rue principale de Saint-Honoré. Dire sa peur, on rirait de lui et pour cause. Il devait la surmonter avant d'entrer dans la maison. Et attendit au pied de l'escalier. Là, il crut distinguer une forme sur le côté du magasin. Puis, soudain, un être humain lui apparut. Blême. Méconnaissable. Une lueur presque aussitôt indiqua la venue d'une auto. Et le visage de la personne fut visible. Pas encore reconnaissable. Le cœur d'André cessa de battre, agrippé de nouveau par l'irrationnel... Glacé ! Le temps s'arrêta. Ou plutôt les secondes devinrent des demi-siècles... Puis, la lumière fit son travail.

C'était Doré Grégoire. Et derrière lui le cheval à Freddé, attaché à un anneau fixé au mur du magasin du temps d'Émélie et d'Honoré. Qu'arrivait-il donc ? Le garçon entra et se rendit dans le balcon de la chambre de son frère, qui délaissa son écoute de la radio et lui apprit dans le noir ce qu'il devait savoir :

– Doré, ça lui arrive de faire des crises. Il doit en faire une. Il fait des choses qu'on peut pas imaginer. Ce qui doit lui passer par la tête. Il aura eu envie de faire marcher le cheval roux. Il fait pas la différence entre le jour et la nuit...

– Il est fou ?

– Dis pas un mot comme ça ! C'est une maladie qui porte à des choses pareilles. C'est pas de sa faute. Personne est exempt de ça. Regarde notre père qui a fait deux, trois dépressions.

– Doré, y est-il dangereux ?

– Non... autrement Freddé le placerait. Dans une couple de jours, il va revenir à la normale. Sa maladie, c'est une sorte de psychose ou de névrose, j'sais pas au juste le nom... C'est récurrent... ça suit la lune...

– Y a pas de pleine lune.

– J'sais pas trop... Il t'a fait peur, j'imagine ?

– Ben...

– Es-tu allé au théâtre à soir ?

– Oué.

– *L'Homme au masque de cire* ?

– Tu le savais ?

– C'est sur l'affiche de cinéma au restaurant.

– Ah !

Ce fut tout. L'un et l'autre, sans rien ajouter, avaient l'occasion de penser que souvent la peur est dérisoire.

∞∞∞

La paroisse perdit deux hommes en vue ces jours-là. Charles Rouleau s'éteignit à l'âge de 82 ans le 17 juillet, puis le 13 août disparut Nil Parent, un autre homme de qualité, âgé, lui, de 76 ans.

C'était l'heure de changements majeurs dans la vie des finissants de la neuvième année ainsi que celle de leur professeur.

Laval Beaulieu, qui avait épousé la maîtresse d'enseignement ménager, obtint un poste à Dolbeau, à un salaire très avantageux. Dans les derniers mois de classe, il se plut à stigmatiser les commissaires d'école de Saint-Honoré pour leur peu de reconnaissance après toutes ces années de loyaux services auprès de la jeunesse locale. Mais on était en période de vaches grasses, et l'abondance n'a que faire de la reconnaissance, elle se replie sur sa propre bedaine, loin du cœur pourtant.

Des cinq étudiants à obtenir leur certificat, l'un quitta pour aller travailler à Valleyfield avec son frère aîné qui s'y trouvait depuis quelques années. Un autre, Claude Perron, annonça qu'il s'était inscrit au cours classique avec l'intention de devenir prêtre. André s'en irait aussi au début de septembre faire sa dixième année au loin. Quant à Victor, il avait trouvé du travail tout près, en tant que commis pour la compagnie Blais & Frères. Le cinquième mousquetaire, Jean d'Arc, devait retourner vivre avec sa mère à Montréal sitôt venue la fin de l'été. Avant de partir, il sentit le besoin de raconter ses exploits survenus dans la chambre à coucher d'Éveline.

– À tous les samedis soirs !

– Non, non, non...

Victor ne parvenait pas à croire le jeune homme qui, visage écarlate, riait aux éclats.

Les deux amis et collègues de la neuvième année se parlaient de leur année scolaire, et Jean d'Arc venait d'avouer triomphalement à l'autre qu'il avait été l'amant de la femme séparée.

André écoutait aux portes. Car la scène se déroulait dans le magasin d'Éva. La marchande avait dû se faire hospitaliser à Saint-Hyacinthe où travaillait sa fille. Un curetage.

– Comment que c'est arrivé ?

– On rentrait du bois, François pis moé...
– Dans la cave chez Jolicœur ?
– Moé... mais François en rentrait chez Bernadette...
– Quel rapport entre François pis ce que tu me contes ?
– Ben... Sais pas... Y a pas de rapport... Ben c'était la même journée, l'automne passé. Le soir, suis allé me faire payer, pis Éveline m'a payé en nature.
– Quoi, elle t'a rien donné pour ta journée ?
– Elle m'a payé en argent, mais itou en nature.
– J'en r'viens pas.
– Jamais pu faire ça à lumière. Faut tout le temps que la lumière soit soufflée.

André, assis en haut de l'escalier, oreille à l'affût de tout ce qui se disait dans le magasin, imagina la scène décrite par Jean d'Arc, de ce soir d'orage où il était devenu un homme.

– Tu regrettes pas ?
– Es-tu fou ? Ça prendrait rien qu'un maudit fou pour regretter ça.
– Mais... t'es pas mal jeune... 17 ans... elle 56...
– Ça 'fitte' ben correct.
– Ça, j'en doute pas pantoute. Mais là, tu retournes à Montréal. C'est qu'elle en pense ?
– Faut ben qu'elle se fasse à ça.
– Ça va y prendre un autre... amant, la bonne femme.
– C'est vrai, ça. Pourquoi que t'irais pas la voir, toi ?
– Es-tu malade, Jean d'Arc ?
– Ben non ! Mais t'aurais du 'fun' en maudit.

L'adolescent embusqué n'y tenait plus. Tout en imaginant la scène d'amour entre Jean d'Arc et Éveline, il invoquait la Sainte Vierge afin qu'elle vienne à son secours et l'empêche de se toucher. Cette conversation à saveur de péché mortel le rendait fou. Il délaissa son poste d'écoute et se rendit dans sa chambre où il ouvrit son nouveau missel pour lire au hasard des phrases qui sûrement le sauveraient du péché grâce à l'intervention de Marie.

Le titre trouvé fut *Gethsémani*...

Et étant sorti, il s'en alla, suivant sa coutume à la montagne des Oliviers, et ses disciples suivirent. Et lorsqu'il fut arrivé en ce lieu, il leur dit : Priez, afin que vous n'entriez point en tentation. Et il s'éloigna d'eux à la distance d'un jet de pierre ; s'étant mis à genoux, il priait, disant : Mon Père, si vous voulez, éloignez de moi ce calice ; cependant, que ce ne soit point ma volonté mais la vôtre qui se fasse...

Il semble que la volonté du Seigneur ce soir-là fut que l'adolescent se vide de la tentation qui le consumait. Ce qu'il fit dans les toilettes, missel d'une main et efforts de soulagement dans l'autre... La liqueur de vie fut projetée à jet de pierre... sur la tapisserie...

∞∞∞∞∞∞∞

Chapitre 23

1956...

Éva Pomerleau accompagna son fils dernier-né au collège pour y faire son entrée et voir à qui elle avait affaire là-bas. L'on se rendit à Québec avec le taxi Rosaire Boutin qui ensuite poursuivit jusqu'à Saint-Raymond où le cours scientifique était dispensé, institution choisie par l'adolescent au printemps. Il avait dû se faire une idée parmi les collèges d'Arthabaska, de Sainte-Marie et de Saint-Raymond.

« T'avais pas envie d'aller à Sainte-Marie ? » lui avait dit Freddé en apprenant son choix. « Mon père est allé là. Mes frères Pampalon pis Henri. Même Armand, un an ou deux. Pis moi. C'est là que j'ai eu mon diplôme commercial. »

« Justement, je voulais faire un cours scientifique, moi. »

« Ah... scientifique. Ça doit être meilleur... »

« Commis à trente piastres par semaine, ça m'intéressait pas. »

« Mais commis, ça prépare à avoir ta propre entreprise. Quen, paraît que... Édouard Lacroix est allé au collège de Sainte-Marie. C'est un homme riche asteure. »

« Ben... j'y r'penserai. »

Et Freddé avait tourné le dos pour aller chercher de la marchandise dans le hangar...

Cours scientifique ou cours commercial, admis au cours classique après sa septième année, André avait alors reçu la visite de deux prêtres du séminaire venus le convaincre d'entreprendre ses humanités, ce qu'ils avaient réussi sans mal; ses parents avaient toutefois refusé cette orientation, trop onéreuse pour eux, le plus difficile pour lui fut d'entrer dans ce monde nouveau où circulaient dans tous les sens des inconnus de son âge qui semblaient posséder la place tant ils y étaient familiers et qui, parfois, pour certains en tout cas, jetaient un coup d'œil sur les petits nouveaux en espérant y trouver un ami possible. Et les maîtres de salle mobilisaient des anciens pour accueillir les bleus.

André fut bienvenu par Eddy Laquerre. Un autre nouveau, arrivé en même temps dans le parloir d'entrée, Jean-Guy Sauvageau, le fut par Jean-Marc Dufour.

Le chauffeur de taxi et Eddy s'occupèrent de la grosse malle du pensionnaire tandis que sa mère et lui allaient rencontrer le directeur au second étage.

«J'imagine que tu dois bien jouer du piano avec un nom pareil, jeune homme!» dit le frère directeur quand l'adolescent et sa mère eurent leur tour dans son bureau.

Le frère Hector, personnage blondin, grand et filiforme, sec comme un arbre mort, faisait allusion au pianiste André Mathieu, enfant prodige dont on admirait le génie dans la société haut de gamme du Québec.

– J'sais pas jouer du piano.

– J'aurais pourtant cru, à voir tes notes de bulletin.

Éva sentit le besoin de s'excuser:

– Je lui ai fait prendre des cours, mais il aimait pas ça.

L'adolescent se souvint des coups de broche à tricoter que lui donnait sœur Bethléem chaque fois qu'il faisait une fausse note sur le clavier, mais il n'en dit mot. Les formalités furent brèves et on retourna au vestibule d'entrée. Arrivait le moment de la séparation. Pas d'étreinte. Pas d'accolade. Pas même de mains qui se touchent.

– Bon ben... fais attention à toi. T'écriras si t'as besoin de quelque chose.

Le taxi regarda sa montre :

– Faut y aller, nous autres.

Éva partit à sa suite. L'adolescent eut un bouillon dans la poitrine, la gorge, et dut battre des paupières pour refouler ces larmes d'enfant qui se livraient un duel pour surgir les premières.

Il entra dans la grande salle. Eddy Laquerre avait disparu. Ce monde étranger terrorisait le nouveau pensionnaire. En fait, c'était de se sentir seul au monde qui faisait de lui quelqu'un d'autre. Comme s'il venait de se départir de son manteau d'enfant pour ne plus jamais le revoir autrement que par le souvenir...

∞∞∞

Au cours des dix dernières années de sa vie, Armand vécut au rythme que sa santé le lui permettait. Il effectuait pour Freddé de petits travaux qui ne demandaient pas d'efforts comme, par exemple, classer le courrier. Quand il s'affairait au bureau de poste, il fallait voir avec quelle dextérité il estampillait les lettres et distribuait le courrier ! Habile en tout, il pouvait être ou paysagiste, ou menuisier, ou peintre. Lorsqu'arrivait le temps des foins, c'était tout un programme à établir sur les terres d'Honoré. Cependant, on était sûr qu'il saurait exécuter les travaux avec soin et promptitude...

Un clocher dans la forêt, par Hélène Jolicœur

Après l'hémorragie subie au bistrot de Georges Lapointe, Armand en fit une autre puis une autre. Et leur fréquence s'accentua. En septembre de cette année-là, il dépérissait à vue d'œil. Lui qui était déjà maigre à faire peur ne devint plus que l'ombre de lui-même. Il avait souhaité la mort durant des années; elle était là, pas loin, quelque part peut-être aux environs du cap à Foley, son si cher cap à Foley.

Il allait parfois, mais rarement ces derniers jours, de son lit à la fenêtre donnant au nord. Et quand il s'y mettait, il voyait à tout coup le cheval roux à Freddé. Et l'animal levait la tête comme s'il savait que le mourant était à regarder de ce côté. Et l'homme malade ne disait rien mais pensait fort:

« Lève-toi donc, la Patte-Sèche, pis viens donc me chercher au lieu de rire de moi. Demande à tous les autres de venir avec toi. Suis prêt. Je les ai, mes 49 ans asteure. Même que ça fait déjà trois mois. Dis à ma mère qui était tout le temps après moi pour que j'fasse ci pis ça, que là, c'est le temps de venir me prendre par la main. Dis à mon père qui se mêlait tout le temps de tout de venir se mêler de mes affaires pour une fois. Il doit toujours pas être encore au lac Frontière! Qu'il vienne me chercher en boghei, baptême! Qu'il prenne le cheval qu'il voudra: celui-là, là, ferait l'affaire. Cheval roux, cheval noir, ou ben qu'il vienne à pied: on marchera ensemble vers l'éternité du bon Dieu. Eugène, t'as su partir sans souffrir, essaie donc de m'en exempter quelques-unes... Pis toi, le Blanc Gaboury, t'es parti à 42 ans, t'es pas obligé de me laisser vivre dix ans de plus que toi! Y a personne pour m'aider ou quoi? »

Le jour de cette réflexion, début octobre, le cheval roux secoua la tête. C'était un signe de négation. Comme s'il avait dit: « Armand, tu dois boire ta coupe jusqu'à la lie. » Mais il resta sur place contrairement aux autres fois. Comme s'il avait dit aussi: « Mais ta souffrance achève. »

Peut-être que la Patte-Sèche parlait à travers la crinière rousse de la bête. Et peut-être que les disparus communiquaient avec Armand par l'esprit du quêteux de Mégantic et la robe frissonnante du cheval à Freddé?

C'était le 7 octobre. Un frais dimanche. Des feuilles tombées tourbillonnaient parfois devant le balai du vent. Armand quitta la fenêtre pour son lit. Il marcha lentement, tristement. Il savait qu'il ne reverrait plus jamais le cap à Foley. Ni le cheval roux. Ni rien dans aucune direction. Pas même la maison Jolicœur et la fenêtre de la chambre d'Éveline. Il restait dans son décor flou le plafond de planchettes blanches, les murs verts et la porte qui craque sur ses gonds quand vient Bernadette s'enquérir de son état.

Cet après-midi-là, la femme se sentit dépassée par les événements. Son intuition lui disait que la mort de son frère était imminente. Femme forte sans aucun doute, elle ne se sentait pas le courage de l'assister seule et fit appel à ses deux sœurs de Québec.

– Je consulte Alice et je te rappelle, lui dit Berthe au téléphone.

– Retardez pas si vous voulez le voir de son vivant.

– Dans un quart d'heure, je te rappelle.

Bernadette raccrocha et remplit un verre de lait qu'elle plongea à demi dans de l'eau chaude. Et entreprit de réciter un chapelet pour Armand. Non pour sa guérison qu'elle savait impossible, mais pour sa survie céleste après sa triste vie terrestre.

On frappa à la porte alors qu'elle arrivait à sa quatrième dizaine. Elle se rendit ouvrir. C'était Ernest Mathieu, le voisin de biais.

– J'ai su par Freddé... ça d'lair qu'Armand est su' ses derniers milles ?

– Il fera pas de vieux os comme c'est là.

– Est-il sans connaissance ?

– Non, mais... au lit pour y mourir.

– Voir quelqu'un, ça y ferait-il du bien ?

– Ça peut pas y faire de mal. Tu peux monter. L'escalier est là, au fond de la cuisine. C'est la première porte à droite en haut.

Et le forgeron, de son pas long et déterminé, suivit l'itinéraire donné sans dire un seul autre mot. Il disparut dans la cage d'escalier. Et là-haut, entra dans la chambre du malade sans frapper à la porte.

– Salut, Ernest! C'est pas vargeux mon affaire, tu vois...

– Oué...

– C'est ma mort qui t'amène aujourd'hui?

– Oué...

– Parlez-moi de ça! Ça, c'est de la franchise. La plupart auraient dit non... Assis-toi qu'on jase une dernière fois, même si on l'a pas fait souvent.

– J'travaille souvent su' ma terre du bas de la Grand-Ligne pis dans les chantiers au loin l'hiver...

– Ah, j't'ai vu faire depuis que tu restes en face du magasin. Ça doit ben faire une vingtaine d'années asteure...

– Proche 25 ans, répondit le visiteur en s'assoyant sur une chaise à bras empruntée au magasin voilà des années.

Armand paraissait écrasé par un poids très lourd. Ses épaules gisaient sur le drap. Sa tête s'enfonçait dans l'oreiller, petite et perdue. Ses yeux injectés de sang semblaient sur le point de surgir hors de leurs orbites pour aller s'écraser sur un mur, tant ils en étaient sortis de la tête.

– Quel âge que t'as, asteure, Ernest?

– J'ai eu 57 ans au mois de 'juillette'...

– T'en as un boutte de fait.

– Il m'en reste pas ben ben plus long que toi.

Il se fit une pause. Les deux hommes se regardèrent dans les yeux, et il parut qu'ils pensaient à la même chose. Armand parla sur le ton d'un homme pour qui les voies respiratoires font défaut aux trois quarts, peut-être aux sept huitièmes:

– As-tu déjà parlé de la Patte-Sèche à quelqu'un finalement?

– Oué... mais jamais de sa mort pis de sa tombe derrière le cap à Foley.

– J'ai parlé pour sa mort, mais pas pour sa tombe. Quand j'serai parti, si tu veux, t'en parleras à qui tu veux.

– De mon vivant... à personne. Pis après, ben...

– Non... J'aimerais ça que tu le dises à quelqu'un avant ta propre mort. Que ça se sache un jour! C'était un pauvre, un homme humble, mais qui méritait autant que mon père, qui lui, a eu des grosses funérailles, qui a laissé son nom sur un magasin pis sur un gros monument du cimetière. J'aimerais ça que tu le dises à quelqu'un qui le fera connaître à tout le monde, le quêteux au nez long. Tu vois, il m'a dit que je me rendrais pas à 50 ans. J'vas mourir à 49. C'est-il assez visionnaire à ton goût, ça?

– Si ça peut te faire plaisir. J'tâcherai de dire la vérité à quelqu'un. Mais à qui, j'me l'demande.

– Peut-être à Victor, ton garçon? Il saurait quoi faire avec cette vérité-là, lui.

– Ça s'pourrait ben...

– En tout cas, pas à un curé... Il trouverait moyen de louer une pelle pour faire exhumer les restes pis les enterrer ailleurs. Pis la Patte-Sèche pourrait se retrouver à côté du pendu pour le reste de son éternité.

Ernest secoua la tête en réfléchissant tout haut:

– Quelqu'un qui serait cru: j'me demande ben qui ça pourrait être...

Bernadette reçut un appel téléphonique avant même le départ du visiteur. Berthe lui dit qu'elle partait l'après-midi même avec les Michaud pour se rendre à Saint-Honoré, au plus vite.

Ils arrivèrent au bon moment, car Armand était à son plus mal. Vers 5 heures du matin, le 10 octobre, alors que tous dormaient, Berthe entendit Armand murmurer à travers la cloison de sa chambre: «J'en fais encore une autre!» Elle se lança à sa suite dans la salle de bains. Pendant qu'elle étendait des serviettes sur le plancher pour éponger le sang, Armand, qui s'était assis sur le cabinet de toilette, s'éteignit dans un simple soupir. Berthe cria pour réveiller les autres membres de la famille qui dormaient toujours. La suite des événements s'enchaîna rapidement. Le médecin vint constater le décès et signer le certificat puis l'entrepreneur de pompes funèbres vint chercher le corps en fin de matinée...

Un clocher dans la forêt, par Hélène Jolicœur

Dominique Blais entra dans le bureau de la compagnie. Il annonça à Victor la mort d'Armand. En tant que représentant des pompes funèbres, c'est lui qui devait s'occuper du corps. Mais il avait besoin d'aide pour le descendre de sa chambre et demanda au commis de l'accompagner. Une troisième paire de bras fut mobilisée, celle de Pit Roy. L'homme alors travaillait à clouer des boîtes à beurre au second étage de la manufacture.

Les trois marchèrent jusqu'à un garage sur la propriété de la compagnie, et là, Dominique en sortit le fourgon funéraire de la compagnie Gédéon Roy dont il était le bras droit à Saint-Honoré. On se rendit devant chez Bernadette. La civière fut emportée au deuxième étage, à la salle de bains.

Bernadette et Berthe ne supportaient pas de voir le cadavre de leur frère. Encore moins dans une position aussi grotesque dans une pièce au plancher ensanglanté et couvert de serviettes rougies par le sang. Alice resta sur place en cas de besoin. Dominique lui demanda une paire de draps pour envelopper la dépouille avant de la déposer sur la civière.

Pit Roy n'était là que par obéissance au patron. Blanc comme de la chaux, il se tenait debout, adossé au mur du couloir, près de la porte, sans rien faire ni dire, simplement à attendre. Ce spectacle de mort horrible le terrifiait. Victor, pourtant bien plus jeune, en avait vu d'autres durant son séjour au sanatorium. Il aida sans peine Dominique Blais que cette situation morbide n'impressionnait en rien.

Une fois le corps sur la civière, il fallait le porter au rez-de-chaussée par cet escalier tournant, étroit et abrupt. Dominique fit un mauvais calcul en demandant à Victor de prendre les devants et donc d'avoir à supporter le poids du haut du corps tout en descendant à reculons. Tout autre (sauf Pit Roy, dont les peurs viscérales lançaient des ondes de faiblesse dans tous ses membres) n'aurait eu aucun mal à accomplir la tâche, mais Victor n'avait rien d'un Louis Cyr et il ne put soulever suffisamment la civière de sorte que l'angle s'en trouva augmenté. La sangle entourant la poitrine ne suffit pas à retenir le cadavre qui glissa soudain hors de la civière, tête devant. Il fallut le sang-froid, l'agilité et la rapidité de Dominique pour empêcher une petite catastrophe : il projeta sa main en avant et attrapa le corps par une cheville. L'on parvint à rétablir la situation. En bas, Pit Roy trépignait de nervosité. Il alla même jusqu'à reprocher à Dominique de ne pas l'avoir désigné pour porter un bout de civière...

Une oreille capable de saisir les sons venus d'outre-tombe aurait pu entendre à ce moment un long rire à la Grégoire, caverneux et s'éloignant à chaque seconde...

Armand fut exposé pendant deux jours dans le grand salon de Bernadette, et les funérailles se déroulèrent en l'église de Saint-Honoré, le 13 octobre 1956. Le service religieux fut célébré par l'abbé Eugène Foley, l'ami de toujours. À l'issue de la cérémonie, Armand fut déposé auprès des siens dans le lot familial du cimetière paroissial.

Un clocher dans la forêt, par Hélène Jolicœur

∞∞∞∞∞∞∞

Chapitre 24

1957

Si la vie avait éloigné Lise Boutin et Dolorès Mathieu, le téléphone les rapprochait malgré la rareté des appels longue-distance que faisaient les gens en cette époque alors qu'il fallait encore passer par le central téléphonique pour faire transporter sa voix autre part.

Dolorès avait épousé Noël Hébert l'été d'avant. Depuis qu'il avait découvert les yeux de la jeune femme dans la salle d'opération, ce fils unique un peu capricieux mais tenace n'avait jamais cessé de se rapprocher d'elle, et il avait bien fallu régler cette histoire par un mariage.

– Comment tu vas l'appeler ?

– Anne.

– Bon choix !

Lise dit en riant :

– Jacques comme son père. Élisabeth comme la reine. Et Anne comme la princesse. Ou fera peut-être de Jacquot un vrai docteur, mais on fera pas de vraie reine ou de vraie princesse avec les deux autres.

– C'est des beaux prénoms.

– C'est pour ça que je les ai choisis.

– Y a Caroline qui est pas mal non plus.

– J'ai hésité entre Caroline et Anne : deux princesses.

– Le royaume britannique est plus grand que le royaume de Monaco.

Les deux jeunes femmes éclatèrent de rire au même moment. Elles continuaient de se comprendre, non seulement par les mots de leurs échanges, mais aussi par le ton et les interlignes.

Chacune parla ensuite de son rôle, Lise de celui de mère de famille et Dolorès celui d'infirmière qu'avait dû délaisser la première en raison de ses obligations familiales, mais qui avait dessein de retourner travailler dans un hôpital une fois les enfants assez grands.

– On se rappelle, dira finalement Lise avant de raccrocher le récepteur.

Dolorès savait qu'elles pouvaient compter l'une sur l'autre pour ça. Il ne se passait pas une saison sans qu'elles ne communiquent. À part le mariage entre Jeanne d'Arc et Luc, les deux amies que la distance séparait mais pas le temps, constituaient le lien le plus solide entre les familles Mathieu et Grégoire.

∞∞∞

Le 3 avril de cette année-là, Elvis Presley livra une prestation de déhanchements et de pur rock'n roll en chansons dans la très tranquille cité d'Ottawa. Ceux qui ne purent s'y rendre en rêvaient si fort que leur esprit fit la fête ce mercredi soir.

André Mathieu y songeait en revenant du collège pour le congé de Pâques. Non pas qu'il fût un fan du célèbre chanteur américain, mais pour oublier ce qu'il savait l'attendre à la maison.

En fait, ce n'est pas à Saint-Honoré que le choc redouté allait se produire, mais plutôt à l'hôpital de Saint-Georges. L'adolescent s'y rendit, sa petite valise à la main, s'identifia au gardien à l'entrée et signala qu'il se rendait à la chambre 404.

La porte était entrouverte. Il s'arrêta devant. On le vit de l'intérieur et on lui ouvrit. C'était sa sœur Fernande venue visiter leur mère qui avait été opérée une semaine auparavant.

– Ben entre donc ! dit Fernande sur un ton d'accueil un peu exagéré dans les circonstances.

Le visage de la malade s'éclaira quand elle vit son fils. Il entra. Elle émit à voix blanche une évidence comme on en énonce souvent quand on veut cacher ses émotions :

– T'arrives du collège.

– Oui.

– Assis-toi ! dit Fernande qui glissa une chaise sur le côté du lit.

Il déposa sa valise et prit place.

– Raymond est pas là ?

– Est allé en bas, au restaurant. Il doit être à la veille de revenir.

– Ah !

Elle reprit :

– C'est comme je t'ai dit au téléphone : maman s'est fait opérer. Ils ont ôté tout ce qui était malade et demain, elle va revenir à la maison. Comme ça, tu peux la voir aujourd'hui pis durant ton congé de Pâques à la maison.

– Tout est correct ? demanda-t-il, soulagé.

– Y a juste une chose, elle s'ennuie de son magasin.

– J'ai des projets d'agrandissement, dit la malade avec un maigre sourire.

Aux yeux du jeune homme, elle avait pourtant l'air de quelqu'un qui ne s'en remettra jamais.

– Son retour à la maison et à la santé, ça va être ton cadeau de fête, chantonna Fernande.

L'adolescent arrivait à la fin de ses 14 ans, et le jour de son anniversaire de naissance se produirait durant le congé de Pâques.

– Et le mien aussi, parce que le mien, c'est le 28 avril.

– Ah!

La jeune femme, qui ne s'était pas assise, fit des pas vers la sortie:

– Je vas aller voir si Raymond revient...

Elle referma la porte derrière elle.

– Comme ça, vous voulez agrandir le magasin? Par le côté de la maison? Par le devant? C'est papa qui va bâtir une annexe?

Il semblait qu'Éva n'avait pas songé à l'aspect pratique de la question.

– On va voir à ça le moment venu.

– Ah!

Il se fit une pause.

Ni l'un ni l'autre ne savaient quoi dire. L'adolescent eut une idée. Il leva le gras gauche et tira sur sa manche de veston:

– J'ai gagné une montre.

– Comment ça?

– Mes notes au collège.

– Ah!

Il se fit une autre pause.

– En tout cas, suis contente d'avoir été opérée. J'me sens débarrassée.

– Ah!

L'adolescent remarqua sur la table de chevet le petit crucifix que sa mère possédait depuis plus loin qu'il se souvienne. Elle vit ce qu'il voyait:

– Je demande au bon Dieu de me garder en vie tant que t'auras pas fini tes études. Pis j'pense ben qu'Il m'exauce.

– Ah!

La porte se rouvrit. Fernande reparut.

– Raymond demande si t'as faim, André. Va le voir au restaurant. Tu pourras revenir plus tard.

– Ben... j'ai pas faim trop trop.

– Viens, ça va te faire du bien. Maman, je vas l'emmener voir Raymond pour qu'il mange avec lui en bas.

– Ben oué...

André n'eut d'autre choix que de la suivre. L'intention de Fernande était bien différente. Sitôt éloignés de la porte, elle le fit s'arrêter :

– J'ai de quoi à te dire...

Ces seuls mots révélèrent à l'adolescent ce qu'il ne voulait pas entendre. Mais elle le dit :

– Maman... elle va mourir. Ils l'ont opérée, mais ils l'ont refermée. Le cancer est trop avancé. Mais on lui dit pas. Pourquoi la faire souffrir moralement en plus du reste ? Il faudra pas que tu lui dises. Seras-tu capable de rien laisser paraître ?

Le jeune homme ravalait. Adossé au mur, il se sentait coincé, pétrifié dans l'impossible, l'impensable. Des larmes lui vinrent :

– Ben...

– Suis sûre que tu vas être capable de faire ça pour elle. Asteure, viens, on va aller voir Raymond au restaurant.

À la table, il ne fut pas question de la mort prochaine d'Éva. Son beau-frère s'intéressa à sa montre neuve et demanda à l'adolescent ce qu'il advenait de l'autre qu'il s'était procurée avant de partir pour le collège. Celle-là, l'étudiant la lui vendit le prix payé...

∞∞∞

C'était vendredi saint.

Bernadette vint rendre visite à Éva à la maison où la malade était revenue pour soi-disant terminer sa convalescence et reprendre ses activités au magasin. Durant son absence, le commerce avait continué de fonctionner comme d'habitude grâce à l'aide expérimentée de cette voisine généreuse.

– D'après les chiffres, t'as aussi bien fait que moi au magasin ?

– Ah, j'ai fait de mon mieux !

– J'voulais te remercier ben comme il faut. T'as toujours été bonne pour nous autres, Bernadette. T'es une personne dévouée comme on en voit rarement. Ernest commence juste à le reconnaître.

La porte de chambre étant restée ouverte, André put entendre la conversation. Mais un visiteur frappa à la porte de côté et n'attendit pas une réponse pour entrer. C'était le docteur Poulin, nouveau dans la paroisse, et qui avait remplacé le docteur Sabourin parti, lui, s'établir au Manitoba. (*Le docteur Fabien Poulin n'avait aucun lien de parenté avec le docteur Raoul Poulin de Saint-Martin, député indépendant à Ottawa depuis 1949.*)

Il était venu la veille et n'avait pas répondu à une question de la malade. Il fallait qu'il y réponde, et c'est pour cette raison qu'il était revenu.

Ernest travaillait à l'érablière de sa terre et ne serait de retour que le jour suivant. Victor et Raymond avaient quitté la maison pour une heure ou deux. Fernande accueillit le praticien :

– Bonsoir, Monsieur le docteur. On vous attendait pas avant demain.

– Madame Mathieu m'a demandé quelque chose hier et...

L'homme essuya ses pieds sur le tapis. Sans trousse à la main, et sans ôter son manteau noir, il se dirigea vers la chambre, où il entra. Bernadette s'exclama en salutations. Elle allait partir, mais il la retint :

– Vous pouvez rester : ça pourrait aider.

– C'est comme vous voulez.

Le docteur tourna la tête pour dire à Fernande et à son jeune frère :

– Si vous voulez venir aussi...

On entoura le médecin qui prit place au pied du lit.

– Comment va notre malade ?

– Je prends du mieux, c'est certain. J'ai ben hâte de reprendre mon ouvrage au magasin.

– Vous avez quel âge maintenant, Madame Mathieu ?

– 56 ans. Trois ans de plus que Bernadette. Mais treize enfants de plus qu'elle.

Il désigna André :

– Et j'imagine que c'est lui, le dernier de la famille.

– C'est ça. Il a 15 ans aujourd'hui.

– Ah bon ! Donner la vie à treize enfants, c'est d'un grand mérite.

– Je vous dis que Bernadette en a, du mérite, elle aussi ; toute sa vie, elle s'est occupée des enfants des autres. Elle a même sauvé un des miens de la mort.

– Faudrait pas trop me vanter, là ! protesta l'intéressée avec son plus large sourire.

– Bon... vous m'avez posé une question, chère Madame Mathieu, hier. Vous avez l'impression qu'on vous a pas tout dit à l'hôpital... et vous avez raison. Votre intuition ne vous a pas trompée. Moi, je crois qu'une personne a le droit de savoir ce qui l'attend. Et je suis obligé de vous dire que... bien vous ne guérirez pas. Ils vous ont opérée, mais ont refermé sans pouvoir rien faire. Vous pourrez atteindre le mois de juin et, avec de la chance – ou de la malchance selon le bout de la lorgnette où l'on regarde – , le mois de juillet.

Un silence de plomb remplit la pièce. Rien ne bougea plus durant plusieurs secondes à part les yeux d'Éva, qui allaient de l'un à l'autre comme pour demander qu'on la réveille de ce cauchemar. Affaiblie, amaigrie, elle se sentait pourtant d'un poids énorme. Les mots du docteur, tels des clous, la crucifiaient littéralement dans son lit.

L'étudiant baissa les yeux; il se sentait coupable de n'avoir que ses 15 ans et eût voulu donner à la condamnée une partie de son temps à vivre sur cette terre. Bernadette était pétrifiée plus que Fernande qui, elle, connaissait la triste vérité d'avance et reprochait mentalement au médecin de l'avoir lancée prématurément au visage de sa mère.

– D'abord que c'est de même, va falloir fermer le magasin, dit Éva sans sourciller.

Bernadette parvint à casser la glace, elle aussi, parmi les témoins médusés:

– Je pourrais continuer à le tenir tant que...

Le médecin reprit la parole:

– Je serai là pour vous au besoin, Madame Mathieu. Faites-moi appeler, et je viendrai. Et je vais vous prescrire les meilleurs médicaments pour atténuer la souffrance.

– C'est ça qui me fait peur: la souffrance.

– La prière aide aussi ceux qui souffrent.

– Ça, c'est bien vrai! approuva fermement Bernadette.

Éva étira le bras et prit son petit crucifix sur la table de chevet:

– Asteure, je voudrais me trouver toute seule pour quelques minutes.

Le docteur se leva:

– C'est un moment qu'une personne aime mieux vivre seule. On vous laisse...

Il sortit en silence, suivi de Fernande et Bernadette.

– Tu reviendras tantôt, dit la femme à son fils.

Elle resta seule dans un éclairage jaunâtre... Une scène vieille de 38 ans lui revint en mémoire alors qu'elle serrait le petit objet dans sa main. Cela se passait en 1919 sur le train qui la conduisait au Maine où elle travaillerait dans un moulin de coton. Eugène Grégoire avait été son compagnon de voyage de Saint-Évariste à Mégantic... Il lui présentait un livre qu'il disait aimer beaucoup...

– *Le titre, c'est* Les nouvelles méditations. *Va à la page avec un signet, là. Un poème s'appelle* Le crucifix... *Tu sais lire, oui, Éva?*

– Ben oui... j'ai fait ma septième année d'école.

– Lis ça tranquillement tout fort, veux-tu?

Toi que j'ai recueilli sur sa bouche expirante
Avec son dernier souffle et son dernier adieu,
Symbole deux fois saint, don d'une main mourante,
Image de mon Dieu!

– La bouche expirante, c'était celle d'une tendre amie... Tu sais ce que l'auteur a écrit à propos de ce poème? Il a écrit: « Ceci est une méditation sortie avec des larmes du cœur de l'homme, et non de l'imagination de l'artiste... »

– Tu veux pas lire à ton tour un peu?

Elle lui tendit le livre. Il saurait mieux le faire sûrement, lui qui avait l'air de tant aimer ces mots, et avec raison puisqu'elle les trouvait magnifiques aussi.

Il accepta.

« Que de pleurs ont coulé sur tes pieds, que j'adore, »

– Pardon, Eugène, voudrais-tu recommencer et lire ce que j'ai lu. Je voudrais l'entendre de toi...

Il s'exécuta:

« Toi que j'ai recueilli sur sa bouche expirante
Avec son dernier souffle et son dernier adieu,
Symbole deux fois saint, don d'une main mourante,
Image de mon Dieu! »

Puis il poursuivit jusqu'à la fin, le regard rivé sur les mots, sans avoir pu entraîner avec lui la jeune femme dont le cœur et l'âme restaient tout entiers accrochés sur la première strophe. Il crut qu'elle avait tout entendu tant elle avait de brillance dans les yeux. Rarement obtenait-il une réaction aussi vive à la lecture de poésie. D'ailleurs le genre en faisait rire d'aucuns, et jamais il n'en parlait avec des garçons. Les jeunes filles ouvraient plus facilement leur cœur à ces chants écrits et parlés...

Était-ce son départ pour l'exil américain, l'arrachement à la terre natale, la situation à nulle autre pareille en laquelle Éva se trouvait, ainsi partageant une portion de son voyage avec un beau jeune homme de belle éducation et qui, les rares fois où elle l'avait croisé dans sa vie, avait manifesté envers elle un intérêt profond et senti, était-ce l'ensemble de ces choses qui la rendait si sensible aux vers du Crucifix, ou bien quelque vision du futur ?

Eugène se leva encore et glissa son livre dans sa valise puis tâta, trouva quelque chose et le prit dans sa main.

– J'ai jamais rencontré quelqu'un qui aime autant la poésie que toi, dit-il en se rasseyant. Souvent, chez nous, je vais méditer dans la cabane de l'engin. J'y vas pour me réchauffer et parfois lire des poèmes ou un roman. Ou ben je... gosse du bois comme on dit... La semaine passée, j'ai commencé à sculpter ça...

Il ouvrit sa main et lui montra un crucifix à moitié ciselé.

– J'ai envie de te le donner.

– À moi ? fit-elle au comble de l'étonnement heureux.

– Parce que t'as écouté.

– Ce... c'était beau, c'est pour ça que j'ai écouté.

– Prends-le.

Elle ouvrit la main. Il la prit dans la sienne et y déposa l'objet encore à moitié brut. Et lui referma la main sur le crucifix. Elle ferma les yeux et se mit à hocher la tête ; et alors les quatre vers de la première strophe du poème lui vinrent en bouche. Elle les récita délicatement :

« Toi que j'ai recueilli sur sa bouche expirante
Avec son dernier souffle et son dernier adieu,
Symbole deux fois saint, don d'une main mourante,
Image de mon Dieu ! »

Le train décéléra. La gare de Mégantic n'était plus bien loin maintenant.

– Bon, j'peux dire que j'ai fait un bon voyage jusqu'ici, dit Eugène, qui commençait à boutonner son manteau noir.

– Ah, c'est mieux quand on est pas tout seul.

– Surtout avec quelqu'un qui s'intéresse à tout.

– Je connaissais pas ça, de la poésie, mais asteure, je vas savoir. Pis le p'tit crucifix, je vas le garder en souvenir.

– Tu diras là-bas, aux États : ça, c'est Eugène Grégoire qui l'a fait.

Elle avait gardé l'objet serré dans sa main jusque là. Et quand le train siffla pour la dernière fois, elle regarda le crucifix et le mit dans la poche de son manteau.

– Ça y est, on arrive.

Et le jeune homme se leva. Il tendit la main vers sa compagne de voyage.

– Si ça adonne, un jour ou l'autre, donne-moi de tes nouvelles des États. Je vas t'en écrire un, un poème, et je te l'enverrai par la malle.

– Ça serait une bonne idée...

Ils se serrèrent la main. Eugène prit sa valise et quitta le wagon. Sur le quai, il s'approcha de la fenêtre où elle le regardait aller et cria :

– Je vas t'écrire un poème, tu vas voir. Ça va parler de... notre voyage en train peut-être...

Elle sourit largement et fit plusieurs hochements de tête.

Ils s'échangèrent un dernier salut de la main.

Eugène entra dans la gare.

Elle se demandait si elle le reverrait un jour, ce jeune homme si beau et si romantique...

Les nuits blanches, chapitre 12

Épouse et mère, Éva avait eu pour première pensée une pensée de jeunesse en apprenant sa mort imminente. Mais la réalité lui avait donné des enfants, treize dont dix survivaient. C'est à eux qu'elle songea ensuite. Elle fit venir son fils cadet qui se mit debout sans savoir quoi dire. Elle parla :

– Tu vois la vie : quand c'est le temps de bien vivre, c'est le temps de mourir.

Malgré son jeune âge, l'étudiant trouva lui aussi à philosopher :

– Le temps, c'est rien. Regardez...

Il ferma les yeux et les rouvrit aussitôt.

– C'est pas long, un clin d'œil, ben le temps d'un clin d'œil et on sera tous... tous vos enfants... avec vous de l'autre côté.

Puis, elle s'enquit de ses progrès scolaires. Ensuite, elle dit qu'elle voulait mourir durant le mois de Marie. Et finalement :

– Quand est-ce, ton prochain congé ?

– À l'Ascension, le 30 mai... Du 30 mai au 2 juin...

– Je vas t'attendre pour mourir...

Il y eut une pause que cette promesse allégeait. Puis, Éva demanda :

– Je voudrais parler à Bernadette. Est encore là, dis-lui de venir me voir. Faut régler des histoires de magasin.

La malade avait trouvé ce moyen pour prendre la voie de la résignation. C'est à mélanger sa douleur morale au quotidien qu'elle y parviendrait le mieux. Même devant la perspective de la mort, Éva restait l'être pragmatique qu'elle avait toujours été... Ce qui ne l'avait jamais empêchée de rêver devant une fleur, une décoration de chapeau qu'elle faisait de ses mains et le petit crucifix que lui avait donné Eugène Grégoire un beau jour de sa jeunesse...

∞∞∞

Prendre la décision de mourir en mai quand on n'est même pas encore à la mi-avril, et surtout de mourir soit le 30 ou le 31 du mois, comportait un important risque d'erreur. Quand l'adolescent repartit pour le collège, il ne s'attendait pas à revoir sa mère vivante...

– Si elle va plus mal, on va te téléphoner pour que tu viennes au plus vite, lui garantit sa sœur avant son départ.

Éva, sans jamais en dire la raison profonde, ne parvenait pas à tolérer Ernest dans sa chambre. L'homme avait eu beau s'attendrir, regretter même ses attitudes passées, se montrer plus loquace, plus ouvert, plus attentionné, elle lui demandait de la laisser seule sitôt qu'il mettait les pieds dans cette pièce où elle rendrait l'âme à ce Seigneur qu'elle priait avec ferveur, non pour sauver sa vie, mais pour mettre en banque ces horribles souffrances causées par un cancer à l'intérieur de ses entrailles. Lui reprochait-il le nombre d'enfants qu'elle avait eus, ainsi que bien des mères le pensaient sans jamais le dire ou rarement, y compris Émélie Grégoire un demi-siècle auparavant ? Ces grossesses, tueuses parce que trop nombreuses, préparaient le terrain au cancer qui constituait la couronne d'épines au martyre des femmes. Peut-être qu'à ce reproche s'en ajoutait un autre ? Au retour des chantiers, l'homme passait toujours du temps à Québec, et cette habitude des bûcherons n'avait pas bien bonne réputation. Et, du temps de sa boutique de forge, il se rendait acheter du fer à Lévis et n'en revenait que le jour suivant. Il aurait bien pu l'acheter par téléphone, son damné fer. De surcroît, il avait la manie de s'exciter comme un chien fou chaque fois qu'il voyait pas loin une femme à taille forte. Un Rembrandt sans pinceaux !

Elle le repoussait donc sans délicatesse, et il en vint à ne plus oser la déranger.

L'homme restait dans la cuisine à parler avec Victor de manière à ce qu'elle entende son propos et lui pardonne peut-être ce qu'il avait à se faire pardonner, et qu'eux seuls savaient...

Quand elle demanda qu'on place son lit dans l'autre sens, de manière à voir la porte, il s'empressa de le faire avec l'aide de Victor. Sitôt la tâche accomplie, elle le chassa quand même de son décor... Impitoyablement!

∞∞∞∞∞∞

Chapitre 25

1957...

Une vente de fermeture dirigée par Bernadette eut lieu dans la première quinzaine de mai. Et le magasin fut définitivement fermé autour du 20 de ce mois.

Éva, qui avait attendu jusque là pour mourir, avait promis de se rendre au congé de l'Ascension pour remettre son âme à Dieu. Mais son corps, lui, obéirait-il? C'était la faiblesse généralisée. C'étaient les douleurs atroces. C'étaient les vomissements de substances qui ne provenaient pas de la nourriture mais bien de ses entrailles elles-mêmes. Un liquide brun noir à odeur insupportable!

«Comment Dieu pouvait-Il ainsi punir une femme pour avoir donné la vie à treize reprises?» Le bon curé Ennis servait à la mourante chaque fois qu'il la visitait la même réponse dérisoire inventée ou véhiculée par des croyants en contrôle d'autres croyants. «Le bon Dieu éprouve ceux qu'Il aime.»

Bernadette refusa toute rétribution pour ses services. Éva insista malgré ses faibles forces:

– Tu me ferais plaisir d'accepter quelque chose.

– Le plaisir, je l'trouve à rendre service.

– Tu dois nager dans l'argent.

– Non... mes avoirs fondent comme neige au soleil, mais c'est pas une raison... Là, je vas prendre des pensionnaires...

Des filles de Dorset pis de Saint-Martin qui viennent travailler à la manufacture de chemises.

– T'aurais pu en prendre avant.

– Avant, on avait assez de monde dans la place, mais là, c'est rendu pas loin de cent personnes qui travaillent à la Chemise Lapointe. Il faut des filles des paroisses autour.

– Ah! En tout cas, j'aimerais ben ça te récompenser pour ton ouvrage.

– J'veux pas en entendre parler!

Puis, il fut question d'Eugène Grégoire, décédé quand sa sœur Bernadette avait 15 ans. Éva raconta par bribes entre bien des soupirs et la recherche constante de son souffle sa visite le jour où il avait reconduit le docteur Goulet au chevet de Rose-Anna, l'une des dernières victimes de la grande grippe espagnole. Ensuite, elle parla de leur rencontre sur le train et du crucifix qu'il lui avait remis.

– C'est à toi que je veux le donner quand je vas partir.

Bernadette avait les yeux ras d'eau:

– Ça, ça serait la plus belle récompense que tu pourrais me faire!

– J'ai pensé que ça te ferait plaisir.

– Comment que je vas pouvoir l'avoir?

– Je vas le dire à Fernande que c'est pour toi, le crucifix. Elle va te le donner quand je vas être partie. En attendant, j'aime mieux le garder dans mes mains jusqu'à la fin.

– T'as ben raison, et je vas te dire une chose: quand tu vas prendre le dernier train, Eugène va venir te tendre la main.

Une lueur traversa le regard de la femme malade:

– J'y avais pas pensé, mais raison de plus pour le garder.

– En tout cas, 56 ans, c'est jeune pour mourir, mon doux Jésus!

– Mon sacrifice est fait...

Quand elle quitta les lieux, Bernadette promit de venir au chevet de sa voisine tous les deux jours...

∞∞∞

Éva survécut encore quelque temps. Le mois de Marie tirait à sa fin. Arriva le congé de l'Ascension. André revint du collège le jeudi 30.

Jean d'Arc était venu pour quelques jours prendre la relève de Fernande. Ses premières paroles quand l'étudiant franchit le seuil de la porte furent :

– Elle t'a attendu pour mourir.

– Ah !

– Tu peux aller la voir si tu veux : elle a encore sa connaissance.

– O.K.

Il déposa sa petite valise grise au bord de l'escalier et se rendit dans la chambre. Il ne restait plus de sa mère qu'un sac d'os réduit à sa plus simple expression. On eût dit que l'oreiller dans lequel s'enfonçait sa tête était plus volumineux que toute sa personne. Elle esquissa un sourire quand il parut devant elle près du lit.

– J'viens d'arriver...

Le jeune homme ne disait que le strict minimum pour ne pas risquer d'éclater en sanglots.

Elle parvint à sourire encore. Puis, elle dit sans voix :

– Prends ma main !

Il ne sut lire sur ses lèvres. Et réclama sa sœur qui savait, elle.

– Elle veut que tu prennes sa main.

Il s'assit sur la chaise qui se trouvait là et prit la main qui gisait sur le drap blanc tout en parlant à Jeanne d'Arc :

– Reste... pour me dire ce qu'elle dit.

Éva s'exprima aussitôt :

– Je t'ai attendu pour mourir.

« Vous êtes pas morte encore, » songea-t-il. Ces mots ne pouvaient pas être plus mal choisis, et la phrase était sujette à bien des interprétations. De toute manière, il la trouva totalement inappropriée et dit autre chose :

– Le magasin est fermé ?

Elle ignora son propos :

– Reste proche... je vas partir aujourd'hui... ou demain... durant le mois de Marie...

Des nœuds s'entassaient dans la gorge de l'adolescent. Il regarda toute cette blancheur. Et ce visage qui n'en était plus un. Quelques cheveux gris rebelles, hirsutes. Ces yeux entourés de bistre et si petits, si éloignés déjà. Et les os du front, des pommettes et du menton, qui saillaient et semblaient vouloir crever la peau terreuse.

« Pourquoi la vie nous demande-t-elle de passer par là pour nous donner la mort ? » se dit-il alors.

– Suis pas belle, trouves-tu ?

Jeanne d'Arc, qui traduisait ces mots que le jeune homme arrivait mieux à deviner, répondit pour lui :

– Ben oui, vous êtes belle, maman. Parce que vous êtes... maman, c'est pour ça que vous serez toujours belle.

On entendit alors Ernest dire en entrant dans la maison :

– J'vous r'mercie à plein de venir faire une visite à ma femme. Allez-y directement...

C'étaient Amanda et Freddé. Ils avaient su de Bernadette que la fin approchait pour leur voisine d'en face. Amanda était venue au début de la maladie d'Éva. Cette mort imminente la touchait profondément. Elle avait demandé à son mari de l'accompagner. Ils étaient venus sans Solange qui, du magasin, les avait vus traverser la rue et les suivait de près. Elle éclata de rire en entrant. Ernest la dirigea à son tour vers la chambre de la malade.

Au bout de quelques mots de convenance, l'étudiant céda sa place à Amanda et quitta la chambre pour se rendre à la sienne au deuxième étage. Et là, il pleura...

∞∞∞

Durant le repas du midi, Jeanne d'Arc, qui s'était rendue l'espace d'un coup d'œil dans la chambre d'Éva, en ressortit avec de l'étonnement dans la voix :

– Elle dit qu'elle a vu Léandre arriver. Je me demande...

Ernest prit la parole :

– Léandre est à Montréal... on n'a pas entendu parler d'eux autres ça fait deux, trois semaines.

– Ils ont pas téléphoné ?

– Pas ces jours-citte... Elle doit rêver ça...

– Elle dit que Léandre est en béquilles...

– Elle commence à délirer.

∞∞∞

Ce soir-là, la malade, après un sommeil comateux tout l'après-midi, reprit un semblant de force. Depuis quelques jours, elle acceptait la présence de son mari, et il y passa du temps sans rien dire. Puis, elle vit Jeanne d'Arc, Victor et Suzanne. Et leur demanda de lui envoyer André. (Les six autres enfants, Cécile, Fernande, Dolorès, Paulo, Léandre et Gilles, habitaient au loin, eux.)

L'adolescent alla s'asseoir sur la même chaise, au même endroit qu'à son arrivée ce jour-là. Cette fois, il ne fit appel à personne pour lire les mots de sa mère, qui lui demanda encore de prendre sa main.

– Je vais mourir demain.

– Ben non... pourquoi demain?

– C'est le dernier jour du mois de Marie... pis t'es là.

– Oui, mais...

Il sentit une pression infime sur ses doigts. Elle lui dit ses derniers mots:

– Je vas veiller sur toi d'en-haut...

Puis, elle ferma les yeux et parut s'endormir. Le jeune homme surveillait la respiration qui se poursuivait à intervalles prolongés. Mais réguliers. Jeanne d'Arc vint voir un quart d'heure plus tard. Elle devina que sa mère ne reprendrait jamais conscience mais le garda pour elle-même.

– Tu peux la laisser dormir. Tu la reverras demain...

∞∞∞

Le lendemain, les heures interminables s'ajoutèrent aux heures interminables. Ernest, l'air noir, restait vissé à une chaise berçante au fond de la cuisine et il regardait dehors en ravalant. Victor alla faire ses heures au bureau. Jeanne d'Arc s'assit longuement sur la galerie à regarder les gens passer sur la rue ou bien entrer au magasin. Elle parlait parfois à ceux qu'elle connaissait. André se rendit sur le terrain de la fabrique jouer à la balle-molle avec d'autres jeunes du village.

La respiration de la malade semblait ne plus être que cérébrale. La partie du cerveau qui désirait mourir ne parvenait pas à persuader celle qui commandait aux voies respiratoires de continuer à fonctionner. La volonté n'arrivait pas à mettre au pas l'involontaire.

Après le souper, après une journée de semi-coma et sans avoir repris connaissance, la mourante parut décliner. Le signe en était la respiration, qui se raréfiait. Aux trente secondes puis moins. On la veillait sans arrêt. Les heures passaient.

Peut-être qu'elle ne mourrait pas durant le mois de Marie en fin de compte.

À neuf heures, Victor se rendit chercher le docteur. Une demi-heure plus tard, le praticien sondait le pouls.

– Elle vit encore. Je vais lui faire une injection pour la soulager si elle souffre...

Il procéda. Dix minutes plus tard, la respiration cessa définitivement. Le docteur constata le décès à dix heures moins le quart.

Bernadette, qui surveillait par sa fenêtre, s'amena quand elle vit le médecin entrer. Ernest la reçut à la porte et cette fois, sans aucune animosité :

– C'est fini... quoi c'est que vous voulez... c'est la vie qui a voulu ça de même, maudit torrieu... Tu peux y aller...

La femme croisa ceux qui sortaient de la chambre. Mais retint l'étudiant pour lui dire à l'oreille :

– Je vas prendre son petit crucifix de bois... Elle m'a dit qu'elle me le remettrait après sa mort... vu que c'était quelque chose qui lui avait été donné par mon frère Eugène. Veux-tu le prendre dans sa main pis me le donner ?

– Oué...

Le jeune homme écarta les doigts empreints de la rigidité cadavérique. Il prit l'objet et le remit à Bernadette, qui lui fit un grand signe de reconnaissance de la tête et d'un sourire pâle, affaibli par sa réserve naturelle si prononcée en de pareils moments et par son chagrin de perdre sa voisine.

Jeanne d'Arc mit son nez dans la porte :

– André, le central est fermé, je viens d'essayer. Va au central, pis appelle chez Léandre à Montréal, veux-tu ?

– Madame Boutin, elle va ouvrir ?

– Si elle est couchée, elle va se lever : c'est un cas de force majeure, comme on dit.

– O.K.

L'étudiant courut jusqu'à la rue des Cadenas puis au central téléphonique. Madame Boutin se leva et se montra de la plus généreuse gentillesse qui soit malgré sa tristesse devant l'événement qu'il lui annonça. La ligne fut établie avec Montréal. L'épouse de Léandre répondit. La nouvelle lui fut annoncée. Alors, elle révéla quelque chose qui donna à réfléchir à l'adolescent et lui resterait en mémoire toute sa vie sûrement :

– Ça adonne mal, hein, André, parce que Léandre a reçu un ballot sur le pied droit hier. Il marche en béquilles...

Le jeune homme prit conscience de forces qui dépassent l'entendement à se souvenir de cette vision qu'avait eue sa mère le jour précédent, elle qui avait déclaré avoir vu arriver Léandre en béquilles.

∞∞∞

Le corps fut exposé à la salle paroissiale. Bernadette y fut tout le temps des trois jours. C'est elle qui commandait la récitation de dizaines de chapelets. Elle serrait la main de tout le monde, comme si elle avait été de la famille.

À son arrivée près du cercueil, le deuxième jour, elle suggéra à André de toucher le visage de la dépouille.

– Ça va t'ôter pour toujours la peur des morts.

– Ah ?

Et le jeune homme posa sa main sur le front de sa mère. Ce n'était plus qu'une chose inerte, dure comme le ciment et sèche comme du bois de cèdre...

∞∞∞∞∞∞∞

Chapitre 26

1957...

Les premières pensionnaires arrivèrent chez Bernadette cette fin d'été rock'n roll alors que les juke-box de restaurants et les postes de radio des automobiles crachaient au monde le bonheur de vivre d'une jeunesse qui regorgeait d'énergie et ne se gênait pas pour la dépenser.

Partout, l'on entendait les *hits* de l'année: *Diana, Yakety Yak, Just a dream, Chanson d'amour, Wake up little Susie, My true love*... Et les voix chantantes les plus connues dans le monde entier: Elvis Presley, Fats Domino, Pat Boone, Dean Martin, Ricky Nelson, Paul Anka... C'était le temps de la frivolité et de la plus grande simplicité dans parfois quelques extravagances à réputation surfaite... On se dirigeait vers l'ère des blousons de cuir et des motos. En attendant, l'on dansait librement, l'on rêvait profusément, l'on expérimentait le désir excessif et l'attente fébrile...

L'explosion de la vie permettait de faire oublier la mort et ses impératifs. André avait perdu sa mère en mai. Une semaine avant son décès était exposé dans le même salon de la salle paroissiale un jeune homme de pas 30 ans, Réal Poulin, marié et père d'une fillette, tué par une branche tombée alors qu'il travaillait dans la forêt.

Début juillet, le père de Jean d'Arc Fontaine, Philippe Gaboury, frère du Blanc, fut terrassé par une crise cardiaque à l'âge de 48 ans et mourut au bord du chemin alors qu'il voyageait en 'Weezer', un 'bicycle à moteur'. Et le 18 octobre disparut une figure marquante, quasi légendaire de Saint-Honoré, à l'âge de 79 ans: Uldéric Blais, industriel et père d'une famille nombreuse et bien née.

De retour des études pour le congé de la Toussaint, André se dépêcha d'aller dire à Freddé qu'il fréquentait maintenant le même établissement que lui au début du siècle: le collège de Sainte-Marie.

– Ça va donner des bons résultats! garantit le marchand qui venait de célébrer son soixante-dixième anniversaire de naissance, mais conservait sa mémoire vive.

– Et dire que votre père a passé par là, lui itou...

– C'est comme je te l'avais dit. Lui pis mes frères Henri, Pampalon, Armand...

L'échange fut interrompu par l'entrée dans le magasin de Donat Bellegarde, ce cultivateur qui demeurait maintenant tout près dans une maison neuve construite entre celle de Bernadette et la grange à Foley devenue sienne, toujours blanche et qui abritait aussi l'hiver la jument d'Alfred.

C'est au sujet de ce cheval roux que le voisin de Freddé s'amenait.

– Je veux la faire 'pouliner', déclara Freddé sans ambages.

– Ah?

– Avant qu'elle prenne de l'âge.

– Ça va prendre un étalon, Monsieur Grégoire.

– Je sais où en trouver un.

– Dilon Poulin?

– Lui, il en a tout le temps d'abord qu'il est maquignon. Mais c'est pas toujours les meilleurs. Non, j'aimerais louer l'étalon à Baptiste Boucher du Grand-Shenley. Une belle bête. Avec la Jane, ça va donner un poulain pas pire.

– Vous voulez que je m'en occupe?

– C'est pour ça que je t'ai demandé de venir.

Alfred était appuyé au comptoir des étalages, bras croisés, comme du temps où il fumait encore la pipe, une vilaine habitude qu'il avait délaissée voilà plusieurs années déjà au rappel des récriminations de ses parents et de Bernadette à propos des fumeurs. On avait eu raison de son tabagisme qu'il avait fini lui-même par trouver inutile, destructeur, malodorant, malpropre et tutti quanti...

Donat restait debout dans sa solide grandeur, bras croisés lui aussi, sourire fin aux lèvres, et qui parfois jetait un coup d'œil vers l'adolescent comme pour l'intimider joyeusement et le taquiner.

– On a des jeunes oreilles qui nous écoutent parler de jument pis d'étalon...

– Asteure, ils savent les vraies affaires ben avant nous autres dans notre temps.

– Je disais ça pour rire, mon p'tit Mathieu.

Freddé dit en riant :

– À 9, 10 ans, ils savent ce qu'il faut savoir asteure.

– Ben oui ! Bon... mais c'est quoi l'idée de faire pouliner, la jument ?

– Ça va me prendre un bon jeune cheval pour ma retraite. La jument vieillit. Moi itou...

– Pour courir les chemins ? questionna l'autre, taquin.

– En plein ça. Comme asteure. Le dimanche, j'attelle, pis je vas voir mes vieux amis avant qu'ils meurent tous. Tu vois, Déric qui vient de monter au cimetière. Ça meurt de tous bords tous côtés. Autour de mon âge, rien que cette année pis l'année passée, il en est mort une dizaine. Ça tombe comme des mouches à 65 ans passés. Elzéar Beaudoin, Joseph Poulin Gabin, Cyrille Boucher, Thophile Guenette... Mon père est mort à 67 ans, ma mère, à 65. C'est le temps pour moi de commencer à penser à faire mes bagages. Le grand voyage s'en vient...

– Pas besoin d'un jeune cheval dans ce cas-là.

– Au cas justement.

– Achetez-vous donc une machine comme votre frère Pampalon de Saint-Évariste ! Ben moins de misère. Vous avez les moyens d'abord...

– Pampalon, c'est un homme à machines ; moi, j'suis un homme à chevaux. D'abord, j'serais jamais capable de mener ça, une machine, moi.

– Ben voyons donc, ça s'apprend à tout âge. J'ai montré à votre neveu, le petit André Jolicœur, à chauffer un tracteur pis une machine...

– C'est quand on est jeune qu'il faut apprendre, pas à 70 ans. Y a le Victor Mathieu, de l'autre bord, qu'a essayé de montrer à conduire à sa mère de son vivant, v'là deux, trois ans. Ils se sont ramassés dans mon perron. Ben non, y a trop de pédales là-dedans !

– Vos vieux amis qui sont encore vivants, c'est rendu au village pour la plupart ?

– D'aucuns sont encore sur leur terre. Douard Foley, Aimé Champagne, Paul Lessard. Ça va me prendre un cheval de chemin.

– Ben on va vous arranger ça, Monsieur Grégoire.

– Comme on dit : c'est mon rêve de vieillesse. Partir en voiture fine, faire du chemin de travers... les prairies vertes, les arbres, les maisons, les ruisseaux... J'ai voulu avoir une terre dans mon jeune temps... je vas me reprendre durant ma retraite, misère de la cultiver en moins.

Et l'homme éclata de rire. De rouge, son visage passa au plus rouge. Donat comprenait tout maintenant, lui qui n'aurait pas pu vivre sans être cultivateur. Il ferait le nécessaire pour que Freddé, qui lui avait vendu sa terre à fort bon prix, puisse compter sur ce jeune cheval roux dont il rêvait pour succéder à cet autre cheval roux, sa jument qui avançait en âge.

– Vous parlez de votre retraite, c'est pour quand ?

– Quand le gouvernement voudra pus de moi.

– Ça pourrait prendre du temps.

– Doré fait une partie de l'ouvrage au magasin et il m'aide au bureau de poste. C'est pas la misère encore.

– Tant mieux ! On veut vous garder encore longtemps comme maître de poste.

– Toute bonne chose a une fin.

– Malheureusement !

Puis, Donat salua et s'en alla.

Freddé quitta le magasin pour aller vaquer aux affaires de la poste alors que l'étudiant finissait de boire un Coca-Cola à température de la pièce, vu l'absence de réfrigérateur à l'intérieur.

Alors, passa en coup de vent Rachel, qui semblait surgir du hangar pour se rendre à la résidence, tout droit à la porte au ressort fatigué. Elle regardait fixement devant elle. Aux prises avec ses problèmes mentaux, la femme de 44 ans continuait de vivre en recluse quand il ne lui était pas conseillé et imposé de faire un séjour dans un hôpital psychiatrique, le plus souvent Saint-Michel-Archange. Elle n'y restait jamais plus d'un mois ou deux et revenait poursuivre son chemin solitaire dans sa chambre, où elle n'admettait personne, pas même sa mère, quel que soit le prétexte.

André se souvint d'elle comme de la personne qui lui avait montré à fumer la cigarette alors qu'il n'avait pas 10 ans. C'était sa façon à elle de le remercier étant donné qu'il agissait comme commissionnaire en sa faveur. Cela avait commencé un samedi soir que l'enfant marchait sur le terrain de la fabrique. Une voix avait crié son nom. Il avait cherché, hésité... On avait répété son nom. Il avait repéré la provenance de l'appel. C'était d'une chambre de la résidence Grégoire. S'était approché sur le trottoir de bois entre la résidence et la maison rouge, jusqu'au lieu même où trente ans plus tôt, Bernadette avait connu le seul et unique baiser de toute sa vie, grâce à un rapprochement furtif et si pudique avec Eugène Foley.

– André, tu vas aller à l'hôtel pour moi ?

– Quoi ?

– Chercher une bouteille de cognac. Un dix-onces. Je vas te jeter l'argent par le 'châssis' dans du papier de plomb. Tu feras mettre le bouteille dans un sac et tu viendras le mettre dans la petite cabane blanche, là, au bout du trottoir. Je te mets aussi des cigarettes dans le papier de plomb avec l'argent.

– J'sais pas fumer, moi.

– C'est pas long à apprendre... Tu mets la cigarette dans ta bouche pis tu l'allumes... Ensuite, tu respires la fumée... Ça fait du bien, tu vas voir. Tu vas peut-être t'étouffer une fois ou deux, mais tu vas t'accoutumer... C'est comme ça que tu seras un homme, mon p'tit gars...

Enchanté, le garçon avait dit :

– C'est correct !

– Approche, je te jette l'argent avec les cigarettes.

– O.K.

– Pis tu reviendras tous les samedis à la même heure. Le reste de l'argent, tu le mettras dans le sac avec la bouteille. Je te récompense en cigarettes...

André ignorait alors que la femme souffrait de problèmes mentaux et il la trouvait bien généreuse de lui fournir ainsi sept ou huit cigarettes par samedi soir... Avant la fin du dimanche, il les avait toutes fumées...

Ce temps de l'insouciance était déjà loin derrière. Depuis la mort de sa mère, l'étudiant ne disposait plus d'assez d'argent pour acheter du tabac et s'était mis au régime sec. Rachel devait payer quelqu'un d'autre pour charroyer sa boisson. De toute façon, l'adolescent passait dix mois par année au loin.

Il quitta le magasin et rentra chez lui à reculons. Car il pénétrait dans une maison que la mort avait vidée de son âme. Ernest était parti pour un lointain chantier. Victor ne rentrait qu'après son travail. Et Suzanne avait quitté Shenley pour aller vivre avec sa sœur Fernande à Notre-Dame-des-Bois. Pas plus que la plupart des autres, elle ne reviendrait vivre dans sa paroisse natale.

Une fois à l'intérieur, le jeune homme jeta aussitôt un œil à l'extérieur par la fenêtre de côté. Il put voir Freddé, qui était revenu se mettre en embuscade devant les portes du magasin pour peut-être, lui aussi, essayer de fuir une solitude profonde en attrapant au hasard une pensée moins sombre que lui suggérerait la vue d'un passant...

Ou bien était-il venu là simplement pour voir l'adolescent retourner chez lui et imaginer le vide qui devait être le sien en ce moment?

∞∞∞

Ce soir-là, dans sa chambre, le jeune homme s'agenouilla et prit appui à la fenêtre donnant vers le sud. Il songeait à son avenir en espérant apercevoir ce petit satellite appelé Spoutnik qui gravitait autour de la terre depuis trois semaines. Mais il ne le vit pas. Toutefois, une étoile filante donna son spectacle comme pour lui dire que tout est éphémère et qu'il avait eu raison de dire à sa mère mourante que le temps d'un clin d'œil, lui aussi serait au bord du grand voyage...

∞∞∞∞∞∞

Chapitre 27

1958

Le 31 mars de cette année-là eurent lieu des élections au fédéral. Le gouvernement sortant ayant à sa tête Louis St-Laurent, chef du parti libéral, donnait des signes d'usure. Le bateau craquait, avait fait montre de fuites malgré une grande réalisation à caractère international: la construction de la voie maritime du fleuve Saint-Laurent.

La Beauce, société distincte d'une province distincte dans un pays sans grande distinction en Amérique, en fit de nouveau à sa tête. Représentée depuis 9 ans par le docteur Raoul Poulin, député indépendant, voici qu'elle se transforma en le seul gain libéral dans tout le pays. Car les bleus conduits par le père bougon John Diefenbaker balayèrent le pays d'une mer à l'autre avec 208 députés élus.

Plus étonnant encore, la Beauce tourna le dos à son indépendant dont elle était si fière, fit un pied de nez aux conservateurs et délégua à Ottawa un tout jeune homme de 30 ans: Jean-Paul Racine, maire de Saint-Honoré.

C'est Honoré Grégoire qui se retourna dans sa tombe le lendemain, croyant qu'il s'agissait d'un poisson d'avril. Lui aussi aurait reconnu la valeur du nouvel élu; mais le grand étonnement lui serait venu de ce que le jeune député émergeait de Shenley. Lui avait toujours cru que le bas du comté n'élirait jamais un homme de l'autre bout, tout au plus un gars de Saint-Georges. C'était sans compter sur les Poulin de Saint-Martin, les deux frères députés, et maintenant sans cet enthousiasme téméraire de Jean-Paul Racine. Le jeune homme avait reçu un appui massif de sa paroisse natale tout comme Honoré en aurait reçu un dans le temps... Parfait bilingue, homme d'affaires prospère, homme d'entregent et d'organisation électorale, il avait été élu malgré la faiblesse de son parti sur la scène nationale.

Et la Beauce s'était distinguée une fois encore par son sens de l'autonomie...

Pareil changement n'était pas de nature à aider la cause d'un vieux maître de poste de 71 ans, libéral mur à mur, comme Alfred Grégoire. En quoi un petit député rouge saurait-il empêcher que ne survienne quoi que ce soit dans cette grouillante marée bleue qui noyait le Parlement canadien?

Bien peu de temps après cette élection du printemps, Alfred reçut la visite d'un inspecteur. Il s'y attendait...

Le ministère des Postes lui demandait de rénover le bureau pour le rendre conforme aux normes imposées par le modernisme. En fait, il s'agissait plus que des radoubs mais d'une reconstruction à l'intérieur même du magasin. Cela demanderait les deux tiers de l'espace disponible à l'étage. Donc la disparition du comptoir des dames, de la table-comptoir du centre. Il ne resterait, derrière une cloison séparant les deux parties, qu'une allée étroite devant le comptoir de la marchandise sèche, le seul à ne pas être démoli.

– Ainsi, lui dit l'inspecteur, vous pourrez vous retirer comme maître de poste et continuer de toucher le loyer pour le bureau.

– C'est certain que ça demande des réparations. Ça fait proche 60 ans que c'est de même. Pas dur à s'en rappeler: ça a été fait en 1900, l'année du magasin. Avant, le bureau était dans la maison rouge.

Par sa prochaine phrase, l'inspecteur causa une vraie surprise à son interlocuteur:

– Vous savez, monsieur Grégoire, après 28 ans de bons et loyaux services, c'est pas notre ministère qui vous imposera la retraite à moins de maladie. Vous la prendrez à votre heure à vous.

Alfred regarda au loin, l'esprit ailleurs. Il se disait que Doré n'était pas encore prêt à prendre la relève malgré ses 31 ans. Il fallait que ses crises se raréfient, ce que promettait toujours le psychiatre qui le soignait quand il faisait des séjours d'hospitalisation.

L'inspecteur, un dénommé Albert Verville, homme costaud, noiraud, à sourcils carrés, taillés au couteau, se tenait droit au milieu de la place, au pied du grand escalier de chêne. Freddé eut soudain une larme à l'œil. L'autre le comprit:

– Ça va vous faire quelque chose de tout chambarder dans la place, mais c'est le progrès qui veut ça.

– Ça se comprend! Pis je vas faire comme demandé. J'ai mon voisin, Donat Bellegarde, un cultivateur mais ben bon ouvrier, qui pourra entreprendre les changements.

Cette fois, Alfred pensa qu'il faudrait démolir le grand et large escalier de chêne qui faisait la fierté de ses parents, fermer le salon d'Émélie devenu une pièce d'entreposage, fermer l'espace ouvert au plafond. Verville suivait du regard le regard de Freddé; il comprit qu'il devait le rassurer:

– L'espace qu'il faut demandera pas d'ôter l'escalier. Le mur arrière du bureau serait à peu près ici. Donc pas besoin non plus de fermer le trou de l'escalier. Vous pourrez faire ce que vous voulez de votre deuxième étage. Sais pas... un logement peut-être ou quoi encore?

Le visage du marchand s'éclaira. On cherchait un local au village pour une classe en attendant la construction prochaine d'un collège pour les garçons. Il lui suffirait de contacter

Gaudias Bébé Poulin, le président de la commission scolaire, et le tour serait probablement joué.

Verville en ajouta :

– Voyez, vous pourrez toucher un meilleur loyer avec l'espace bureau de poste, vous resterez maître de poste après quoi vous obtiendrez votre pension de retraité en plus de votre pension de vieillesse, vous pourrez continuer de vendre de la marchandise sèche et, en plus, vous pourrez louer le deuxième étage. C'est pas beau, ça, Monsieur Grégoire ?

À ce moment, Napoléon Lambert fit son entrée. Suivant sa vieille habitude, il longea la table centrale en frôlant sa base avec sa canne blanche et allait se rendre à la planche à bascule quand son ami Freddé l'arrêta :

– Lambert, il va y avoir du changement dans la bâtisse.

– Ah oui ? Ben comment ça ?

Et Freddé parla du nouvel emplacement du bureau, des cases postales qui seraient installées dans la vieille entrée du magasin, laquelle donnerait seulement sur l'espace de la poste tandis qu'on percerait une nouvelle porte pour desservir ce qui resterait de l'ancien magasin.

Il parut à l'aveugle qu'un monde disparaîtrait, disparaissait. Les bruits, les odeurs, les perceptions ne seraient jamais plus les mêmes. Il s'adapterait à la nouveauté, certes, mais ne saurait jamais enterrer dans son esprit les êtres de ce magnifique lieu. Lui-même rendu à 70 ans avait atteint depuis des lustres le temps de la résignation. Il baissa la tête encore plus qu'à son arrivée et poursuivit son pas ralenti dans un silence de tristesse...

∞∞∞

Bébé Poulin fut heureux de la proposition de Freddé. Lui-même possédait un petit magasin (genre dépanneur avant l'heure) dans une maison qu'il avait fait construire après un incendie, et ces changements ne pouvaient que le favoriser en favorisant la réduction du magasin Grégoire à sa plus simple expression. Il consulta ses commissaires, et on loua le second étage du magasin, qui fut transformé en classe en même temps que le bas devenait nouveau bureau de poste, non plus au fond, mais en avant du magasin. Même que la grande vitrine d'autrefois fut conservée pour garder un cachet particulier.

Le premier à venir attendre que la malle soit dépaquetée quand le nouveau bureau de poste ouvrit ses portes fut Louis Grégoire, avant même Napoléon Lambert et Louis Paradis. Cure-dents à la bouche et mains dans ses poches de pantalon qui retenaient vers l'arrière les deux parements de son veston marine à rayures, le sexagénaire blagua comme toujours et dit à Freddé que la chance le courait comme un bossu. L'autre ne dit qu'un seul mot dans lequel toutes les peines qu'il avait subies au cours de sa vie se trouvaient concentrées :

– Ouais !

Doré, qui avait fermé sa petite usine de bâtons de hockey depuis un certain temps, s'occupait de la clientèle du magasin. Souvent, il mettait la clé dans la porte pour se rendre ailleurs, n'importe où, changer d'air et ne plus rester les bras croisés dans l'attente de clients qui venaient de moins en moins.

Victor Mathieu avait de la chance, lui aussi, aux yeux de Louis Grégoire : il obtint le poste de maître de classe et enseignerait en septembre là même, au-dessus du bureau de poste à des élèves de sixième année. Mieux, la compagnie Blais & Frères le garderait comme commis. Il tiendrait leurs comptes le soir et les samedis. Double emploi, double revenu. À la veille des années soixante, la vie commençait de s'accélérer...

Quand il eut son courrier, en fait rien du tout ce jour-là en fin d'après-midi, Louis Grégoire quitta le bureau de poste et se tint debout sur une marche du perron rénové et considérablement réduit. Survint un adolescent à visage de rongeur, qu'il reconnut par les airs de famille, et auquel il s'adressa :

– Si c'est pas le p'tit Mathieu !

– Si c'est pas le vieux Grégoire ! répondit le garçon du tac au tac.

– Quel âge que t'as, asteure, mon p'tit Mathieu ?

– 14 ans. Pis toé ?

– Moé... ben... 64 ans...

L'adolescent impoli était originaire du rang neuf. Il avait pour prénom Ovila, mais on l'avait surnommé le Diable en raison des mauvais coups qu'il faisait sans cesse, pire que dans leur temps le Gilles à Ernest et Gilbert Les Poules combinés. Son père était le cousin propre d'Ernest et lui se trouvait donc petit petit cousin de Victor et d'André.

En fait, il venait s'inscrire en sixième année et ne savait trop à qui s'adresser. Son père Albert, un petit homme, sec comme un chicot, lui avait dit de se débrouiller avec sa tête et ses pieds. Ovila passa son chemin et entra dans la portion magasin, où il ne trouva personne. Il poussa jusqu'à la porte de cuisine et entra :

– C'est où, l'école, icitte ? demanda-t-il à Solange qui s'était approchée.

Elle lui répondit par des sons qu'il ne comprit pas. Il eut envie de s'amuser à ses dépens.

– Maudite folle, tu sais rien, toé ? Va chier...

– C'est quoi que tu dis là, toé ? dit soudain une autre voix.

Il n'avait pas vu Amanda qui se berçait à l'autre bout de la cuisine et qui accourut quand elle entendit les injures adressées à sa fille muette.

– J'ai dit que j'ai envie de chier...

– Quoi c'est que tu veux, le gars à Albert Mathieu ?

– Je cherche l'école.

– C'est pas une école, c'est une maison, tu vois ben, niaiseux ! T'as pas de jarnigoine dans la tête, coudon, toi ?

– T'as pas de jarnigoine, t'as pas de jarnigoine... va donc chier toé itou, vieille folle !

– Toé, sacre ton camp d'icitte ou ben tu vas avoir un coup de pied dans le derrière... Envoye, envoye...

Elle se précipita vers lui par petits pas drus et vifs. Ovila se dépêcha de partir en riant sans vergogne. Quand il voyait Amanda s'approcher, il accélérait le pas et finalement se retrouva dehors, sur le perron, près de Louis. La femme ouvrit la porte, mit son nez dehors et lança :

– Suis mieux de pas te r'voir parce que tu vas y goûter.

Elle referma brutalement la porte. Ovila éclata de rire.

– C'est quoi qui y prend ? demanda Louis Grégoire.

– Parce que j'ai dit à la muette d'aller chier.

– Ben oui, mais ça se fait pas non plus, mon p'tit Mathieu, des affaires de même. Vous êtes pas civilisés dans le 9, vous autres ?

L'adolescent prit la mouche :

– Mange donc de la marde, toé, Louis Grégoire.

Louis fit les grands yeux. Il toucha d'un doigt les trois poils qui ornaient le bout de son nez pour déclarer fort sérieusement :

– C'est Albert qui serait pas content de t'entendre parler de même, mon gars...

Le jeune homme ne dit rien. Il aperçut Victor revenant de son travail au bureau et comprit que c'est à lui qu'il devait s'adresser. Il traversa la rue et l'arrêta devant la maison de Raoul Blais.

C'est là tout bonnement qu'Ovila Mathieu dit le Diable s'inscrivit à sa sixième année de classe... Il avait quitté l'école du rang deux ans plus tôt puis avait décidé de reprendre ses études au village pour y apprendre à lire et à écrire comme il faut...

Au fin fond de lui-même, la carrière qu'il envisageait était celle de malfrat... Car son plus grand plaisir, Ovila Mathieu le recherchait compulsivement dans la colère qu'il provoquait chez autrui...

∞∞∞

Éveline allait souvent à une fenêtre arrière de la cuisine pour jeter un coup d'œil en direction du clos de pacage, chez Donat Bellegarde. Il lui arrivait d'apercevoir la jument et son poulain, tout aussi roux qu'elle. Parfois, ils couraient pour échapper - peut-être - aux moustiques ou simplement pour leur plus grand plaisir.

La femme avait remarqué que si, souventes fois, les deux bêtes broutaient aux alentours du cap à Foley, jamais elles n'y mettaient les sabots. L'on fuit pourtant bien mieux les moustiques sur une hauteur plus venteuse que dans un clos plat. En étaient-elles tenues à distance par le mystérieux pouvoir des pistes du diable ? Elle approfondirait la chose un jour ou l'autre en se rendant marcher dans ces pistes dont Armand Grégoire disait malicieusement qu'elles excitaient ceux et celles qui y mettaient les pieds...

Le dimanche, Freddé attelait Jane pour courir les chemins. Et son poulain la suivait de près, retenu à sa mère par le seul lien du sang. Le nom de Jos lui avait été donné, sans rapport allusif avec Jos Page ni autre motif clair.

La femme, en ce moment, rapprochait en son inconscient la beauté de ces animaux et leur énergie à l'amant rêvé, celui qu'elle ne trouvait pas malgré ses rencontres avec deux hommes depuis le départ de l'adolescent qu'elle avait séduit pour en faire un homme et réaliser un rêve de jeunesse durable. Il y avait eu Léopold, le frère de François Bélanger, mais cet homme de 45 ans partait pour de longues périodes gagner sa vie dans des chantiers éloignés.

Leurs rencontres se passaient toujours de la même façon. Elle allumait une lampe de connivence dans une fenêtre de sa chambre pour faire savoir à l'amant qu'elle se rendrait disponible à la brune du même jour. Quelques minutes avant l'heure, elle sortait, marchait calmement jusque de l'autre côté de l'église comme quelqu'un qui fait sa randonnée pédestre du soir tombant puis, entre la sacristie et le terrain de tennis, elle revenait vers l'ouest et allait et venait dans la presque noirceur en attendant la venue des phares qui s'éteignaient et se rallumaient, lui signalant qu'il s'agissait du bon gars. Là, elle se montrait ; l'auto stoppait à sa hauteur ; elle y montait. Puis, le chauffeur faisait sur le terrain de jeux un virage en U ; on longeait l'église avant de bifurquer sur la rue principale vers Saint-Évariste...

Le tout se déroulait au nez et à la barbe du presbytère, qui, à cette heure, était vissé à son fauteuil devant son téléviseur.

Et l'époux d'Éveline, Auguste, continuait de se dévouer à la chose publique, dirigeant les fêtes annuelles planifiées par le conseil des Chevaliers de Colomb et son président Fortunat Fortier. Arrivée du père Noël, fêtes à la tire de juillet, parties de cartes de plein hiver, venue de spectacles à la Ti-Blanc Richard à la salle paroissiale : il y mettait tout son cœur et tout son temps. À l'âge de 65 ans maintenant, il pouvait compter sur sa pension de vieillesse pour assurer sa survie, une survie rendue plus facile par l'ouverture d'un foyer pour personnes autonomes dans la maison Vaillancourt que la femme d'affaires Claire-Hélène Gilbert avait achetée après la mort du vieux couple.

Et Auguste fermait les yeux de son cœur quand il voyait passer Éveline avec un compagnon. Jamais il n'aurait songé qu'elle puisse faire autre chose qu'un tour de machine lors de ces randonnées du soir aux côtés d'un bon Samaritain qui lui offrait ce divertissement bien mérité, à elle qui marchait tellement pour accomplir le porte à porte nécessaire à ses ventes Avon.

Parmi les bons Samaritains, il y avait aussi Philias Bisson, le garagiste séparé d'une épouse qui n'avait pu supporter leur vie en commun plus loin que leurs noces de bois. L'homme vivait seul dans sa maison face au magasin Champagne et il avait troqué sa femme pour une rutilante Pontiac noire qu'il promenait parfois à basse vitesse dans le village après l'avoir cirée et cirée pour qu'elle flamboie au point de river les regards curieux du village à la tôle aux pouvoirs magnétiques.

Même manège qu'avec Léopold Bélanger si ce n'est que la voiture attirait bien plus et bien trop l'attention. Tout le cœur du village finit par savoir que les deux amis se voyaient au moins une fois la semaine au bord de la nuit profonde. Freddé s'en amusait en silence. Bernadette pensait, comme Auguste, qu'il ne se passait rien d'autre qu'une balade en voiture neuve. Mais d'autres qui avaient entendu le témoignage de Jean d'Arc savaient que si le couple se rendait quelque part sur un chemin de sucrerie pour dire son chapelet, les grains en étaient probablement leurs baisers et leurs prises de bec... Alléluia.

En mars était décédé le pape Pie XII, un saint Père austère qui avait été remplacé par Jean XXIII, que l'on disait un bon vivant, joyeux et bonne fourchette. Il n'en fallait pas plus pour que les démons de la concupiscence se mettent à susurrer leurs promesses libidineuses aux oreilles disposées à les écouter. C'est pourquoi Éveline devint plus Éveline que jamais en cet été 1958. Et Philias aimait bien ça...

∞∞∞

Bernadette en avait plein la tête et les bras. Déjà quatre pensionnaires à s'occuper. Faire les repas, le ménage. Mais elle avait bon bras grâce aux exigences d'Émélie autrefois. Et la transportaient deux rêves à se réaliser dans les années à venir: les 25 ans de prêtrise de son ami Eugène Foley et l'érection d'une grotte à côté de la maison, en fait entre la sienne et celle des Jolicœur, où vivait Éveline. Une statue de la Vierge qui protégerait tout le monde aux alentours et tous ceux qui s'arrêteraient devant elle pour lui demander son aide. La femme se donnait quelques années pour atteindre ses objectifs; après tout, elle n'avait encore que 54 ans. Le mieux serait sans doute de faire coïncider les deux événements, soit, donc, en 1961, dans trois petites années.

∞∞∞

– Chaque fois qu'il passe devant la maison, il entre voir Alphonse, murmura Laura devant Laurette, sa fille adoptive. Quand mon mari a été malade, il est pas venu une seule fois le voir.

Il s'agissait du curé Ennis. On disait de lui qu'il avait ses préférés, dont la famille Champagne et celle de Raoul Blais, mais pas les Racine. Lui et Alphonse Champagne étaient des bleus naturels, supporteurs de Duplessis, mais il leur avait fallu se taire quand un petit gars de la place était devenu député libéral à Ottawa. Et même qu'ils lui avaient officiellement donné leur appui. Ah, mais chassez le naturel et il revient vite au grand galop!

Devant la mort, les dissensions s'apaisent. Alphonse Champagne mourut à la fin de l'été à l'âge de 64 ans seulement. Le deuil fut paroissial. L'homme avait été maire, marchand, maître-chantre et c'est lui qui avait doté le village d'un aqueduc municipal de premières nécessité et efficacité.

– Ça fait rien que deux ans que le père Louis Champagne est parti, s'étonnait Bernadette devant Freddé au bureau de poste, qui à cette heure de l'avant-midi était désert. Alphonse, il aurait dû vivre encore une vingtaine d'années.

– On meurt pas forcément à l'âge de ses parents. Autrement, je serais parti moi itou.

– Toi, Freddé, tu vas vivre jusqu'à 100 ans.

– C'est quoi qui te fait dire ça ?

– Je dis ça de même.

– C'est ton grand nez qui te le dit ?

Le regard de la femme devint goguenard :

– Savais-tu ça, toi, que l'homme à trois femmes est mort ?

– Poléon Martin, l'homme à deux femmes, mais c'est pas d'hier, ça fait au moins dix ans. Je m'en rappelle, c'est l'année qu'est morte la Tavie Buteau qui crachait ses poumons tout partout.

– Eh que c'est donc pas appétissant de t'entendre des fois !

– Ben quoi, tout le monde l'entendait dans l'église quand elle se dérhumait, qu'elle s'écurait la gorge pis qu'elle crachait dans sa petite boîte de tôle.

– En tout cas, laisse faire Tavie Buteau, les os y font pus mal depuis 1948 pis on est en 1958. J'ai voulu te parler de Jos Beaudoin, l'homme à trois femmes.

– Voyons donc, l'homme à trois femmes... Jos Beaudoin... Le père à Ti-Boutte...

– À la différence de Poléon Martin, lui, il les a pas eues ensemble, ses trois femmes. Mais ça ressemble un petit peu à Poléon Martin vu que tous les deux ont été mariés aux deux sœurs. Jos Beaudoin était marié avec Clotilde Paradis, qui est morte en 1919. Ensuite, il s'est marié avec la sœur à Clotilde, Adèle, qui est morte en 1923, l'année du centenaire, tu te rappelles ? Ensuite, il s'est remarié avec Dalvina Richard qui lui survit.

– Est de mon âge quasiment, Dalvina.

– Ça donne l'homme à trois femmes.

– Tu dis des niaiseries à matin, Bernadette. Tu ferais mieux d'aller préparer le dîner pour tes pensionnaires.

– J'parlais pour parler. C'est moins plate parler que rien dire, tu penses pas.

– Non. J'aime mieux rien dire que dire des niaiseries comme tu fais.

– Salut d'abord, grand génie à Freddé Grégoire!

∞∞∞

Boulevard Laurier, Québec, une fillette joyeuse revenait de l'école. Elle sautillait en venant et savait que pas loin, elle apercevrait son petit chien Pitou qui l'attendait chaque après-midi au même endroit. À l'heure qu'il fallait, l'animal quittait la résidence Jolicœur après avoir demandé la porte à Berthe, puis il marchait le long de la rue, prudemment. À un endroit précis, il s'arrêtait, regardait les autos passer jusqu'au moment où la voie devenait libre. Alors, il traversait les deux premières voies jusqu'au terre-plein central où, de nouveau, il surveillait les deux autres voies tant qu'il ne pouvait voir une accalmie dans la circulation. Le bon moment arrivé, il traversait cette seconde partie du boulevard en toute sécurité.

Pour un animal qui avait vu le jour au fond de la campagne, à Saint-Honoré-de-Shenley, voilà qui tenait du prodige ou d'une sorte de sagesse humaine. Ou peut-être que l'enfant dont il était le meilleur ami possédait une capacité de la protéger de toute fatalité.

La petite fille de 7 ans avait pour nom Hélène Jolicœur. Lorsque son frère André avait négocié son retour à la maison après un été passé chez Donat Bellegarde dans la Beauce était apparu dans la maison cet être magique, ce chien noir et blanc, joyeux et aimant, qui avait transformé la vie d'Hélène.

Là où elle était, il était. Sauf dans la classe. Et c'est pourquoi le matin, quand tous deux étaient rendus à la dernière intersection avant l'école, la fillette embrassait l'animal avec la paume de sa main et lui disait de retourner à la maison. Ces habitudes s'étaient établies d'elles-mêmes, comme si tout allait de soi, et pour l'un et pour l'autre.

Là où il était, elle était. Sauf à l'école. Et à la table, il se couchait à ses pieds. Et sur le divan du salon, il dormait à ses côtés et le plus souvent dans ses bras. Il arrivait même à la petite fille de s'endormir, la tête enfouie dans le poil de Pitou qui ne se plaignait pas, qui devait faire attention pour ne pas siler et réveiller sa maîtresse.

On l'aimait, le chien Pitou, dans la maison Jolicœur. On le taquinait tout le temps, il répondait par ses petits coups de queue. On les taquinait ensemble, Hélène et lui; les deux faisaient la paire. Des inséparables.

Pour d'aucuns dans la vie, c'est un héros de leur enfance qui trace une ébauche des grandes lignes de leur futur. Pour la petite Hélène, ce héros avait pour nom Pitou. Il fit de cette enfant de la ville une amie des bêtes et de la nature. Dès que ses travaux scolaires ou autres lui laissaient un peu de temps, la fillette dessinait au fusain des animaux de la forêt qu'elle trouvait illustrés dans l'Almanach De Kuyper.

La seule des cinq enfants de Berthe et d'Ovide Jolicœur qui ne soit pas née à la campagne et n'y ait jamais passé le moindre temps avait hérité des dispositions profondes de son père pour la culture de la terre et le soin des bêtes.

Mais il y avait bien des rivières à traverser, à cette fillette de 7 ans, avant qu'elle n'atteigne l'âge de prendre le grand chemin de sa vie. Il en coulerait, de l'eau, dans ces rivières-là... Il en passerait, des voitures, dans ces rues-là...

∞∞∞∞∞∞

Chapitre 28

1959

Quel merveilleux endroit que l'église pour y faire la sélection judicieuse d'une blonde ou d'un cavalier! Les assistants à la messe s'y présentaient endimanchés, sous leur plus beau jour, dans leurs plus magnifiques atours. Et en pleine lumière qui entrait en abondance par ces nombreuses fenêtres s'allongeant depuis la hauteur du regard dans la nef jusqu'au milieu du mur à hauteur des jubés. De plus, les jours sombres ou le soir s'ajoutait la brillance de la lumière électrique diffusée par de nombreux lustres à quatre boules blanches, branchés lors de la grande rénovation de 1952.

Les jeunes filles faisaient semblant de ne pas voir les garçons, mais les gars ne se privaient pas de zieuter les filles, de les jauger, de les espérer ou bien de les discarter dans leurs intentions.

André Mathieu avait eu Louisette Plante pour premier choix dans sa prime adolescence, mais comme elle démontrait plus d'intérêt pour le fils cadet d'Alphonse Champagne, il avait dû poser autre part ses regards attendris.

Dans le jubé d'en face se trouvaient deux beautés qu'il lui était donné de voir tous les dimanches à la grand-messe: Rachel Nadeau, fille d'Archelas du bas de la Grand-Ligne, et Réjeanne Breton, fille de Eddy du haut de la Grand-Ligne, à l'entrée du rang 4.

L'une blonde comme les blés mûrs d'automne et l'autre noire comme le charbon d'hiver, mais toutes deux possédant des lèvres de rêve qu'un adolescent en santé eût voulu goûter à satiété. Rachel les couvrait de rose, ces lèvres belles ; Réjeanne, de rouge.

C'était l'été.

C'était la canicule.

Les vieux puaient.

Les hommes adultes suaient.

Les adolescents exhalaient des odeurs mélangées de Brylcreem, d'eau de Cologne, de parfum parfois même. On ne séduisait plus une jeune fille à l'aide d'une pipe fumante et nauséabonde, mais plutôt avec une voiture rutilante, si on en possédait une. Les frères de Rachel Nadeau le savaient et, l'été, venaient de Montréal tous les dimanches au volant d'une décapotable hypercirée, donnant allure d'un éclat de soleil ambulant quand ils faisaient l'aller et retour de toute la rue principale à au moins trois reprises après la grand-messe, histoire de savonner un peu les gars du village qui les enviaient et faisaient semblant de ne pas les voir passer. C'est ainsi que l'aîné avait ravi le cœur de Lise Fortier, la plus jolie personne de sa génération peut-être.

L'étudiant avait terminé sa douzième année en mai et poursuivrait ses études en pédagogie à l'automne. Son frère, lui, avait trouvé du travail d'été à sa place en tant que commis chez Blais & Frères. Les trente dollars par semaine qu'il y gagnait lui permettaient de souffler un peu, de suivre les autres de cet âge au lac Poulin, à la lutte du dimanche, à la plage Vallée, ou bien à l'hôtel le samedi soir pour y danser et se trouver une cavalière...

Le problème, c'est qu'il n'était pas le seul à lorgner du côté des plus belles filles. Rachel Nadeau et Réjeanne Breton étaient des pièces de choix. Convoitées. L'étudiant, de son banc, ne pouvait voir tous ces yeux en chaleur qui se posaient sur les jeunes filles aux regards perdus dans leurs lointaines et peut-être frivoles pensées.

Naguère, il arrivait à Rachel d'entrer au magasin avec sa mère le dimanche, mais c'était naguère. Voilà deux ans déjà qu'Éva dormait pour l'éternité. Pas moyen de s'approcher ni de l'une ni de l'autre. Pas moyen de se faire valoir ni aux yeux de l'une ni aux yeux de l'autre.

L'auto était la clé des cœurs en 1959. Et pour avoir une clé d'auto, il fallait du cash en poche. Les études éloignaient du char; le travail l'en rapprochait. Il y avait les amis qui avaient quitté les études, qui travaillaient à la manufacture de chemises ou ailleurs et qui possédaient une automobile. Guy Roy, devenu boulanger, se promenait en Pontiac rouge. Claude Cloutier travaillait dans une banque et se vantait de séduire une nouvelle fille par semaine grâce à sa Pontiac verte. Les frères Bolduc ne juraient que par les Ford, et chacun en roulait une tandis que Ghislain Jobin s'était procuré un 'char' qu'il était quasiment le seul à qualifier d'intelligent: une puissante Coccinelle.

Fallait du *cash* mais aussi de l'audace. André manquait des deux. Ses amis et d'autres possédaient les deux. En ce moment, des yeux se posaient chaque dix secondes sur la flamboyante Réjeanne. Ils étaient dans le jubé arrière, dans le banc des Grégoire. Et ce qu'ignorait l'étudiant, c'est que ceux de la jeune femme de 17 ans parfois rencontraient les yeux intéressés de ce personnage plus âgé qu'elle de 15 ans. Mais les atomes crochus n'ont pas de maître. Et Honoré Grégoire, qui avait eu bien des blondes depuis qu'il avait atteint l'âge de 'jeunesser', sentait de plus en plus le besoin de fonder une famille. Et il s'attendait de succéder à son père comme maître de poste: un emploi à vie. On pourrait prendre un logement quelque part en attendant que Freddé et Amanda quittent la résidence pour vivre dans un foyer. Son avenir était tout tracé, croyait-il.

De son grand-père, il avait hérité non seulement du prénom et de l'apparence physique mais aussi de cet art de planifier longtemps d'avance, cette propension à voir venir qui avait fait d'Honoré l'ancien un homme si prospère et si utile à sa communauté.

Le temps était venu de se rapprocher de Réjeanne, de tenter sa chance avec elle qui devenait femme. Ses parents pourraient se montrer réticents au départ vu la différence d'âge, mais ils s'adapteraient à la volonté de leur fille si son choix devait aller dans la direction souhaitée par le jeune homme. Doré possédait une auto sobre et sombre, bien moins voyante que la jument jaune dont se moquait Éva sans trop de méchanceté; mais il pouvait compter sur son expérience, son apparence, sa capacité de dire les bons mots au bon moment. Non seulement avait-il le *cash* et l'audace, mais il était tenace et loquace.

C'est par un appel téléphonique cet après-midi-là qu'il entra en contact avec la jeune fille. Elle se montra accueillante. Même qu'elle se fit chaleureuse, elle qui possédait déjà une voix chaude et riche.

– On pourrait aller faire un tour au théâtre (cinéma) à soir.

– C'est quoi, le film?

– *Ben-Hur*. On peut pas manquer ça.

– Comment tu dis?

– *Ben-Hur. B-E-N-H-U-R*... Ça se passe dans le temps de Jésus-Christ, quelque part par là. Y a une course de chariots là-dedans qui vaut la peine. Un homme est mort durant le tournage.

– Je vas en parler à mes parents. Veux-tu me rappeler dans une heure mettons?

– Certain!

L'attente fut longue pour lui. Il se rendit se promener dans le magasin, faire le pied de grue devant la vitrine, regarder la maison Mathieu, la vieille boutique de forge éreintée et toute noire, la grange verte au fond dans laquelle on ne gardait plus d'animaux, la maison Pelchat, l'hôtel voisin... Puis, il regardait dans l'autre direction... Le décor n'avait guère changé depuis son enfance. On avait entretenu les maisons sans plus. Aucune nouvelle bâtisse. Aucun agrandissement de bâtisse. Un monde familier et rassurant pour un homme qui craignait l'étrange et surtout l'étranger qui se terrait au fond de lui.

L'heure passa. Solange vint le chercher. Il comprit qu'on le demandait au téléphone. Pourtant, c'est lui qui devait rappeler Réjeanne. À moins que ce ne soit quelqu'un d'autre. Il n'attendait aucun appel.

C'était bel et bien la jeune fille.

– C'est oui pour le théâtre, mais y aurait une condition : faudrait y aller à quatre. Jeannine viendrait avec son 'chum'. C'est que t'en penses ?

Quelque chose chantait victoire à l'intérieur du jeune homme. On n'était pas sans savoir chez Eddy Breton qu'il souffrait occasionnellement de désordre mental, mais on devait savoir aussi que les crises n'étaient que passagères et ne faisaient pas de lui un être dangereux : ni violent ni agressif.

– C'est ben correct ! Je vas aller vous chercher après souper, vers six heures et quart.

– Ça marche !

Il raccrocha et se frotta les mains d'aise.

– Une nouvelle blonde ? s'enquit Amanda en riant.

– La petite Breton... Réjeanne...

– La fille à Roméo ?

– Non, à Eddy.

– Tu vas sortir avec ?

– Ben l'air.

– Tant mieux pour toi, Doré !

Il monta dans sa chambre. Se mit à la fenêtre et regarda l'église. Combien de fois depuis l'enfance n'avait-il pas réfléchi sur lui-même à cet endroit ? Les vraies réponses à ses questions n'étaient jamais venues claires. Ce jour-là, deux réponses étaient nettes à deux questions encore plus nettes : es-tu capable de surmonter la maladie ? oui ; dois-tu t'engager avec une jeune femme pour fonder une famille ? oui.

Fini le temps des tergiversations, des inquiétudes sur soi-même, du découragement, de la peur qu'il faut camoufler sous des airs altiers. Désormais, Honoré serait comme tout le monde et cesserait de penser qu'il est un être à part...

En personne qui riait presque aussi aisément qu'Amanda, Réjeanne se montra joyeuse et heureuse en sa présence. Voilà qui était réciproque. Quoi de mieux qu'une superproduction comme *Ben-Hur* pour aider à tisser un lien entre deux jeunes personnes de sexe opposé ? Les émotions, le grandiose, l'éclat, la foi, le drame, tout contribue à l'éclosion d'un sentiment durable et fort. Il naquit dans chacun des cœurs. Mais nul ne saurait l'exprimer si tôt dans leurs fréquentations.

Chacun rêva de l'autre ce soir-là avant de s'endormir. Et cette nuit-là tout en dormant.

∞∞∞

C'était presque la fête pour plusieurs. Et pourtant, c'était le drame pour Elmire et Jos Page. Comment était-ce possible qu'il en soit ainsi pour les uns tout à l'opposé des autres ?

D'une part, Saint-Honoré venait de se doter d'un édifice municipal qui abritait le service des incendies, une petite usine de filtration des eaux usées et une magnifique salle de conseil au second étage. Le camion à incendie avait beau ressembler à une antiquité, il fonctionnait ; le recrutement de pompiers volontaires n'avait pas demandé beaucoup d'efforts. Voici qu'on accourait sur les lieux d'un premier sinistre depuis tout ce renouveau municipal : dans la rue des Cadenas, la maison des Page brûlait.

Anna et Marie dormaient au cimetière depuis belle lurette, mais il restait encore Elmire et Jos sur cette terre du bon Dieu. Elle avait maintenant 84 ans, et lui, 76. Ils perdraient tous leurs maigres biens dans l'incendie, même une somme d'argent cachée dans un bas de laine, et n'auraient d'autre choix que d'aller vivre dans un foyer. Y aurait-il de la place pour eux chez Claire-Hélène ? Par bonheur, la femme d'affaires était sur le point de faire construire un édifice capable de recevoir non plus une dizaine de personnes comme dans la maison Vaillancourt, mais vingt-cinq. Et la bâtisse prendrait la place de la maison Drouin et de l'ancien garage à Jean Nadeau, en plein en face de l'église.

Plus petite que jamais, cassée par le milieu du dos, Elmire avait le cerveau qui se repliait sur lui-même comme un fœtus. Elle souhaitait que son temps finisse, car son monde était ailleurs. Prostrée devant les flammes qui s'élevaient dans le ciel par ce matin douteux, elle attendait sans bouger que tout s'écroule, levant à peine ses vieux yeux aux paupières alourdies. Jos, quant à lui, donnait des conseils à l'un des pompiers, Gaston Gosselin, jeune homme qui tâchait de son mieux de protéger une maison voisine, sachant que celle en flammes était maintenant irrécupérable et deviendrait en fin de compte une perte totale.

Quelqu'un avait appelé le presbytère. On vit venir un prêtre. Mais le visage n'avait rien de familier pour personne. Il s'approcha, sourire à la main et main tendue. Salua, fit connaissance de quelques pompiers, sut qui étaient les sinistrés, les regarda un moment puis s'approcha de la vieille Elmire en lui disant, l'air compatissant :

– Le bon Dieu éprouve ceux qu'Il aime, vous savez. Vous êtes mademoiselle Lepage? Je suis le nouveau vicaire, l'abbé Gildas Plante.

– T'es-thu d'la parenté a'ec Ronaldo Plante? Naldo, c'était not' voisin d'en face, un boutte de temps, avant qu'il ouvre de restaurant. Asteure, il est parti de par icitte... (Le restaurant Plante était fermé depuis l'année précédente, et un autre, opéré par Rock Carrier et sa jeune épouse, avait ouvert ses portes le 21 juin en plein milieu du village, face à l'église, voisin du futur foyer.)

– Je n'ai aucune parenté par ici.

– Le vicaire Ti-Toine est-il parti de par icitte, lui?

Le jeune prêtre entendait souvent ce Ti-Toine familier par lequel on désignait l'abbé Gilbert et il sourit:

– Il part ces jours-ci. Il attendait que le presbytère soit libéré à Saint-Sébastien. C'est là qu'il sera curé.

– C'est pas m'sieur le tchuré Ennis qui l'a usé à corde dans tou' les cas.

– Sûrement pas! L'abbé Gilbert était à pétrir des âmes dans la paroisse depuis 1943: c'est pas d'hier... Ça fait seize ans. Il devait bien s'entendre avec monsieur le curé Ennis.

– Pis comme ça, c'est vous autr' qui allez chanter mon service.

– Mais voyons donc, Mademoiselle Page!

– Lepage.

– ... Mademoiselle Lepage... Vous allez vivre jusqu'à 100 ans comme il faut.

– Djites donc pas des niaiseries, vous, là!

Le prêtre éclata d'un rire nerveux. C'était sa manière de réagir quand on lui brassait la cage.

– Quoi, vous ne désirez pas vivre centenaire, vous, Mademoiselle Pa... Mademoiselle... Elmire?

– Quand c'est que l'bon Djieu va êtr' tanné de m'laisser moisir icitte, il viendra m'charcher. Moé, jh'ai ben hâte de sawoère comment c'est que ça s'passe d'l'autr' bord.

Le petit prêtre hocha la tête :

– Ah, y a de la sagesse dans vos propos, Mademoiselle... Elmire Lepage.

Quand le feu eut diminué d'intensité et que la maison ne fut plus qu'un amas de ruines fumantes, Elmire et Jos quittèrent les lieux, l'un à la suite de l'autre. Il leur était presque naturel de se diriger vers chez Freddé Grégoire. En fait, dans leur pensée profonde, c'est vers Honoré Grégoire (l'ancêtre) qu'ils allaient pour glaner un conseil, un morceau de pain peut-être.

– Je vas téléphoner à Bernadette pour savoir si elle aurait pas une chambre pour vous loger en attendant que le foyer à Claire-Hélène ouvre ses portes, leur dit le marchand.

Mais toutes les chambres chez Bernadette étaient occupées par des jeunes filles pensionnaires, couturières venues d'autres paroisses et même du fond des rangs de Shenley. Elle suggéra à son frère d'appeler Éveline :

– Y a au moins deux chambres libres en haut de la maison à madame Jolicœur. La vieille dame a la sienne en bas. Éveline est tu seule pour occuper tout le haut.

– Tu ferais pas ça pour les Page : appeler Éveline ?

– Si tu veux. Ça me fera plaisir. Je vas voir ce qu'elle dira. Mais... j'y pense, c'est pas sa maison. C'est pas à elle de prendre la décision. Ah, si elle veut, madame Jolicœur va vouloir, c'est sûr.

Les démarches de Bernadette aboutirent à l'échec. Femme propre à l'excès, Éveline n'était pas beaucoup en faveur de pareil hébergement. Madame Jolicœur aurait bien accepté, mais son fils Wilfrid, responsable de la maison, s'objecta en parlant de Léopold et Ernest qui visitaient souvent leur mère et devaient coucher à la maison. Il suggérait que les vieux Page louent une chambre à l'hôtel vu que le construction du foyer allait bon train et qu'on anticipait son ouverture au plus tard en octobre.

– Ben d'abord, nous autres, on va vous prendre pour quelques semaines, grommela Freddé en raccrochant.

Il pensait que c'était ça, la solution qu'aurait trouvée son père. On ne pouvait tout de même pas laisser ces deux vieux dans la rue alors que l'automne envoyait en avant-garde ses nuits fraîches à l'assaut du mois d'août.

Il conduisit les Page dans deux chambres voisines en l'absence d'Amanda qui pourrait bien ne pas être d'accord. Autant la mettre devant un fait accompli. Ce fut une grande erreur de sa part. Cette espèce d'invasion de domicile déstabilisa fortement Rachel et Amanda, bien que ni l'une ni l'autre ne dirent mot en apprenant la présence des sinistrés sous leur toit.

Trois nuits plus tard, il leur arrivera d'entrer toutes deux en crise. Les Page en subirent les conséquences et furent chassés comme des rats sans que Freddé ni Doré ne puissent y faire quoi que ce soit. Les deux malheureux errèrent le reste de la nuit, et au matin, se réfugièrent dans l'église.

En fin de compte, le curé Ennis, alerté par Freddé, leur trouva un refuge chez Jean Pelchat. Itha, la femme de la maison, sous des dehors austères, ouvrait aisément son cœur. Mais elle dut se boucher le nez chaque fois qu'il lui fallait approcher de ses deux pensionnaires... À partir de ce moment, elle téléphona régulièrement à Claire-Hélène Gilbert aux fins de savoir quand le foyer ouvrirait ses portes...

∞∞∞

Début septembre, Victor Mathieu et Auguste Poulin reconduisirent André à Sherbrooke, où il poursuivrait ses études. L'adolescent demanda à conduire l'auto et en pleine ville commit une erreur qui fut aussitôt remarquée par la police. On obligea le conducteur à se garer le long du trottoir. Les explications d'Auguste ne suffisaient pas, et on risquait une amende salée. Mais quand le jeune homme déclara qu'il venait étudier et pensionnerait chez Wellie Hémon, policier de la ville, on se contenta de faire changer de chauffeur derrière le volant.

Au même moment, un événement semblable se produisait dans le grand nord québécois. Les rênes de la province de Québec allaient changer de mains, car le premier ministre Duplessis rendait son dernier soupir après avoir pissé sur les frontières du Labrador.

Et trois semaines plus tard, Claire-Hélène qui entra dans la chambre d'Auguste pour le réveiller, car l'homme tardait à se lever, le trouva mort. Un arrêt cardiaque à l'âge de 66 ans. Dix autres personnes avaient donné leur nom pour obtenir une place au foyer.

Le triste événement ne devait rien changer dans la vie d'Éveline... Car si un enfant fait partie de sa vie toute la vie, un ex-conjoint fait partie du passé, lui...

∞∞∞

Ovila Mathieu dit le Diable n'avait pas terminé ses études l'année précédente et voici qu'il revenait en classe cet automne-là. Il apportait son lunch du midi, et l'heure venue allait s'asseoir dans le parterre à côté du magasin. Amanda eut beau sortir pour l'en chasser, rien n'y faisait. Le manège dura une semaine, et quand survint la pleine lune, la pauvre femme entra comme tous les mois dans une phase excessive. Le lendemain, elle attendait de pied ferme cet intrus mal poli, et quand il fut bien assis en train de dévorer son sandwich, elle apparut soudain depuis le côté de la résidence en hurlant des insultes inintelligibles. Mais le Diable qui n'aurait pas été autrement bien impressionné le fut quand il se rendit compte que la vieille dame tenait à la main une hache. Alors il délaissa sa boîte à lunch et prit ses jambes à son cou pour déguerpir loin du parterre planté de sapins et de cèdres. Une fois au milieu de la rue, il s'arrêta pour voir. Amanda était à détruire sa boîte à lunch en criant sa colère incontrôlée, ou bien qu'elle contrôlait en l'exprimant ainsi. Et les biens du Diable lui servaient d'exutoire faute du Diable en personne qui courait plus vite qu'elle.

Loin de rager, Mathieu le Diable eut une crise de rire à opposer à la crise de nerfs d'Amanda. Plié en deux, il riait, riait... et rit jusqu'au moment où la femme se mit à sa poursuite de nouveau sur le chemin public... L'adolescent reprit sa course en riant, riant, riant...

Freddé, qui vit la scène au dernier moment, intervint. Il ramena sa femme à la maison puis se rendit voir Victor, le professeur du Diable. Ces deux hommes de paix trouvèrent moyen d'éviter de pareils affrontements à l'avenir. Amanda avait poursuivi de la même manière la Patte-Sèche en 1931, et par crainte pour les enfants, Freddé avait dû la faire interner et soigner. Sa femme ne représentait plus un danger à moins de provocation extrême. Il tâcha de la raisonner et lui dit que le Diable ne viendrait plus jamais piétiner ses plates-bandes...

Malgré ses rires arrogants, le Diable avait eu peur de la hache et il mangerait désormais de l'autre côté de la bâtisse où Amanda ne se montrait jamais...

∞∞∞∞∞∞

Chapitre 29

1960

Alfred Grégoire aurait 73 ans à la fin de l'été. Le temps pour lui de démissionner comme maître de poste était venu. Et il lui semblait que son fils était prêt à prendre la relève enfin. Honoré fréquentait une magnifique jeune personne, et nul doute que leur mariage était prochain. Dès que Doré le remplacerait, il serait en mesure d'épouser Réjeanne Breton. C'était dans les plans, c'était dans les dires.

Mais tout n'était pas gagné d'avance. Il ne lui appartenait pas comme à un roi de désigner son successeur. Et Doré aurait à affronter de la concurrence lors d'un examen-concours à être tenu dans quelques jours en ce beau mois de mai. Le plus inquiétant était le fait que les libéraux ne soient pas au pouvoir à Ottawa. Si parmi les candidats, il se présentait un conservateur de souche, la partie serait dure pour Honoré. Mais tel était le jeu depuis un siècle, et il fallait en respecter les règles.

Le jour du concours tenu au bureau de poste même, il y eut un candidat dont la couleur politique était le bleu prononcé : Paul-Yvan Paradis, secrétaire-trésorier de la municipalité du village. Victor Mathieu, qui fréquentait maintenant Laurette Labbé, fille adoptive de la famille Racine, participa lui aussi. Deux autres postulants se présentèrent pour compléter le tableau de la compétition.

Le plus qualifié était sûrement Honoré Grégoire. Lui seul possédait de l'expérience. Et il disposait comme atout les presque trente années de loyaux services de son père plus les trente-cinq de son grand-père Honoré. Le bureau de poste, c'était une affaire de Grégoire depuis 63 ans.

Mais Paradis avait le plus de chances de l'emporter vu son allégeance politique et parce qu'il possédait la compétence d'un secrétaire-trésorier.

Étonnamment, ce fut Victor Mathieu qui obtint le poste, et cela, grâce à l'intervention du député libéral Jean-Paul Racine auprès des fonctionnaires du ministère des Postes, pour plusieurs des gens nommés par les libéraux durant leurs longues années de pouvoir à Ottawa.

Pour Honoré Grégoire, le choc fut brutal. Malgré ses dispositions pour la menuiserie, il avait compté toute sa vie remplacer son père comme maître de poste, et voici que l'occasion lui avait glissé entre les doigts et d'une façon qu'il n'avait ni prévue ni même envisagée. C'est par une forme de patronage que son grand-père avait obtenu le poste en 1897 ; c'est par cette même voie que Freddé avait pu le garder, mais c'est par ce chemin parfois cahoteux et dangereux que Doré ne l'avait pas obtenu, lui. Tous trois étaient des hommes compétents et généreux, mais les voies de la politique sont pénétrables, contrairement à celles de la Providence, et l'on sut que leur poids avait fait foi de tout dans cette compétition nécessaire, incontournable.

Qui aurait pu s'en prendre à Victor, le bon gars des bons gars à la santé toujours précaire ? Lui seul se fit des reproches à l'idée que d'autres méritaient de gagner autant que lui-même... Surtout Honoré Grégoire.

∞∞∞

Les deux mariages restaient dans les prévisions. Honoré épouserait Réjeanne et travaillerait en menuiserie. Victor épouserait Laurette et s'établirait dans la maison Mathieu.

Mais avant cela, un événement tenait la province en haleine : une campagne électorale aux relents de tuyau d'égout qui déboucherait sur une journée d'élections le 22 juin.

Après la mort de Maurice Duplessis, son gouvernement de l'Union nationale avait été dirigé pendant quelques mois par Paul Sauvé, à son tour décédé en fin d'année. Et la campagne pour le parti était menée par son remplaçant à la tête de la province, Antonio Barrette. Les libéraux, quant à eux, s'étaient donné pour chef un ex-ministre à Ottawa en la personne du flamboyant et prestigieux Jean Lesage, lequel s'entourait de personnages colorés et bavards aux noms de René Lévesque et de Paul Gérin-Lajoie parmi d'autres.

Fort de l'appui de Jean-Paul Racine et de la machine libérale, le docteur Fabien Poulin de Saint-Honoré, après avoir été choisi à la convention de son parti, se présentait comme autre candidat parmi les 95 de l'équipe dite du tonnerre formée par le parti libéral provincial. Il affrontait Georges-Octave Poulin de Saint-Martin, un unioniste qui avait naturellement l'appui de son frère, le docteur Raoul Poulin, vedette de la Beauce et longtemps son représentant à Québec puis à Ottawa.

Ce fut une campagne tapageuse qui mobilisa la jeunesse en faveur des libéraux. D'aucuns en vinrent à déclarer que cette élection, c'était celle de la jeunesse contre la vieillesse, du renouveau contre la stagnation, de la propreté contre la corruption, de l'idéalisme contre le sectarisme.

Et il vint, ce 22 juin. Et Lesage l'emporta avec 51 sièges contre 43 pour l'Union nationale et un député indépendant. Et le jeune docteur Poulin délogea le vieux Georges-Octave de son poste de député. Une vague nouvelle et une nouvelle vague :

tel était l'élément principal du décor politique québécois en ce soir de victoire pour les uns et de chagrin pour les autres.

C'était la fête à Saint-Honoré. Le triomphe. Et le triomphalisme. On n'avait pas battu les Unionistes, on les avait écrasés. Le ciel politique retrouverait son bleu d'azur sous la gouverne des rouges. Fini la corruption ! Fini le patronage ! Fini les folies !

On avait fait venir un camion de bière. André Mathieu, revenu des études, avait été demandé pour aider celui qui avait la responsabilité de la distribution des joyeuses bouteilles aux joyeux fêtards d'un si beau soir à odeur de libération. Mais l'étudiant n'en prit qu'une ou deux pour lui-même, histoire de se donner un minimum de courage, et il se mit en quête d'une jeune fille sur un terrain qui devait contenir plusieurs milliers de personnes, sans compter tous ceux qui s'étaient réunis en haut de la salle paroissiale pour y entendre le nouveau député parler d'avenir et d'espérance pour tous... De liberté et de lendemains qui chantent...

– Ça sera pas mieux pantoute ! Ça sera pas mieux pantoute ! dit une voix derrière son dos alors qu'il allait prendre place sur l'assise rocheuse du court de tennis.

C'était Pit Roy, ce duplessiste invétéré qui avait en horreur le parti libéral depuis toujours, mais dont la curiosité l'emportait sur son désir de pleurer la fin du pouvoir par l'Union nationale, et surtout la mort de son chef vénéré quelques mois plus tôt.

– Pit, t'as perdu tes élections, on dirait.

Le quinquagénaire s'esclaffa :

– Les rouges, ça va durer le temps des roses.

– L'avenir le dira.

L'homme comprit qu'il n'exercerait aucune influence sur un jeune étudiant que la vague rouge emportait comme tant d'autres. Il lui semblait qu'un monde s'écroulait sous la puissance d'un tsunami et qu'il n'y pouvait rien. Alors, il s'éloigna tandis que trois jeunes filles arrivaient.

– Salut André ! fit l'une d'elles. Es-tu content des résultats des élections ?

– Certain !

Ils s'étaient vus à une ou deux reprises dans des soirées de jeunes organisées par elle et tenues dans l'entrée du cinéma de son père à La Guadeloupe.

– Y a jamais eu de monde de même à Shenley, dit-elle en riant aussitôt à sa taquinerie.

– Ça se peut.

– À part de ça, comment ça va ?

– Pas pire.

– Ah.

– Oué...

Il se sentait mal à l'aise devant cette approche, même amicale. Micheline avait beau être une jolie fille de son âge, brunette au sourire ensoleillé, il lui semblait qu'elle empiétait sur son territoire. D'un autre côté, il était flatté de se faire ainsi aborder. Ce n'était pas dans les us des adolescentes de ce temps.

– On dirait que tu regardes ma dent.

– Hein ! Quoi ?

– Ben oui, ma dent...

Elle tint ses lèvres écartées de sa dentition. Il apparaissait qu'une des incisives avait poussé de travers.

Peut-être l'avait-il fait ? Culpabilisé, il s'en défendit :

– Ben non, pourquoi ?

– Parce que des belles dents, paraît que c'est droit.

Et elle s'esclaffa. Un rire persuasif qui parlait autant que ses mots et qu'elle savait l'injecter au bon moment et à la mesure qu'elle voulait. Un rire calculé pour l'effet ajouté aux paroles.

– Ben... la nature, c'est la nature !

– C'est en plein ça que je pense. La nature l'a fait pousser comme ça, je dois la garder comme ça. C'est ce qui fait mon charme, paraît-il.

Les deux autres jeunes filles, qui n'étaient pas étrangères à l'adolescent, venaient du même village voisin. Elles étaient présentes aux soirées de Micheline. On se salua du sourire. Et alors que l'échange se poursuivait, on entendit le son d'une radio transistor, et trois autres jeunes personnes passèrent. L'étudiant reconnut l'une d'entre elles qui pensionnait chez Bernadette, une blondinette fort attrayante au nom romantique de Madeleine Fortin. Il pouvait la voir passer sur le trottoir tous les jours depuis le début des vacances et le soir quand elle sortait pour aller quelque part. Pas une seule fois encore, il n'avait eu l'occasion de lui parler, de lui sourire, de lui faire deviner à quel point il la trouvait à son goût.

Et voilà que son cœur se mit à balancer entre deux attraits : celui d'une grande brune audacieuse et bavarde, et celui d'une petite blonde indépendante et silencieuse. Un choix presque politique en cette soirée triomphale...

Micheline se rendit compte qu'il lui regardait par-dessus l'épaule et poussa son cran d'un cran :

– J'ai su que ton frère se marie ?

– Oui... au mois de juillet.

– Es-tu accompagné pour aller aux noces ?

– Ben... non...

– Ah ?

Il fit un saut sur le tremplin qu'elle avait mis devant son nez et plongea :

– Aurais-tu le goût de venir ?

Elle parut aussitôt faire volte-face :

– Je disais ça comme ça. Faudrait que... ben que j'y pense.

– Ta mère voudrait pas ?

– Non, non, c'est pas ça. C'est moi qui devrai y penser. Tu pourrais me téléphoner. Mettons... demain.

– O.K.

Elle savait qu'elle accepterait, mais lui n'en était plus certain. L'échange dura encore quelques instants, et ils se séparèrent quand les autres jeunes filles réclamèrent leur amie.

∞∞∞

Bernadette, penchée, traversa la rue. Elle emprunta le trottoir devant la maison Mathieu. André se berçait sur la galerie en ce début d'un soir doux et serein. Elle s'arrêta devant un gros bouquet d'asperge pour lui parler. Et s'enquit de ses études. Il brûlait de lui parler de Madeleine, mais ne trouvait pas la chance voulue entre les mots et les idées. C'est la jeune fille elle-même qui lui en donna l'occasion en sortant de la maison jaune pour se bercer sur la galerie.

– Ouais, y a des belles personnes qui pensionnent chez toi, Bernadette !

– Elle, c'est une petite fille de Dorset.

– Madeleine ?

– Tu sais son nom ?

– Est trop belle pour passer incognito.

– Hé mon doux que tu parles comme un homme instruit !

– Ben... euh...

– Je vas te la présenter quen...

Elle cria à l'endroit de la jeune fille :

– Madeleine, j'te présente André ici présent.

– Quoi ?

– André, il aimerait te connaître.

Le jeune homme sentait ses oreilles rougir comme une flamme ardente et son front bouillir comme d'une fièvre. Et, miracle,

Madeleine se leva et descendit l'escalier puis traversa la rue et rejoignit Bernadette qui riait aux éclats :

– Madeleine : André. André : Madeleine.

– Allô !

– Allô !

– Ben, j'vous laisse placoter. J'allais voir madame Pelchat.

Et la femme poursuivit son chemin en boitillant et en riant dans sa barbe : elle venait de faire deux heureux.

L'étudiant se demanda comment étoffer ce lien nouveau et encore fragile. C'est en multipliant les occasions de rapprochement qu'il y parviendrait en autant que les vœux de Madeleine aillent dans le même sens que les siens.

Ils se saluèrent de la main, se parlèrent tous les soirs pendant la quinzaine qui suivit. Il sut quelle chambre elle occupait au second étage chez Bernadette, et s'embusquait dans le Ti-Bar pour voir sa silhouette quand elle se préparait à dormir à la nuit tombée, même si le feuillage des arbres ne lui donnait guère de chance.

Mais le jeune homme se trouvait placé devant un dilemme : qui de Micheline ou Madeleine l'accompagnerait à la noce de Victor ? Il avait téléphoné à l'une, le lendemain de la fête électorale, et elle avait accepté sa proposition. Depuis, son cœur penchait fort du côté de l'autre.

La décision fut prise par la volonté d'autrui. Un soir, après souper, il s'assit sur la galerie ; bientôt survint une auto rouge qui brillait comme le soleil couchant. La conduisait un jeune homme qui tenait dans sa bouche un énorme cigare. Il se rendit sur le terrain de la fabrique nouvellement asphalté par le gouvernement, un remerciement du député Poulin au curé Ennis pour l'avoir appuyé officiellement dans sa campagne électorale, et tourna en faisant crisser les pneus. L'inconnu semblait en possession de ses moyens et bien plus encore. L'auto reprit la rue devant le magasin puis s'arrêta devant la maison chez Bernadette. Madeleine sortit aussitôt, dévala les marches de l'escalier et courut jusqu'à la voiture. Elle y monta... Un autre crissement de pneus...

Le pauvre étudiant berné crut tomber en bas de sa chaise berçante. Les traces noires faites par l'auto rouge s'imprimèrent dans son ego en même temps que sur la chaussée. Blessé, humilié, trompé, dévasté, il en vint même à nier l'évidence. À se dire que c'était le frère de Madeleine qui était venu la prendre peu importe les raisons. Mais il fut détrompé par Bernadette un quart d'heure plus tard quand elle lui révéla que le jeune homme s'appelait Gaétan Bolduc et qu'il était le nouvel ami de sa pensionnaire blondinette de St-Hilaire-de-Dorset...

Quel avatar pour un cœur ouvert !

Et le cœur de l'adolescent se referma net, sec, comme un clapet qui claque. Micheline en subira les conséquences. Il ira aux noces avec elle. Et essaiera de la tâter un peu, mais sans succès, sur le chemin du retour. Doublement dépité, il ne lui donnera plus signe de vie par la suite...

Un peu piteuse, la pauvre Bernadette continua de saluer André, mais pour un temps, elle le regarda avec une pitié mêlée de regret. Qu'elle aurait donc dû ne jamais lui présenter Madeleine ! Mais qui mieux qu'elle au monde savait qu'on peut vivre, et bien vivre, avec un amour impossible au fond du cœur ?

∞∞∞∞∞∞∞

Chapitre 30

1960...

Une semaine avant le jour de la noce, c'était soir de *shower* pour les futurs mariés. Un nouvel hôtel construit à l'extrémité du village et baptisé Château Maisonneuve avait ouvert officiellement ses portes à la veillée de Victor Mathieu et Laurette Labbé. Mais voilà un mois déjà que l'événement s'était produit, et d'autres nouveaux mariés avaient depuis lors coupé le gâteau de noce dans la grande salle de l'établissement, propriété d'un jeune couple, Patrice Buteau et Carmelle Poulin, la fille à Bébé.

Ce soir-là, on fêterait Réjeanne Breton et Honoré Grégoire qui s'épouseraient devant Dieu et les hommes dans sept jours en l'église de Saint-Honoré, où trois personnes seulement de la famille Grégoire avaient un jour prêté le grand serment d'amour et de fidélité, soit Éva (Arthur Boutin) et Alice (Stanislas Michaud) près de cinquante ans auparavant, de même que Monique, fille d'Alfred, qui y avait épousé Gérard Aubin en juillet 1941.

«Je serai chez vous vers huit heures,» avait dit Honoré à sa fiancée une fois encore ce jour-là au téléphone.

Il leur fallait se rendre à l'hôtel pour neuf heures quand une bonne partie des invités seraient déjà sur place, fébriles et impatients de les voir arriver.

La journée ne se présentait pas très bien côté température. Le ciel glaiseux semblait hésiter entre le soleil et la pluie.

Parfois, un trou perforait les nuages et donnait lieu d'espérer une soirée claire et remplie d'étoiles. Puis quelque main, malveillante poussait devant elle un plafond gris noir qui menaçait d'éclater à tout moment et de se vider de son trop-plein. Le taux d'humidité était fort élevé et la température au thermomètre aussi. Vienne de l'ouest un front plus froid, et ce serait non seulement la pluie mais un ou des orages électriques violents. D'un autre côté, on eût dit que le ciel prenait tout son temps, comme s'il voulait réserver ses méchancetés pour la seule soirée de ce lourd samedi.

Mais la journée se passa sans pleurer...

Honoré mangea peu au souper. Il parla encore moins. Et quand Amanda ou Alfred tâchaient de le faire rire en le taquinant avec des clichés style corde au cou du nouveau marié, seulement les éclats sonores de Solange s'élevaient de table et remplissaient la pièce.

Freddé avait de la peine dans un sens à l'idée que son fils ne le remplace pas comme maître de poste. Mais Honoré s'était résigné, lui aussi. Le jeune homme avait de l'emploi dans une petite industrie de Saint-Évariste, et sa future continuerait de travailler après le mariage, du moins tant qu'elle ne tomberait pas enceinte. Heureusement, depuis quelques années, le contrôle des naissances était grandement facilité par l'arrivée dans la pharmacopée moderne de la pilule anticonceptionnelle inventée en 1955 par le docteur Gregory Pincus. Parce que choisies et non plus aléatoires, les grossesses ne déterminaient plus arbitrairement les destinées d'un couple.

Et Honoré se montrait enthousiaste devant ce nouvel état de vie qu'il envisageait à 33 ans. Il était amoureux de Réjeanne et elle de lui. Comme tous les jeunes couples, aurait-on pu dire, mais un peu plus peut-être, aurait-on pu ajouter à les voir ensemble. Ils riaient comme des enfants. Ils se voyaient tous les jours. Ils faisaient bien des choses ensemble et avaient meublé et décoré à leur goût leur futur logis, un quatre pièces et demi situé dans une grande maison de la rue Bellegarde.

Le jeune homme quitta la table sans dire un mot de plus ni afficher la moindre émotion.

– Tu vas te changer ? dit Amanda, qui ne trouva pas mieux à servir que cette évidence.

Il ne répondit pas et disparut bientôt au coin de la cage d'escalier. On n'entendit plus alors que son pas lent dans les marches, qui parfois craquaient sous lui. Freddé jeta un coup d'œil à sa femme et grommela :

– Tu seras prête pour neuf heures : Pampalon va nous prendre autour de c't'heure-là...

Elle se contenta de rire. Solange ajouta sa joie gratuite à celle qu'elle ressentait de savoir que son frère serait célébré ce soir-là.

Honoré se mit devant sa fenêtre et, comme souvent, il regarda la grande église. Il perdit son regard dans la tôle grise bosselée. Quelque chose n'allait pas. Son vieil ennemi en lui-même lui soufflait des idées bizarres...

Réjeanne Breton se mit debout devant le miroir de sa commode et mesura son apparence sous l'éclairage d'une lampe s'ajoutant à ce que le jour laissait encore entrer par la fenêtre de sa chambre. Manche bouffante et col marin caractérisaient le style de cette robe où se côtoyaient le noir, le blanc, que mettaient en valeur quelques ornements rouges dans la chevelure : rubans et petites fleurs de tissu.

– T'es parfaite ! lui dit sa sœur aînée.

– J'aurais peut-être dû choisir une robe moins... jeune... C'est que t'en penses, toi ?

La phrase révélait que la future mariée s'inquiétait elle aussi, comme ses parents, de la différence d'âge la séparant de son fiancé. Jeannine soupira.

– T'es parfaite ! redit-elle.

Il y avait la distance et la présence du cap à Foley entre les deux chevaux roux appartenant à Freddé. La jument se tenait de l'autre côté, près du lieu de sépulture de la Patte-Sèche, tandis que son poulain, devenu presque adulte, restait devant la colline boisée et parfois essayait de brouter les végétaux qu'il pouvait attraper avec sa gueule sous les perches de la clôture séparant le 'pacage' d'un champ voisin de la salle paroissiale et du cimetière plus haut.

Le ciel au loin vers l'ouest s'allumait dans la grisaille profonde qui le noyait : des éclairs annonçaient l'orage quelque part là-bas. Mais le tonnerre restait muet, même pour qui prêtait oreille. Le vent devait emporter le bruit ailleurs, et on se plaisait à croire qu'il dirigerait aussi l'orage autre part.

Honoré laissa son regard glisser lentement le long de l'église puis du terrain de tennis et il entra au cimetière où il s'arrêta au calvaire construit au-dessus du charnier, juste à côté de la pierre tombale de la famille Grégoire. Lui revint en mémoire l'image de son grand-père alité, malade, séché comme une feuille d'automne et qui demandait d'être laissé seul afin que la mort n'ait pas crainte de venir le visiter au plus tôt...

Puis, ses pensées s'embrouillèrent...

Réjeanne resplendissait. Sa sœur l'examina des pieds à la tête et lui offrit un sourire qui lui donnait une note de cent pour cent. Elle voulait éblouir tous ceux qui viendraient à la fête à l'hôtel. Surtout, elle voulait éblouir son fiancé. Elle éblouissait...

Au village, des voitures avaient commencé de se stationner dans la cour de l'hôtel. D'aucuns aimaient arriver tôt à ces soirées festives pour boire quelques bières avant tous et mener le bal de la joie le moment venu. Les couples plus âgés avaient tendance à venir de bonne heure pour s'en retourner à l'heure des poules. Les jeunes, eux, formaient le clan des retardataires...

Honoré ne cessa pas d'avoir en tête l'image du calvaire, même s'il se détacha de la fenêtre pour se changer de vêtements. Tout ce temps, son regard demeura fixe, vide, perdu... Les gestes qu'il posait paraissaient relever du pur automatisme.

Si les humains n'entendaient pas le tonnerre gronder, les bêtes savaient d'instinct, elles, que l'orage viendrait. La Jane secouait la tête et entamait parfois un hennissement; il lui arrivait de se mettre à courir dans un sens, mais au bout de quelques douzaines de pas sautés, elle changeait de direction pour enfin revenir à son point de départ, près de la tombe invisible du quêteux de Mégantic. La jument sentait une menace pointer à l'horizon...

Réjeanne descendit l'escalier, un peu de rouge naturel s'ajoutant à son maquillage. Ses parents la regardèrent et la félicitèrent du regard sans toutefois rien dire. Bertrand, l'un de ses frères infirmes, victime dans l'enfance de la polio, se leva de sa chaise et se dirigea vers la porte de sortie.

– Moi, j'y vas! dit-il simplement.

Personne ne le retenait. Personne n'avait rien à y redire. Personne jamais ne faisait bien attention à lui. Comme si en voulant ignorer son infirmité depuis le cruel événement de ses jeunes années, on avait pris l'habitude de l'ignorer tout entier. Et il promenait son bras invalide tenu dans une écharpe invisible sur un pas déformé par une jambe raccourcie et tordue, ce qui ne l'empêchait pas de conduire, quoique fort dangereusement, son propre véhicule.

Réjeanne prit sa place sur la berçante et consulta sa montre: il était huit heures. Ce qui lui fit soulever un sourcil, car son fiancé n'arrivait jamais en retard...

Honoré, qui avait endossé son plus bel habit et s'était cravaté puis peigné, puis qui avait mis ses souliers pointus et luisants, quitta sa chambre et retrouva l'escalier. Au pied, il tourna vers le magasin et non la cuisine comme sa mère l'espérait. Freddé crut qu'il passerait par les hangars pour se rendre à sa voiture garée sous le vieux porche. Et ne put savoir que Doré, plutôt que d'aller vers sa voiture, sortait par l'arrière pour s'arrêter sur le trottoir de bois, juste à côté du lieu même où son oncle Eugène était mort d'asphyxie en 1919. Et où chaque fois qu'il s'y trouvait, Honoré sentait comme une présence aux alentours...

Le jeune homme gardait son regard fixe. C'était son vieil ennemi en lui-même qui semblait diriger la barque et déterminer tous les gestes posés par lui. Il regarda la maison rouge qui semblait dressée là pour l'éternité sur son assise de pierres plates. La clarté floue du soir tombant brunissait les murs, et il semblait que les larmiers tournaient davantage sur eux-mêmes que de plein jour en cette heure incertaine entre chien et loup.

Édouard Allaire, Grégoire Grégoire, Restitue Lafontaine, Cipisse Dulac, Augure Bizier, la Patte-Sèche, d'autres, tous ceux qui avaient bien connu le premier Honoré auraient cru tout de suite que c'était lui qui restait là sans bouger. Même Émélie s'y serait trompée tant ce jeune homme de 1960 ressemblait à son époux lorsqu'en 1900, il s'endimanchait et allait atteler.

Puis, Honoré se dirigea vers la grange-entrepôt où on avait longtemps gardé un cheval afin d'y prendre un licou. Ensuite, il se dirigea vers le pacage à Donat Bellegarde à la recherche de Jos, le jeune cheval roux...

Il aurait fallu que quelqu'un fasse exprès d'observer dans une fenêtre pour le voir. Impossible depuis chez Freddé à cause de la maison rouge. Mais une personne à l'affût chez Bellegarde, chez les Boutin à la salle paroissiale ou même au presbytère aurait pu voir la silhouette presque fantomatique du futur marié en habit sombre, marchant lentement vers une destination qui ne saurait être la sienne à un tel moment de son existence et du temps.

L'autre homme en Honoré voyait le cheval roux là, au pied du cap. Et le cheval roux voyait Doré venir. Même qu'il semblait l'attendre, tête tournée vers lui, prête à recevoir le licou. Il bougea les oreilles quand on entendit au loin le tonnerre gronder, mais si loin encore...

Pampalon arrêta son auto devant le petit parterre de la résidence de son frère. Il descendit et se rendit frapper à la porte. Amanda vint ouvrir :

– On t'attendait. Viens, entre...

– Je vas vous attendre tous les trois dans la machine. Ida est pas pressée, elle non plus...

Et le sexagénaire tourna les talons et prit tout son temps pour examiner les plantes de toutes sortes cultivées par sa belle-sœur afin d'ornementer et d'agrémenter les devants de sa maison. Comme il faisait sombre, il se penchait, mains réunis dans son dos, pour voir chacune de plus près, tel un savant qui détaille les choses pour les mieux aimer.

Réjeanne consulta de nouveau sa montre après l'avoir fait maintes fois depuis la première, un quart d'heure plus tôt : il était huit heures et un quart.

– Il doit être à la veille d'arriver, lui dit sa mère en parlant d'Honoré. Nous autres, on va monter au village avec les filles...

Trois jeunes adolescentes, Lucette, Cécile et Francine, toutes sur leur trente-six, joyeuses comme des fillettes énervées, suivirent leurs parents. Il ne resta plus dans la cuisine que Jeannine et Réjeanne. La famille comptait aussi quatre autres fils, absents ou vivant ailleurs. D'une minute à l'autre, l'aînée s'en irait à son tour. Et cela se produisit quand son ami fit klaxonner son auto dehors.

– On se revoit à l'hôtel...

– C'est beau.

Réjeanne se dit que son fiancé pouvait bien n'arriver que dans une demi-heure ou même une heure, et qu'on serait à temps quand même pour la soirée de fête. Mais comment ne pas être impatiente quand on vit de pareils moments ? Et qu'on n'a que 18 ans...

Et Honoré demeura un moment près du cheval roux après lui avoir passé le licou. Quelque chose l'obligeait à regarder du côté du cimetière, peut-être la pierre tombale de la famille comme plus tôt à sa fenêtre mais peut-être aussi le calvaire qui semblait exercer sur lui une étrange fascination. Puis, il ramena la bête à la grange-hangar où se trouvait, sous le porche, une voiture fine à laquelle il attela le cheval. Alors même qu'il empruntait le chemin Foley, la voiture de Pampalon se mettait doucement en marche vers l'hôtel avec ses cinq passagers. Mais le futur marié, lui, fit bifurquer Jos dans la direction opposée...

Le ciel s'obscurcissait, et les éclairs plus nombreux qui zébraient l'horizon noir n'allumaient pas le regard terne du jeune homme dont l'âme semblait perdue dans les dédales de l'irrationnel, où les émotions elles-mêmes sont neutralisées par la chimie du cerveau et ne sont par conséquent d'aucune utilité à la mémoire.

Le responsable du petit orchestre donnait ses ordres à ses hommes qui étaient à répartir les quelques instruments de musique sur la scène, micros, chaises et fils de raccord. Comme si les choses devaient être autrement que toutes les autres fois où on avait joué à des *showers* ou des noces depuis trois ans. Mais Ti-Kit Poulin ne pouvait s'empêcher, du haut de ses cinq pieds et deux pouces, de faire savoir à tous qu'il était à la fois un homme de commandement et de bonne composition.

Il se rendit au micro principal, celui où il chanterait bientôt pour les futurs, et dit, l'œil étincelant :

– *Testing. Testing. Testing...*

Puis, il frappa le micro du majeur replié. Et redit:

– *Testing. Testing. Testing...*

Puis, il toucha sa chevelure brillante pour s'assurer qu'elle restait empesée. De toute façon, il se proposait d'aller vérifier l'état et l'éclat de ses cheveux noirs à la salle des toilettes avant d'y aller de sa prestation sur scène. Et il murmura à mi-voix, sans bouger les lèvres:

– *Only the lonely...*

Il avait ajouté à son répertoire cette nouvelle chanson de Roy Orbison et n'avait guère eu le temps de la pratiquer, ce qui l'inquiétait.

Laissée seule, Réjeanne se rendit à la fenêtre et regarda du côté de la Grand-Ligne qu'on pouvait apercevoir de la maison Breton sise sur une colline. Rien. Rien non plus dans l'entrée du rang, devant la maison Demers voisine. Elle s'inquiéta davantage. Et s'il était arrivé un accident à Honoré ? Elle se dit que ça n'avait pas de sens de songer au pire par un soir pareil...

D'aucuns virent l'attelage sur la rue principale du village. Il était rare qu'on en voyait un en 1960 alors que l'automobile était reine et qu'il ne restait plus pour se promener en boghei que les nostalgiques d'un temps perdu, genre Freddé Grégoire, qui ne s'étaient jamais adaptés à la conduite automobile. Mais pas même Éveline ne songea que ce n'était guère l'heure de partir en voiture à cheval, surtout par ce temps menaçant. Il y avait de graves risques de collision par l'arrière, et une catastrophe pouvait s'ensuivre. De plus, l'attelage réquisitionnait toute la voie de droite pour lui tout seul et ne se contentait pas, comme Ernest Mathieu le faisait toujours en revenant de sa terre de la Grand-Ligne, de l'accotement en gravier.

Par bonheur, Honoré fit tourner Jos dans le rang 9, bien moins fréquenté...

Le temps passait. L'orage approchait encore. La salle du Château continuait de se remplir. Et Réjeanne attendait...

La jeune femme se sentait de plus en plus seule... D'autant qu'elle ne pouvait plus rien distinguer sur le chemin, à l'exception des phares d'automobiles...

Le cheval comprit les vœux de celui qui tenait les rênes et se mit au trot. Doré fuyait-il ? Quelle était sa destination alors qu'il s'éloignait du village et plus encore de la maison où l'attendait sa future ? Ça, le cheval n'en savait rien. Et pourtant, quelque chose le poussait à faire demi-tour pour retourner où il était une heure plus tôt, soit près du cap à Foley.

La pluie attendit que l'attelage atteigne la maison où avait vécu l'arrière-grand-père d'Honoré l'autre siècle et début vingtième. L'animal se dirigeait d'instinct dans l'obscurité quoique des éclairs répétés lui fussent d'une aide appréciable dans sa course.

Quelque chose dans les gènes du jeune homme l'avait peut-être poussé à se rendre là ? Il est possible que ce fut l'énorme sentiment amoureux ayant guidé les pas d'Édouard Allaire tout au long de sa vie. Mais au contraire, il se pouvait que cette même force en contrecarre une autre, celle qui avait conduit Honoré jusque là... Qui saura jamais ? Toujours est-il que d'un commun accord, le cheval roux et son maître de l'heure firent demi-tour et reprirent le chemin du rang pour rentrer quelque part...

Et l'orage fut...

Des torrents de pluie se mirent à battre l'animal et l'homme ainsi que la voiture. Mais le courageux cheval reprit son trot et ne le lâcha pas jusqu'au village...

– Mes amis, il est neuf heures, dit Ti-Kit d'un ton prolongé en regardant sa montre puis en rajustant sa cravate. Dans quelques minutes, nous aurons le plaisir d'accueillir ici Réjeanne et Honoré, nos futurs de ce soir... En attendant leur entrée, nous allons faire un peu de musique et pour commencer, ce sera une chanson très en vogue de Roy Orbison... *Only the lonely...*

Dès qu'il fut de nouveau sur la rue principale, dégoulinant, poussé par les éclairs et la pluie que transportait le vent, le cheval reprit son trot comme le voulait son maître qui ne le lui avait pourtant pas demandé. Doré se tenait droit, guides entre les mains, comme une statue, indifférent à l'orage et à ses conséquences... Rendu au chemin Foley, y ferait-il bifurquer l'attelage ou bien continuerait-on jusqu'à l'hôtel ? Qui, de lui ou de cet étranger en lui, prendrait la décision ?

Réjeanne souffrait dans son cœur maintenant. L'orage s'emparait des environs de la maison, et la jeune fille ne pouvait même plus voir les phares des voitures sur la Grand-Ligne, pas plus que sur le rang 4 devant chez elle. Tout ce qui s'offrait à sa vue maintenant, c'était cet éclairage par éclaboussures incessantes illuminant le ciel et transformant la pluie en d'épais rideaux brillants et noirs qui battaient sous les rages d'un vent fou et siffleur lancé à l'attaque de tous côtés à la fois...

Le téléphone sonna... Un grand coup, un petit, un grand : c'était bien chez Eddy Breton, cette sonnerie triple... La jeune femme alla répondre...

Jos arrivait à hauteur du chemin Foley, passé la maison chez Bernadette. Il y avait de la lumière chez elle, mais la tante d'Honoré était, elle aussi, rendue au Château Maisonneuve. Marie-Anna Nadeau et son époux Raoul Blais, ses voisins d'en face, l'y avaient conduite, elle qui voulait laisser toute la place disponible dans la machine à Pampalon pour Freddé, Amanda et Solange. Le cheval passa tout droit et arrivait devant le magasin transformé en grande partie en bureau de poste, mais dont les noires vitrines explosaient en rayons vibrants à chaque seconde... La force inconnue qui poussait l'animal n'était pas la peur qu'il aurait su reconnaître. C'était bien autre chose...

Derrière le cap à Foley, la jument rousse s'était réfugiée près de deux épinettes et ne bougeait plus, à l'exception d'un sabot arrière qu'elle soulevait à peine et remettait sur l'herbe de temps à autre. Elle apparaissait et disparaissait sous les effets stroboscopiques de l'orage et de son électricité violente. Ignorait-elle que ses pattes du côté droit foulaient toutes deux la sépulture de la Patte-Sèche ? Comment aurait-il pu y avoir un lien entre la poussière qu'étaient devenus les ossements, déjà secs de son vivant, du quêteux mort depuis si longtemps et la chair et les os bien en vie d'une jument dans la force de l'âge ?

Réjeanne eut le temps de dire à son père qui, inquiet pour tous à l'hôtel, lui demandait pourquoi elle et son fiancé n'arrivaient pas, que Doré n'était toujours pas là et qu'elle se mourait d'angoisse... Quelque part, la ligne fut coupée par l'orage, et un silence désespérant dans le récepteur laissa tout l'espace auditif aux bruits de tambour que le ciel faisait rouler sur toute la campagne. Et le courant électrique fut à son tour interrompu... La jeune femme se retrouva isolée de la terre entière... Elle éclata en sanglots...

Les sabots du cheval roux frappaient l'eau d'un véritable ruisseau qui coulait depuis le terrain en pente douce de la fabrique. Et ils soulevaient par milliers des gouttelettes qui frappaient ses pattes et son ventre, mais semblaient dérisoires à comparer à cette pluie lourde dont les lames sciaient l'air dans tous les sens. On était sur l'emplacement asphalté du vieux cimetière d'avant 1902. L'attelage paraissait se diriger droit vers l'autre cimetière, celui où dormaient pour toujours plusieurs Grégoire : Émélie, Honoré, Ildéfonse, Eugène, Armand et des enfants morts en bas âge... Et aussi le grand Luc à Pampalon depuis treize ans déjà...

Honoré restait le même. Il ne faisait aucun mouvement volontaire, mais les forces exercées sur la voiture par le cheval et par la pluie se répercutaient jusqu'à son corps qui oscillait légèrement alors que ses yeux restaient vides comme ceux d'un mort-vivant...

Eddy Breton alla parler à Ti-Kit à l'oreille puis à Freddé Grégoire assis près de la tribune des musiciens. Le chanteur se rendit au micro et dit aux gens :

– Vous entendez tous l'orage... nos fiancés seront un peu en retard... il manque de courant électrique en des endroits, mais comme vous voyez, nous autres, c'est pas le cas. Probable que...

Le courant manqua, et des lanternes d'urgence s'allumèrent automatiquement. L'assistance baissa le ton de plusieurs crans, et l'animateur continua de parler sans le support de son microphone :

– Souhaitons que ça ne va pas durer. Faisons une petite prière là-dessus, et ça devrait nous revenir...

Le courant revint.

– Je vous l'avais bien dit... Et maintenant, sur demande spéciale, de nouveau, la chanson de Roy Orbison... *Only the lonely*...

L'attelage se dirigea tout droit vers l'entrée du cimetière. L'orage qui semblait à son paroxysme le moment d'avant augmenta encore d'intensité. Jos s'arrêta net dans la pente devant la grille ouverte et n'avança plus, comme s'il avait accompli sa tâche et s'en remettait maintenant uniquement à son maître qui, pour le conduire, devrait reprendre ses esprits. Un éclair comme tant d'autres avant lui fendit le ciel, et la foudre claqua au même moment. La zébrure, telle une hache gigantesque, frappa le croix du calvaire et la fendit par le milieu. Un bras du Christ tomba avec le morceau de bois éclaté. Un second éclair frappa la Vierge et la décapita net. Enfin, les yeux d'Honoré bougèrent... Ce ne fut pas cette scène infernale sur le calvaire, que le ciel éclairait incessamment, qui prit son attention, mais une silhouette devant la pierre tombale des Grégoire...

Maybe tomorrow
A new romance
No more sorrow
But that's the chance...

Ti-Kit y allait à fond, fier de son anglais et malgré les coups de tonnerre qui faisaient concurrence à la musique par toute la salle de l'hôtel. Il lui arrivait de plus en plus souvent de consulter sa montre. La salle était bondée mais la jeunesse une fois encore répondait bien à la musique, et l'on dansait sur son entrain. D'aucuns se murmuraient des choses à l'oreille: murmures aux allures de cris... «Paraît que Doré viendra pas.» «Paraît que Doré est en crise.» «Paraît que Réjeanne a décidé de pas se marier.»

Atterrée, effrayée, perdue, la jeune femme eut l'idée de se rendre chez Demers où elle pouvait apercevoir de la lumière de lanternes éclairer la maison depuis la beurrerie voisine. Il s'y trouverait bien quelqu'un qui voudrait la conduire au village. Chez Louis Demers, des gens en affaires, il y avait au moins trois voitures et un camion: un véhicule resterait sûrement disponible. Elle trouva un ciré, l'enfila et quitta la maison malgré l'orage qui semblait vouloir durer toute la nuit...

Après avoir conféré quelques instants, Freddé et Pampalon quittèrent la salle. Il leur fallait voir où était passé Doré. Savoir si son auto se trouvait à sa place ou s'il était parti sans laisser de traces. Du moins, pour le moment... De l'autre côté du plafond nuageux, c'était soir de pleine lune, mais on n'y songeait pas.

Et les deux hommes quittèrent la cour de l'hôtel dans la voiture noire. Ils étaient trempés jusqu'aux os...

Honoré délaissa les rênes, descendit et marcha dans le cimetière vers la silhouette sombre de l'être debout près du calvaire. Quelqu'un venait-il lui livrer un message dans la nuit furieuse et l'orage grandiose? Si oui, pourquoi lui fallait-il pareil décor surréaliste? Si c'était un tour que voulaient lui jouer son grand-père ou bien Armand ou peut-être le grand Luc alors il s'agissait d'un tour sans joie ni goût. La foudre éclatait encore mais plus loin, de l'autre côté de la terre bénie. Étaient-ce les forces du mal qui avaient pris d'assaut le calvaire? Que faisait-il là? Le jeune homme reprenait peu à peu conscience de la réalité, et cela lui était donné par des interrogations angoissantes qui mitraillaient son esprit sans arrêt.

Des phares dans la nuit. Réjeanne fut arrosée de lumière. On s'arrêta. C'était sûrement son fiancé. Mais c'était Bertrand, son frère infirme, que leurs parents avaient envoyé pour l'accompagner dans ces moments de totale incertitude où personne ne savait plus très bien quoi faire. Il la fit monter, et on rentra à la maison.

Il approchait dix heures. L'animateur de la soirée annonça une 'intermission' de dix minutes. Il se risqua même à promettre que les fiancés seraient là à son retour sur scène. Le tonnerre s'éloignait. Les gens se parlaient. Les rumeurs couraient d'une table à l'autre. Pour la première fois, un *shower* aurait lieu sans les futurs concernés. D'aucuns se demandaient s'ils pourraient récupérer leur droit d'entrée d'un dollar servant à payer les musiciens et à constituer une petite bourse pour les fiancés...

Honoré savait que l'être perdu dans le cimetière et la nuit orageuse n'était pas un fantôme et plutôt quelqu'un qui lui ressemblait fort au mental: sa sœur Rachel.

Tous deux à cause des astres et des événements, et pour d'autres raisons bien plus complexes et profondes échappant à la science, étaient entrés en crise en même temps vers l'heure du souper. Et les mêmes forces inconnues et insondables les avaient conduits, à travers d'autres forces, celles du cheval, de la nature, jusque devant le monument des Grégoire. S'agissait-il d'un appel d'un ou plusieurs membres de la famille, disparus et incapables d'échapper à la réalité terrestre? Pourquoi la foudre avait-elle frappé avec une pareille violence la croix du Christ et la statue de la Vierge? Le bien et le mal s'étaient-ils confrontés sous les yeux de ces deux malades capables de prémonitions étranges et de perceptions qui dépassent les gens ordinaires?

Que s'était-il donc passé ce soir-là?

Avait-on cherché à protéger quelqu'un?

Quelqu'un d'une autre dimension avait-il, à travers le jeu des forces en présence, écarté un danger qui planait au-dessus de la tête de quelqu'un d'autre?

Quel destin, quel karma avait dicté à Honoré de perdre la raison momentanément? Et de faire faux bond malgré lui à sa fiancée? Comment démêler tous les écheveaux qui avaient amené la situation théâtrale et atroce dans laquelle se trouvaient en ce moment le jeune homme et sa pauvre sœur, tous deux entraînés par une puissance insolite dans les marais de la déraison situés peut-être quelque part au-delà de la vie mais en deçà de la mort? Que s'était-il vraiment passé cette nuit-là? Quelle explication logique trouver à cet imbroglio d'événements inintelligibles, de sentiments étranges, de gestes irréfléchis, de grandiose et de terrible? Pas même le frère et la sœur qui avaient traversé les deux orages, celui de la réalité et l'autre, ne sauraient jamais...

– Viens-tu, Rachel? On s'en retourne à maison.

Elle ne bougea pas. Sa transe à elle n'avait pas encore pris fin. Cela se produirait quand son jeune frère la toucherait au bras pour la conduire hors de ce lieu familier mais lugubre, surtout par un temps pareil.

Des phares les éblouirent tous les deux, qui éclairaient également l'attelage. Jos tourna la tête quand son vrai maître, Freddé, descendit de voiture ainsi que Pampalon. Les deux frères entrèrent dans le cimetière :

– Rachel, Doré, cria Freddé, venez-vous-en à maison, vous autres.

Honoré prit sa sœur par le bras, et ils s'en vinrent...

Le problème du téléphone venait du central et non de la ligne de transport elle-même. L'opératrice avait dû couper le courant qui alimentait sa console à cause de la foudre. Elle le rétablit. La communication se fit entre la résidence à Freddé, l'hôtel, la maison Breton du 4, et bientôt, Ti-Kit au micro déclara, de l'affliction plein la voix :

– Mes amis, il s'est produit un incident hors du contrôle de tous... Réjeanne et Honoré ne pourront pas se présenter ici ce soir. Malgré tout, faisons-leur la fête comme s'ils étaient là... Et laissez-moi vous chanter une fois encore, sur demande très très spéciale, cette pièce nouvelle de monsieur Roy Orbison... *Only the lonely*...

Malgré tous ses efforts, le jeune homme ne parvint plus à réchauffer l'atmosphère de cette soirée, même si au loin, l'orage se calmait et allait dépenser ses énergies autre part...

∞∞∞

Le jour suivant, Donat Bellegarde, qui faisait une tournée d'inspection de sa terre pour évaluer les dommages s'il y en avait, car l'orage avait creusé bien des rigoles et la foudre avait fait des siennes tout près, comme au calvaire du cimetière que des gens apeurés allaient voir en nombre, fit une découverte désagréable à l'arrière du cap à Foley. La jument de Freddé était étendue sur le sol, morte, vraisemblablement tuée par un éclair foudroyant, à en juger par ses blessures noircies à la tête et à la patte avant droite. Il se rendit prévenir son propriétaire. Alfred déclara simplement en cachant bien son émotion :

– Au moins, il m'reste le ch'fal !

Et Donat retourna en tracteur à l'endroit où s'était produit l'incident pour y creuser une fosse peu profonde et y glisser le dépouille qu'il enterra ensuite... À quelques reprises, sa pelle heurta des ossements, mais il n'y prêta aucune attention, croyant qu'une vache avait été enterrée au même endroit dans le vieux temps...

∞∞∞

Il fallut faire hospitaliser Honoré une autre fois. Les parents de Réjeanne amenèrent peu à peu leur fille à prendre la décision de ne pas l'épouser et de cesser de le voir. Un mois plus tard, il ne resterait dans son cœur qu'une cicatrice durable, mais une cicatrice seulement, pas une blessure profonde comme celle qui avait entaillé son âme par un grand soir d'orage...

Mais peut-être que toute sa vie durant, elle rechercherait Honoré en d'autres hommes sans jamais le retrouver ?

∞∞∞∞∞∞∞

Chapitre 31

1961

Fin juin, Bernadette monta en voiture pour se rendre à Sherbrooke. C'était samedi, et ses filles en pension avaient toutes regagné leur domicile pour la fin de semaine.

Il y avait une seule Cadillac dans Saint-Honoré et c'était celle du député Jean-Paul Racine. Elle était beige et possédait des ailes de fusée. Ce n'était donc pas cette voiture puisque celle-ci, à la porte chez Bernadette, était noire et que ses ailerons arrière se terminaient en surélévation par des feux rouges bien en évidence.

Victor vint s'asseoir sur la galerie avec son jeune frère pour jaser tout en fumant une cigarette après le repas du midi.

– C'est qui, ce char-là ? lui demanda André.

– C'est Ovide Jolicœur. Bernadette part pour Sherbrooke. Ils vont au vingt-cinquième de prêtrise de l'abbé Foley.

– Tu sais tout ça, toi ?

– C'est elle qui me l'a dit au bureau de poste cette semaine.

– L'abbé Foley, ça me dit pas grand-chose. Tu l'as connu, toi ? C'est le frère à Édouard Foley du 9, ça doit ?

– La maison à Bernadette, c'était la maison des Foley, ça, dans le temps. Le père à Édouard pis à Eugène... le prêtre. Pourquoi tu penses qu'ils appellent le cap à Freddé le cap à Foley ? C'est parce que la terre à Freddé appartenait à la famille Foley.

– T'es un vrai historien de la paroisse, toi?

– Tu devrais t'intéresser à l'histoire de ta paroisse, André. Va voir au cimetière, les pierres tombales, pis interroge-les. Elles vont te parler, tu verras.

– Des monuments, ça parle pas, voyons donc!

– J'te l'dis... Va au cimetière, tiens-toi debout devant un monument pis questionne l'épitaphe que tu vas lire... Tu vas voir que les idées vont te venir, ça se peut pas...

– Tu veux rire de moi.

Victor se mit à rire en effet et conclut:

– Ben sûr que je te taquine avec ça... mais t'essaieras, juste pour rire...

∞∞∞

De nature influençable, André se rendit au cimetière plus tard dans la journée. Et il y interrogea la pierre tombale des Grégoire. Mais il ne perçut aucunement toutes ces soi-disant révélations que son frère lui avait dit qu'il entendrait là...

Peut-être que la fatigue de la semaine l'empêchait de se concentrer? Peut-être qu'il lui manquait d'y croire simplement? Une autre légende en laquelle il ne croyait pas, c'était qu'en marchant dans les pistes du diable sur le cap à Foley, on ressentait une sorte d'excitation voire de tentation de la chair. Quelle superstition! songeait-il en se rendant à travers les champs sur le cap à Foley essayer les fameuses pistes.

Il marcha dedans. Le cap était brûlant. Le soleil vif. Et là-bas, dans sa fenêtre, Éveline le surveillait à l'aide de lunettes d'approche. Elle aussi et quelques autres avaient essayé les pistes sans le dire à quiconque ni surtout se faire voir en expérimentant la chose. Mais quel besoin d'un pareil aphrodisiaque quand on est femme de cette chaleur et jeune homme de cette vigueur?

Pourtant, lui n'était pas satisfait de sa tournée. Personne ne lui avait soufflé quoi que ce soit au cimetière, et les pistes du diable semblaient n'exercer aucun effet sur sa sensualité. À moins que...

Un souvenir lui revint en mémoire. Armand Grégoire, ce joueur de tours qui avait fait naître la légende concernant les empreintes dans le roc, disait aussi qu'il fallait ôter ses chaussures pour essayer les pistes. André, que la honte poussa à regarder de tous côtés afin de ne pas être vu, décida d'enlever ses souliers tout en se demandant qui pourrait le voir à cette distance. Il n'y avait personne chez Freddé. Lui, sa femme et Solange étaient partis pour Sherbrooke, eux aussi, participer à la fête donnée en l'honneur de ce fils glorieux de la paroisse et ancien voisin: Eugène Foley. Honoré avait quitté la paroisse après l'avortement navrant de son projet de mariage l'année précédente. Il était entré dans l'armée. Quant à Rachel, voici qu'on avait dû l'hospitaliser une fois encore au début de l'été. Personne non plus chez Bernadette. Un rideau d'arbres protégeait le jeune homme de l'observation qu'on aurait pu faire de lui depuis le logement de la salle, occupé par la famille du bedeau Georges Boutin.

Et pourtant, un drôle de sentiment lui murmurait qu'on l'épiait en ce moment. Il regarda vers les seuls lieux d'où on pouvait le voir: la maison à Donat Bellegarde et la maison Jolicœur. Mais on ne pouvait le reconnaître d'aussi loin à moins d'utiliser des lunettes d'approche... Ce serait pour le moins étonnant que quelqu'un, à ce moment précis, s'amuse à observer le cap avec un tel instrument...

Pourtant, – fait bien connu – il arrive que deux personnes pensent la même chose au même moment et à distance. André avait été témoin du phénomène à la mort de sa mère cinq ans plus tôt alors que la mourante avait vu son fils de Montréal en béquilles et qu'elle ne pouvait le savoir autrement que par un sixième sens voire un septième. Il arrive que des personnes communiquent par des ondes inconnues de la science. Et cela se produisait en ce moment entre cette femme de 62 ans et ce jeune homme de 19, tous deux en mal d'amour charnel. Il regarda les fenêtres. Éveline crut qu'il la voyait. Elle recula de deux pas. Raisonna. Il ne pouvait la voir à pareille distance sans des 'longues-vues'... Mais peut-être que sa vue était... perçante ?

Elle était en froid avec Philias Bisson. Mésentente à propos de son hygiène d'homme mal rasé. Il réparait une blessure à l'ego de ce temps-là et redonnerait signe de vie à la veuve au moment de son choix.

Quant aux frères Jolicœur, les deux célibataires Léopold et Albert, si dévoués à leur mère depuis qu'Éveline vivait sous le même toit, elle les traitait royalement à chacune de leurs visites et ils passaient du bon temps à chacun de leurs séjours réguliers.

Mais la sexagénaire avait à rattraper toutes ces années perdues dans l'uniformité, la règle, les us acceptés, l'obéissance aux commandements qui faisaient fi de la vraie nature humaine. Elle avait besoin de ce plaisir que son corps pouvait encore lui offrir. Se faire pénétrer par une verge, c'était se faire injecter une vie nouvelle. La Éveline des jeunes années ressentait le désir d'un jeune homme et en venait à oublier son corps de sexagénaire.

Quelle volonté poussait André à se déchausser au risque de se brûler les pieds sur le cap dont la température devait être insupportable ? La volonté d'Armand peut-être ? Ou celle de la femme en attente elle-même ? Ou bien la sienne propre sans aucune autre influence ?

Il s'assit sur une perche de la clôture et délaça les souliers qu'il laissa sur l'herbe verte et, gardant ses chaussettes, il retourna marcher sur le roc brûlant. Parce que leur surface était irrégulière et sillonnée, les pistes du diable parurent moins chaudes et plus supportables. Le soulagement qu'elles lui procurèrent après ces pas difficiles sur la surface unie du cap inclina-t-il son cerveau à libérer des substances agréables, endorphines ou autres en -ine, peut-être phéromones, toujours est-il que le désir charnel lui vint, accru par le souvenir des confidences de Jean d'Arc naguère à propos de ses aventures nocturnes avec la femme d'âge mûr.

Il s'inquiéta. Cette légende à base de pure superstition pouvait-elle avoir un certain fondement ? Mais alors, ce qu'il était à faire risquait-il de le faire tomber, trébucher dans le péché mortel de la chair ? Il avait déjà tout le mal du monde à se retenir quand lui venait une pulsion nocturne, matinale ou même diurne, et devait si souvent réclamer la main de la Vierge pour empêcher sa main en feu de libérer son corps en feu...

Quand il eut fini son aller, il se tourna, dansa sur place et fut emporté par un retour sur les quelques pistes, des pas qui n'étaient pas nécessaires pour le succès de l'expérience. Le même phénomène se reproduisit. Le désir charnel augmenta. Il se pressa de quitter le roc pour entrer sur l'espace herbeux ; il y ressentit un plus grand soulagement encore, semblable à celui qui suit un orgasme, surtout un orgasme voulu et donc défendu... et donc mortel pour l'âme du pauvre pécheur.

Absents, les Grégoire ! Effacés tous de leur berceau familial au cœur de Saint-Honoré. Les uns décédés. Les autres partis ailleurs. Et ceux du village en route pour le vingt-cinquième de prêtrise de l'abbé Foley, là-bas, à Sherbrooke. Tous évanouis ? Peut-être pas leur esprit, lui...

L'adolescent presque adulte s'assit sur la perche de cèdre qui émergeait d'entre les autres comme pour offrir une assise aux personnes se trouvant là. L'absence des Grégoire, en tout cas de ceux qui vivaient encore, forma un duo avec un autre cheval, celui de sa libido, pour lui suggérer de trouver un prétexte à se rendre sonner à la porte chez Éveline et, là, à se laisser prendre comme elle le voudrait et si elle le désirait. Il n'avait jamais fait l'amour. Les jeunes filles de 1960 étaient pour la plupart trop prudes. Quelques-unes seulement permettaient aux jeunes gens de les toucher en haut de la ceinture et à poitrine bien couverte de couches de linge à baleines et à bosses. Celles-là ne s'en accusaient pas en confession et se disaient que la faute n'était que vénielle. La seule autre occasion de devenir un homme pour l'adolescent eût été de trouver une professionnelle sur la Well (rue Wellington à Sherbrooke), mais... hélas! point d'argent, point de cuisse...

Le jeune homme arborait un tan digne d'une race à peau foncée, un tan de Tamoul au moins. C'est que sur semaine, il travaillait pour le gouvernement à peinturer des poteaux de garde-fous le long de la Grand-Ligne en attendant de se lancer à l'automne dans l'enseignement, muni d'un diplôme temporaire, faute de sous pour étudier plus longtemps, prêts et bourses ne suffisant pas à couvrir les dépenses et son père devenu invalide après une crise cardiaque.

Il resta un moment à chercher une raison pour se rendre chez Éveline. Offrir ses services pour rentrer du bois: c'était d'une autre époque. Wilfrid Jolicœur avait fait installer un chauffage à l'huile dans la maison de sa mère. Les parfums... là était peut-être la solution à son problème. Acheter un parfum pour homme... Et passer pour une pédale... Non... Jouer au gars soûl qui se trompe de maison... La femme l'évincerait sitôt dans l'embrasure de la porte.

Il eut beau chercher, faire travailler son imagination que sa libido rendait fertile, sa raison condamnait tous les prétextes et les rejetait dans la poubelle du farfelu. Entre désirer vider son corps et se remplir de honte du même coup, il y avait un chemin dont il ne parvenait pas à trouver les courbes, les côtes, les impasses, les ornières...

Au-dessus de tout, il y avait l'enseignement catholique à propos du péché de la chair: un péché si mortel qu'il pouvait valoir au contrevenant le pire enfer des enfers et l'éternité de souffrances la plus malheureuse et la plus longue, comme si l'éternité pouvait avoir des limites.

Alors, sauvé par le remords causé par le geste qu'il venait de poser, c'est tête basse qu'il laça de nouveau ses souliers en tirant si fort sur les lacets que l'un d'eux se rompit: signe inquiétant. Il lui fallut défaire le cordon avant de lui faire parcourir de nouveau les œillets puis de le nouer difficilement.

Puis, il se mit debout et regarda du côté de chez Éveline. Elle était toujours près de sa fenêtre et l'observait. Mais l'attention du jeune homme fut attirée par la famille à Donat Bellegarde, qui montait en voiture. C'était comme si une main invisible lui ouvrait la voie dans son entièreté, comme si on lui disait: «Va... et pèche.» Personne pour le surprendre à marcher jusque derrière la maison Jolicœur et frapper à la porte... Ce n'était plus qu'une simple question de courage. Et que le diable emporte le diable! Il se noierait dans les chairs voluptueuses de cette femme comme Jean d'Arc avait dit qu'il faisait... Puis, il se souvint que l'amante refusait tout contact autrement que dans le noir, qu'elle faisait ses rencontres de noirceur; peut-être que la nuit seule pouvait éveiller sa sensualité? Il se dit qu'elle devrait essayer les pistes du diable comme lui...

Pauvre puceau, il ne savait plus où donner de la tête...

Un bruit le ramena à une autre réalité: il n'était pas seul dans les environs. Ce ne pouvait pas être le vent puisque l'air était d'un calme total. Le bruit se fit de nouveau entendre; cela venait du boisé lui-même. Il lui faudrait y entrer pour en connaître la cause. Le diable peut-être, venu rôder pour observer les effets de la tentation sur un cœur pur...

Le jeune homme emprunta le sentier des vaches qui pénétrait le bosquet et dut s'arrêter un moment pour que ses pupilles s'adaptent à cette clarté sombre. La température était plus supportable, et l'odeur de résine de conifères régnait partout. Quand il put apercevoir ses pieds, il releva la tête et se remit en marche; une masse sombre lui apparut droit devant. Il figea net. L'être debout le regardait sans broncher. Était-ce un envoyé du ciel ou de l'enfer? Ou peut-être, qui sait, d'un Grégoire de l'au-delà?

Rien de tout cela: c'était simplement le cheval roux venu se protéger des rayons trop vifs du soleil et de la chaleur de l'air ambiant. Le jeune homme hésita. Ils se connaissaient bien un peu, lui et Jos. Mais en ce lieu, l'animal se souviendrait-il de lui? Il fut sur le point de retraiter; au dernier moment, il reprit son pas vers le cheval, qui ne bougea pas d'une seule patte. Et lui parla doucement. Rendu tout près, il lui caressa doucement le chanfrein en lui répétant une parole tant de fois entendue dans la bouche de son père à la boutique de forge dans le vieux temps: «Tout doux... Tout doux... Tout doux...»

L'événement lui permit de reprendre le contrôle plein et entier de ses sens. Il s'en voulut d'avoir essayé les pistes du diable; il s'en voulut d'avoir songé coucher avec une veuve de cet âge, comme si leur différence d'âge ajoutait du poids au péché mortel qui avait appelé à lui toutes les cellules de son corps et toutes les clartés de son âme...

C'était le temps d'un bain rafraîchissant.

Il salua le cheval et quitta le boisé pour rentrer à la maison. Au second étage où étaient la salle des toilettes et le bain nouvellement installé, il échangea quelques mots avec Ernest, que la maladie confinait à sa chambre.

– Y a le Claude Cloutier qui veut s'en aller à Montréal pis qui a besoin d'argent. Son 'char' est à vendre pour le reste des paiements mais il faudrait quelqu'un pour signer pour moi: allez-vous être bon pour faire ça?

– Ouais! jeta laconiquement son père.

– C'est pas dangereux pour vous, ça. Je vas gagner au-dessus de trois mille piastres par année à l'automne. Comme vous le savez, j'ai signé mon contrat. Je vas travailler à Thetford, pis ça va me prendre un 'char' pour voyager.

– Ouais...

– Si j'fais un accident, c'est les assurances qui payent. Vous serez pas pris avec ça, vous?

– Ouais...

À 62 ans, Ernest n'était plus que l'ombre de lui-même et donnait l'allure d'un vieillard ratatiné, voûté, cassé en deux. Pour camoufler cette calvitie qui malgré les ans continuait de lui faire honte, il portait une calotte à la juive, mais très québécoise par le tricot et la pure laine qui en était la base: un produit du travail d'Éva bien avant l'ouverture de son magasin fin des années 1940.

Ayant subi un infarctus du myocarde l'hiver précédent dans un chantier d'Abitibi, l'homme, après une hospitalisation de quelques semaines à Québec, était revenu à la maison pour, disait-il, y mourir au plus vite. Il avait les pieds enflés et recevait à l'occasion la visite du docteur Fabien qui, malgré sa tâche de nouveau député, très friand de pots-de-vin et de sous faciles, pratiquait la médecine tout de même pour en gagner encore davantage.

– Moé, j'vas mourir... c'est qu'tu veux fére?

Le jeune homme ne comprit pas ces mots inappropriés en la circonstance et qui devaient donc lui transmettre quelque message, pour l'heure encore sibyllin.

– Y en a ben d'autres qui ont le temps de mourir avant vous? dit-il en s'enfermant dans la salle de bains.

Ernest continua de marmonner pour lui-même.

∞∞∞

On ne savait pas pourquoi Louis Blanchette, un père de famille de 50 ans, gros travaillant, avait reçu pour surnom celui de Saint-Venir. Ou peut-être qu'il s'agissait de Sept Veneers, par allusion au contreplaqué qu'il utilisait pour murer une petite remorque lui servant à transporter un malaxeur à ciment d'une 'job de solage' à l'autre. Ce soir-là, c'était le *shower* de son fils, qui épouserait la semaine suivante une jeune fille d'une autre paroisse. La soirée aurait lieu au Château Maisonneuve. André y retrouverait ses amis et tâcherait d'y « lever une perdrix », ainsi qu'on désignait le fait de se faire une blonde. Entre-temps, après un bain à l'eau plutôt froide qui l'aida dans sa lutte contre sa chair, il se rendit à l'hôtel Central siroter une bière et entendre des jeunes de son âge parler de 'chars', de 'cul', de 'bidous' et de Maurice Richard, dont on ne se lassait pas de regretter le retrait définitif du hockey... Un propos de taverne qui n'élevait pas les esprits très haut, mais passait bien le temps.

Et après le souper vite pris, l'adolescent alla flâner au restaurant en attendant l'heure d'aller veiller. Mais... il semblait que les pistes du diable faisaient leur effet. Ou bien s'y remettaient... À mesure que le soleil descendait et rougissait sur l'horizon, le goût de profiter de l'absence des Grégoire pour aller sonner à la porte de la maison Jolicœur lui revint en force... La poitrine d'Éveline le fascinait plus que tout le reste, lui rappelant ces miches de pain mises à lever sous des linges à vaisselle en attendant que sa mère ne les enfourne dans des tôles pour les faire cuire et dorer à point... Au fond, c'était son premier amant, à la veuve, ce jeune homme de 16 ans parti de la paroisse, le véritable tentateur par ses révélations scabreuses... ou en tout cas fort érotiques...

Debout, devant la vitrine, à regarder l'église sans la voir, le jeune homme comprit tout à coup le sens profond d'une parole de son frère, prononcée ce jour-là. « Interroge les pierres tombales, et elles te parleront. » André n'avait questionné que celle des Grégoire et n'avait entendu que son mutisme aussi froid que sa personnalité de granit. Mais c'est devant ce monument qu'il avait eu l'idée d'aller essayer les pistes du diable. Peut-être bien qu'après tout, la pierre tombale avait parlé... Un joueur de tours enterré là, Honoré, Armand ou Luc, lui avait probablement inspiré l'idée de se rendre sur le cap à Foley. Et lequel des trois avait le plus vénéré ce cap et y avait passé le plus de temps au cours de sa vie ? Nul autre qu'Armand !

André l'avait bien connu, savait que l'homme était un alcoolique mort d'une tuberculose qui datait de loin, mais il ignorait son orientation sexuelle comme la plupart des gens à part ses collègues des études et de très rares amis de Saint-Honoré établis ailleurs depuis belle lurette.

Armand lui avait dit quelque chose. André savait son camp toujours là et jamais plus verrouillé comme jadis. On pouvait y entrer comme dans un moulin, mais qui encore s'intéresserait à ce lieu aussi exigu que vétuste où il ne se trouvait plus qu'un vieux sofa éventré sous un fusil à baguette accroché de travers sur un mur ? Personne ne s'y rendait jamais, et Freddé, qui avait réservé un grand terrain autour des bâtisses quand il avait vendu sa terre à Donat, tardait à faire démolir cette ancienne laiterie du vieux docteur Goulet où son frère avait passé tant d'heures, tant de jours, tant de nuits autrefois, où il avait reçu bien des gens, des prêtres, des malades de la consomption comme lui, des petites filles qu'il émerveillait avec ses patates frites...

D'autres jeunes vinrent flâner au restaurant. André les ignora sans le vouloir. Toute son attention allait à ses propres états d'âme et à ses désirs tenaces. Et la nuit commença de tomber. Le jeune homme sortait quand un ami lui dit:

– Tu vas pas au Château à soir?

– Plus tard.

– C'est le *shower* du gars à Saint-Venir...

– Oui, je le sais...

Mais des forces bien plus grandes agissaient sur lui, et il marcha du côté gauche du chemin pour qu'on pense qu'il retournait à la maison. À hauteur du bureau de poste, il traversa la rue, entra sur le terrain à Freddé puis emprunta le chemin Foley. Il ne vit pas qu'on l'avait vu. Assise sur la galerie, à se bercer, Éveline le reconnut dans le soir encore clair. Peut-être que la même main qui poussait l'adolescent vers le camp abandonné avait poussé la femme à se détendre à l'air plus frais de l'extérieur? De là à tourner la tête et apercevoir celui qu'elle avait surveillé durant la journée et vu essayer les pistes du diable, il n'y avait que le temps d'une suggestion venue de l'insondable...

Une petite lumière mais pas de vie chez Donat Bellegarde. Le calme plat chez Bernadette. Il eût fallu que Marie-Anna ou son époux Raoul soient dehors pour le voir aller vers le camp ou bien dans la vitrine de leur magasin de meubles que la femme musicienne avait ouvert quelques années plus tôt dans leur grande maison. La famille vivait à l'arrière de la bâtisse...

Le jeune homme tourna la poignée et poussa la porte qui s'ouvrit sans peine sur un grincement des gonds. Des petits rideaux de matière plastique obstruant les fenêtres, l'intérieur était plongé dans une pénombre assez profonde et ne laissait à l'œil que la permission de discerner la forme des objets, en fait les seuls divan et fusil que tous savaient là mais qui n'intéressaient personne.

Il y avait comme une odeur de vieux mégot qui flottait dans l'air. Pourtant, rien de putrescible n'avait été laissé là par Bernadette, la maniaque de propreté, et la senteur devait naître dans les bois cachés sous la tapisserie, envahis peut-être par des insectes. Non, c'était le remugle qui se dégage toujours des vieilles choses enfermées et privées d'air frais et d'oxygène pendant longtemps.

Où donc se trouvait la réponse que le jeune homme venait chercher en cet endroit où même une âme n'aurait guère eu envie de se réfugier ?

Il laissa entrer le peu de lumière que le ciel dispensait encore par la porte qui ouvrait sur l'intérieur. Et attendit sa réponse. C'est pourtant de l'extérieur qu'elle vint. Un bruit de pas dans le gravier du chemin Foley. La dernière personne du village qu'il aurait cru voir là, c'était la veuve Éveline. Il sentit ses jambes flageoler quand il reconnut sa voix d'abord puis sa personne dans l'embrasure :

– J'voulais toujours m'informer comment que ça allait dans tes études, mais ça adonnait pas... T'es là, André ?

– Oui, madame...

Elle entra en parlant pour ne rien dire :

– C'est comme j'te dis... j'sais que t'étais aux études à Sherbrooke... c'est là que les Grégoire sont tous rendus aujourd'hui... ils vont célébrer le vingt-cinquième anniversaire de prêtrise de l'abbé Foley... J'te dis que Bernadette, elle était émue ces jours-ci...

Ils pouvaient se distinguer l'un l'autre dans le soir tranquille. Elle baissa la voix comme pour dire par le ton qu'elle venait pour autre chose que prendre des nouvelles.

– Sais-tu, André, que t'es le plus beau garçon du village ? C'est Claire-Hélène Gilbert qui l'a dit à Pit Roy qui me l'a dit. Et je te le dis à mon tour... Claire-Hélène est une femme qui a de l'œil comme tu vois...

Lui se dit aussitôt que cette opinion devait être venue à Claire-Hélène parce qu'elle l'avait vu tout bronzé dans son *sport coat* blanc à la mode. Car il ne voyait que ses défauts quand il se regardait dans un miroir : oreilles décollées, bosses dans le front, nez trop long, lèvres trop ourlées, paupières qui lui donnaient l'air triste.

Éveline dut parler de nouveau devant le silence du jeune homme, qui était à bout de souffle sans avoir couru le moindrement :

– Sais-tu... y a personne chez Bellegarde... ça fait qu'on est tout seuls, tous les deux dans le camp à Armand. Je t'ai vu sur le cap à Foley après-midi... c'est Armand qui doit t'avoir fait penser de venir dans son camp...

André promenait son regard sur les formes plus que généreuses de la sexagénaire. Et de nouveau, le grand effet des pistes du diable l'envahit, pour se répandre partout en sa personne et plus particulièrement au plexus solaire en descendant par le milieu...

– Y a un divan, dit la femme. On devrait s'assire pis jaser un peu. T'es pas pressé d'abord... pis moi non plus. Assis-toi, je ferme la porte. J'aime ça, moi, le noir. Toi ? Me semble que c'est dans le noir qu'un homme pis une femme peuvent se voir le mieux. Quel âge que t'as, André, asteure ?

– Ben...

– As-tu tes 20 ans ?

– Dix-neuf.

– Le bel âge. Je m'en souviens comme d'hier. J'étais pas mariée... Es-tu assis comme il faut, là ?

– Ben... oui...

– J'arrive...

En prenant place, elle le toucha et se mit à rire :

– J'espère que ça te fait rien de te faire frôler par une femme de mon âge ?

– Ben... non...

– Laisse-moi te frôler encore... le plus beau gars de la paroisse, on a pas envie de faire mal à ça...

Il sentit le corps féminin se rapprocher. Elle prit garde de ne pas se coller contre lui pour ne pas l'effaroucher. En femme d'expérience, elle connaissait les excès de vitesse masculins, mais aussi les peurs parfois des hommes, surtout les plus jeunes, et qui les faisaient entrer dans des marches en arrière étonnantes.

Ce qu'elle savait de celui-ci, c'est qu'il avait envie d'elle. Elle l'avait lu dans son regard. Et plus d'une fois en le croisant sur le trottoir ou ailleurs... Une femme saisit vite ces choses-là. Et elle se disait que ce n'était pas par hasard si elle l'avait vu aller au cimetière puis sur le cap à Foley ce jour-là, que ce ne pouvait pas non plus être le fruit du hasard si elle l'avait vu, dans la pénombre du soir couchant, venir au camp à Armand. Tout comme elle avait toujours su que son voisin, de son vivant, l'observait quand elle était dans sa chambre. Tout comme elle savait qu'il l'avait vue avec son premier amant puis les autres ensuite...

C'est Armand Grégoire, elle en avait la profonde conviction, qui lui offrait ce beau spécimen probablement tout neuf. Elle ne devait pas manquer sa chance...

Lui qui désirait faire l'amour depuis la puberté se sentait mal à l'aise pourtant. Comme si cette femme faisait intrusion dans son intimité. Et il restait dans sa conscience, déformée par la religion, le parasite du remords. *Qu'est-ce que l'impureté?* demandait le petit catéchisme en page 12. *L'impureté est une affection déréglée pour les plaisirs de la chair.*

La femme exhalait un parfum prononcé qui tenait éloignée l'odeur de vieux passé présente dans l'air du camp. Il n'entrait à l'intérieur qu'un soupçon de lumière, et c'était celle des étoiles lointaines de cette nuit sans lune. Tout aux alentours enveloppait la cabane d'un silence profond.

Éveline mesura sa voix pour dire en grande douceur :

– J'aime donc ça, un garçon comme toi qui a pas peur d'avoir peur. T'as du cran... je l'ai vu dans tes yeux sur le chemin l'autre jour... Tu m'as regardée comme pour me dire que tu me voulais... C'est pour ça que j'sus venue quand je t'ai vu venir ici... Donne-moi ta main... donne...

Il obéit, main tremblante, craintive, hésitante. Elle ne le brusqua point et la posa gentiment sur sa poitrine.

– As-tu déjà touché une fille comme ça ?

– Ben... euh...

– Prends de l'expérience... ensuite, tu vas savoir quoi faire pour plaire...

Il bougea les doigts sur le sein droit. Ça lui rappela ces boules de pain en train de lever dans les tôles sous un linge à vaisselle. Cette même pensée, ce même souvenir l'avaient accompagné dans sa décision de venir dans ce camp. Mais voilà qui ne stimulait pas sa sensualité autant qu'il l'aurait cru. Autre chose se produisit, qui lui arracha un cri de plaisir intense. La main d'Éveline glissa sur la face antérieure de sa cuisse puis à l'intérieur jusqu'à ce qu'elle trouve l'objet de sa quête... La seconde d'après, ledit objet avait durci à éclater.

– T'es quasiment un vrai homme, mon grand, là...

Il ne put répondre que par de longs soupirs entrecoupés de soupirs frissonnants. De sa main libre, elle s'empara de celle qui la touchait et la fit glisser à l'intérieur de sa robe pour que le contact soit en progrès.

– Tu peux aller dans ma brassière si tu veux...

Il y avait maintenant de l'excitation très forte dans l'air et un brin de vulgarité dans la manière de dire. Voilà qui fit reculer, non pas le désir charnel du jeune homme, mais sa volonté de lui céder. Un autre enseignement du petit catéchisme appris par cœur lui vint. C'était la question numéro 432... *Que défend le sixième commandement*? – Le sixième commandement défend: 1e *toute familiarité et toute immodestie sur soi-même ou sur d'autres, par pensées, regards ou actions*; 2e *toute indécence dans le vêtement*; 3e *tout ce qui conduit à l'impureté, comme les tableaux et les spectacles déshonnêtes, les danses vives, les livres et les journaux immoraux...*

Mais l'adolescent ne parvenait pas à se soustraire à l'emprise de la femme et il se sentait bouleversé dans l'âme et damné dans sa chair. Un raisonnement lui vint. Comment donc Éveline avait-elle pu s'adonner à le voir aller sur le cap à Foley puis, plusieurs heures après, venir dans le camp à Armand? Le diable lui parlait-il donc à l'oreille?

Elle fit glisser la fermeture-éclair, et le diable autant que le petit catéchisme disparurent de la tête du jeune homme quand la main explora son intimité. Ah, s'il avait donc été femme, il aurait pu crier au viol! L'eût-il voulu de toutes ses forces qu'une force encore plus grande, celle de sa libido, lui aurait fermé le clapet tout net!

Dans une salle de réception, à cent milles de distance, l'on portait un *toast* au jubilaire. Et on but le vin de l'amitié. L'abbé Foley leva comme tous son verre et il s'en servit pour pointer discrètement diverses personnes de l'assistance dont d'aucunes à la table d'honneur telles Bernadette et Berthe Grégoire.

Au Château Maisonneuve, les futurs mariés arrivaient et on les applaudissait chaleureusement alors qu'ils marchaient, émus et timides, dans l'allée centrale, éclaboussés par la lumière d'un projecteur qui les faisait rougir encore plus.

De l'autre côté de la clôture du grand champ, pas loin du camp, le cheval roux semblait dormir debout. Il avait la tête par-dessus la clôture et ne bougeait pas d'un poil dans le silence de la grande nuit d'été...

Jusqu'à ce moment, Éveline avait tenu compte de la fragilité probable de ce jeune homme encore puceau à travers ses propres pulsions qu'elle bridait du mieux qu'elle pouvait. Mais quand il introduisit sa main à l'intérieur de son soutien-gorge pour toucher sa poitrine, chair contre chair, elle sut qu'elle n'avait plus à s'inquiéter pour son amant et que l'affaire était dans le sac...

Ce doux péché prémédité avait déjà trouvé son accomplissement dans les deux volontés en présence. Celle d'elle surtout, qui avait enlevé sa petite culotte avant même de venir là, comme Éveline le faisait le plus souvent quand elle se rendait à un rendez-vous galant avec un amant en voiture...

Il était temps de passer de la verticale à l'horizontale.

Elle n'avait pas insisté dans sa caresse préliminaire sur la chair masculine par crainte d'une explosion prématurée. Il lui fallait encore pour quelques secondes diriger la symphonie...

– Lève-toi debout... ôte tes pantalons pis... viens sur moi...

André savait ce qui venait, et plus rien ne l'aurait empêché de plonger. Corps et âme. Pas une des 508 réponses du petit catéchisme n'aurait eu le plus minime effet sur son érection, plus dure et plus longue que la flèche de l'église elle-même...

Le bruit du cuir et les mains qui le prirent par les cuisses lui firent savoir que la femme s'était étendue et l'attendait, et l'espérait sûrement. Il finit de se débarrasser de tout ce qu'il portait, arrachant même des boutons de sa chemise. Puis, tâta du genou et de la main. La robe était levée jusqu'à la taille. Et le bustier descendu jusqu'à la taille. Éveline savait d'expérience lointaine que le désir est décuplé dans le noir. Là, bien plus encore qu'une certaine pudeur à cause de ses formes alourdies, résidait sa quête de noirceur au moment des grandes séductions.

– Viens plus haut vers moi, dit-elle en chuchotant quand elle constata où il se trouvait en tâtant ses épaules.

Il avança ses genoux. La femme l'attira sur elle puis guida sa chair dans la sienne. Les caresses préliminaires n'avaient pas duré bien longtemps, mais la situation elle-même faisait office de fort longs préludes. Ce désir de l'un pour l'autre durant des mois voire des années avant ; cette chaude journée où chacun avait été poussé vers l'autre par une force inconnue ; cette nuit silencieuse, étoilée, parfumée ; cette complicité dans la recherche fébrile du plaisir interdit... Et peut-être, qui sait, le cheval roux qui entendait tout en ayant l'air de dormir debout...

Tout l'être masculin se réunit en un même endroit pour se lancer dans cet immense et intense voyage de retour à l'utérus. Chaque cellule de son corps reçut un message venu d'une seule et même souche : celle, divine, de l'instinct de reproduction et du plaisir originel.

Aspiré, avalé par une chaude humidité, libéré de toute hésitation, de tout remords, le jeune homme était devenu mâle, emporté par sa nature de mâle, et il engagea un mouvement que sa nature mâle lui commandait.

La sexagénaire perdit soudain 40 ans. Hors-jeu la distance de l'âge ! Bien plus encore que le soir où elle avait pris l'innocence de Jean d'Arc, son premier amant, surtout son premier jeune amant, voici qu'elle vibrait corps et esprit à sa propre jeunesse. Tout ce qu'elle avait refoulé, tout ce qu'on l'avait incitée à rejeter dans les basses-fosses de son âme, tout ce qu'elle regrettait avoir réprimé d'elle-même se transformait en jouissance de la vie. De ce que la vie donne et qu'il faut prendre pour ne pas le perdre à jamais.

Elle commença d'émettre des gémissements qui s'harmonisaient aux coups de boutoir reçus. Le plaisir rayonnait par toute sa substance de femme. Le plaisir s'ajoutait au plaisir à chaque seconde.

– Continue ! Continue ! Continue ! Oui... Oui...

Ces mots érotiques haut de gamme, elle se les adressait à elle-même et à sa propre libido tout en sachant, sans se le dire dans l'instant même, qu'ils stimulaient terriblement celui qui la chevauchait, emporté par un instinct fixe : celui de libérer sa charge nucléaire.

Pour lui, c'était la noyade de toute son adolescence dans une mer de sensualité. Il se sentait nager en Éveline et sur le point d'émerger d'elle en homme, en nouvel homme sur une terre neuve. Et c'est sur un grand cri, presque primal, qu'il se répandit au cœur même d'un orgasme féminin...

Une relation hautement réussie pour les deux ! Et surtout inoubliable ! Marquante ! Aux magnifiques séquelles...

Ils se détachèrent l'un de l'autre en silence. Elle brisa la glace des derniers sursauts de plaisir qu'on sentait dans les souffles raccourcis :

– Tu regrettes-tu ton coup, mon homme ?

– Quoi ?

– Tu regrettes-tu ce qu'on a fait ?

La question suggérait au nouvel homme qu'il pouvait ne pas regretter, qu'il ne se trouvait dans cette relation charnelle que le seul mal qu'il voulait bien y trouver, donc aucun mal s'il n'en voyait point...

Il éluda la question par une autre :

– Pourquoi c'est faire que je le regretterais ?

– La peur du péché, tout ça.

– Ben...

– Faut pas regretter ce qui nous fait du bien. On regrette ce qui nous fait du mal, pas ce qui nous fait du bien. Ça t'a fait du bien de venir dans moi ?

– À plein du bien !

– T'avais pensé que ça pourrait se faire quand tu me voyais sur le trottoir ou ben au magasin ?

– Ben...

– Oui ou non.

– Oui.

– Tu le voulais. Tu le désirais. T'es content de l'avoir fait. T'as rien à regretter.

La même question était posée à l'abbé Foley, mais à propos de bien autre chose :

– Tu regrettes pas ta vie, Eugène ? lui demandait Bernadette avec qui il parlait un peu à l'écart des autres.

– Regretter ma vie : non ! Mais y a des regrets. Et y en a un que tu connais, que tu connais, Bernadette... que tu connais mieux que moi peut-être...

Elle en eut les yeux ras d'eau...

À la porte de l'hôtel où s'étaient retrouvés le père et le fils pour prendre l'air, Saint-Venir demanda de sa voix puissante et pointue qui couvrit tout le stationnement sombre :

– Tu regretteras pas ta vie de garçon toujours, toé ?

Jean-Luc eut une seconde d'hésitation, eut l'air de réfléchir, finit par répondre :

– Ben non !

Ça ne ressemblait pas au non de la certitude...

Jos se mit à sauter et à courir dans la nuit, lançant sa queue en l'air et ses pattes arrière. Il ginguerait ainsi un bon bout de temps, sans jamais s'approcher du lieu de sépulture de sa mère avec qui la Patte-Sèche partageait sa tombe...

Une auto entra sur le chemin Foley. Sans doute Donat Bellegarde qui rentrait à la maison avec sa famille. Éveline et André purent alors se voir assez nettement pour la première fois dans cette nuit de plaisir.

Elle se fit inquiète :

– Falloir faire attention pour pas se faire voir en partant.

Lui regarda vers la porte, puis au-dessus, où il aperçut un vieux crucifix, celui-là même que Bernadette avait imposé à son frère jadis après qu'il eut ôté celui de l'abbé Fortin. La pensée des souffrances du Christ sacrifié pour les péchés du monde lui vint en tête, et ça lui valut un formidable coup de pied au derrière que lui assena le remords en personne.

– Le mieux, reprit la femme, ça va être de passer une heure ou deux encore à se... à se faire plaisir...

Et elle le toucha de nouveau à la cuisse. Un homme de cet âge était capable de galoper à plusieurs reprises dans la même soirée, songeait-elle avec un regard qui brilla sous les derniers rais entrés par les interstices entre le mur et les rideaux de plastique rétrécis.

– Y a personne qui t'attend toujours ?

– Bah ! c'est la veillée du gars à Saint-Venir...

– Tu veux y aller ?

– Pas nécessaire !

– On ferait mieux d'attendre une secousse avant de sortir du camp. Ça sera pas long que l'envie va te revenir de...

Elle poussa plus loin sa main exploratrice. Et le crucifix disparut dans la noirceur. Regagné par l'anxiété devant les conséquences du péché mortel, André fit alors un premier constat en tant qu'homme nouveau-né, et ce fut que le sperme et le remords se comportent comme des liquides dans des vases communicants : plus l'un augmente dans un tube, plus le second baisse dans l'autre...

S'il avait possédé un septième ou un huitième sens, peut-être aurait-il entendu à ce moment et par la suite, quand il reprit ses ébats avec la veuve, Armand Grégoire rire à gorge déployée depuis le fond des enfers... (Le mot « enfer » n'ayant rien à voir ici avec l'enfer des damnés tant redouté par les pécheurs, surtout ceux qui commettaient le très vilain péché de l'amour.)

∞∞∞∞∞∞∞

Chapitre 32

1961...

Honoré Grégoire déserta de l'armée, où il se sentait bien malheureux. Ce milieu qu'il avait choisi pour son ordre et sa discipline afin de rétablir son équilibre émotionnel ne lui seyait aucunement. La police militaire lui courut après. On l'embarqua et on le ramena à Valcartier. Son père téléphona au psychiatre qui le traitait durant ses séjours à l'hôpital et, après quelques démarches, on obtint sa *discharge* (libération). Le jeune homme retourna vivre à Saint-Honoré pour quelque temps et s'y fit d'une totale discrétion. Il ne songeait plus qu'à s'établir ailleurs pour y vivre de ses talents de menuisier. Plus question de reprendre le magasin qui n'était plus, de toute façon, qu'un dépanneur et encore ! Surtout, il voulait se soustraire aux regards de condescendance, échapper à son passé, renaître.

Cette renaissance passerait par une jeune personne agréable et généreuse, originaire de l'autre bout de la Beauce. Sa rencontre avec elle ne tarderait pas. Mais son départ de Saint-Honoré signerait la fin de la lignée Grégoire dans la paroisse ; plus personne n'étant en mesure d'assurer la descendance sinon ailleurs. Il resterait dans le giron paroissial Solange, Rachel, Alfred et Bernadette : point final. Le seul minime espoir qu'il pouvait rester à Émilie et à Honoré dans l'au-delà, c'était la possibilité à peu près nulle de voir un

Grégoire de quatrième génération revenir un jour vivre au pays de ses ancêtres...

∞∞∞

Le rire des Grégoire, qu'avait apporté Honoré avec lui de Saint-Isidore en 1880 et transmis à ses enfants et petits-enfants, se disperserait à jamais aux quatre coins du pays, s'atomiserait pour disparaître du cœur des paroissiens quand les trois survivants sur place disparaîtraient. Ce rire, comme un bel oiseau semeur de joie, s'envolerait pour ne jamais revenir. (Peut-être pas si un jour, l'histoire de la famille devait faire l'objet d'un ou de plusieurs livres...)

Même que le berceau chaque année se voyait amputé d'une de ses composantes. Les gens qui avaient connu les fondateurs disparaissaient les uns après les autres. Le 1er juillet, ce fut le grand départ pour Elmire Lepage à l'âge de 86 ans. Dernier survivant de sa famille, son frère Jos ne s'attarda pas ici-bas, et il mourut à son tour le 31 du même mois à l'âge respectable de 78 ans.

Et en septembre s'éteignit Denise Carrier qui avait été au service des Grégoire autrefois. Mais en novembre, la mort se rapprocha de la famille, même si elle frappa ailleurs qu'à Saint-Honoré. Stanislas Michaud mourut à Québec le 28 novembre, terrassé par un autre infarctus.

Alice encaissa la perte de son conjoint bien-aimé avec le courage qui la distinguait. Mais au-delà des apparences, cette séparation définitive lui infligea une grande souffrance qui prit plusieurs années à s'estomper. Puis, peu à peu, elle reprit ses anciennes habitudes. C'est avec Gabrielle qui prenait place derrière le volant qu'Alice partait, chaque été, pour le lac Mégantic devenu pour elle, au fil des ans, plus important que son Saint-Honoré natal...

Un clocher dans la forêt, par Hélène Jolicœur

Ernest refusa de signer pour son fils, et André ne fut pas en mesure d'acheter l'auto de son voisin, du moins, pas encore. Ce jour du mois d'août, il devait à tout prix se rendre à Thetford pour une réunion de professeurs de l'école où il travaillerait en septembre. Lui qui avait pratiqué l'auto-stop durant toutes ses études, faute d'argent pour prendre l'autobus, s'en remit à cette forme de dépannage. Il se leva de bon matin, et le hasard lui fit rencontrer, dès sa sortie de la maison, une nouvelle superbe blonde qui émergeait de la maison à Bernadette. Même qu'elle lui adressa un semblant de sourire quand ils se croisèrent. « Facile d'oublier Madeleine quand on en voit une encore plus jolie, » se dit-il en poursuivant sa marche vers la sortie du village. Mais en passant devant la maison Jolicœur, il eut un certain remords. Plus rien ne s'était passé avec Éveline après leur nuit chaude. Et la femme semblait s'effacer. De toute façon, elle avait renoué avec Philias Bisson et ne s'en cachait qu'à moitié le soir à la brunante quand ils établissaient contact pas loin du cimetière... Et, signe du ciel peut-être, Freddé avait donné le camp d'Armand à Donat Bellegarde qui l'avait déménagé à l'autre bout de la terre pour s'y détendre à l'occasion et manger entre deux travaux de semailles ou de récolte...

Le jeune homme leva le pouce : la voiture s'arrêta. On le connaissait. Monter ne lui permettrait de franchir que deux milles sur la Grand-Ligne. Il salua, remercia, mais s'abstint. Le même manège se reproduisit deux fois dans la demi-heure qui suivit, et il eut le temps de se rendre à la dernière maison du village. Puis, il vit venir Honoré Grégoire dans son auto noire qui s'arrêta.

– Je m'en vas à Thetford. Toi ?

– Moi aussi.

– Ah oui ?

– J'ai une réunion de professeurs là-bas, qu'il faudrait pas que je manque.

– Embarque !

Ce qui fut fait.

– Ben j'ai trouvé de l'ouvrage par là-bas. Pour quelque temps, je vas voyager le vendredi pis le lundi.

– Si tu veux un passager, je vais te payer mon voyage ?

– Si tu veux.

– Tu me feras ton prix.

Sur la côte à Quirion, pas très loin, on aperçut plusieurs autos arrêtées sur les accotements dans les deux directions. Puis, l'on fut doublé par une voiture qui allait à toute vitesse et que l'on reconnut être celle du médecin député.

– Un accident ! dit simplement Honoré.

Il stoppa sa voiture à son tour au bout de la filée de droite, et les deux hommes en descendirent pour voir de quoi il retournait. On aperçut un tracteur de ferme couché sur le côté dans le fossé gauche. Et plus loin, entre le pavage de la route et les végétaux du bord, un corps étendu dans le gravier. Quelqu'un de la famille Poirier du voisinage arriva avec un drap qu'il déposa sur ce qui avait tout l'air d'un cadavre et non plus d'un être vivant. La docteur arrivait auprès de la victime ; il s'agenouilla, posa sa trousse, sonda le pouls, examina les pupilles, écouta le cœur.

Puis, solennellement, il tira le drap jusque par-dessus la tête, ce qui indiquait la mort. On sut par des réponses à des questions qu'il s'agissait d'un jeune cultivateur habitant le rang Petit-Shenley. Il venait au village, et on avait heurté son tracteur par l'arrière juste après la côte à Poirier. Un bête accident par un beau jour ensoleillé.

– C'est Victor Fortin, dit Honoré à son passager. Il a dû se faire casser le cou ou la colonne. C'est dangereux, se promener en tracteur sur un grand chemin comme la Grand-Ligne.

C'est Clément Roy qui l'a frappé. J'aimerais autant que ça m'arrive pas... je veux dire tuer quelqu'un, même sans le faire exprès comme ça.

Plus blême que le drap recouvrant la victime, Honoré regarda sa montre et annonça qu'il fallait repartir. Mais à ce moment, un nouveau loustic, à la curiosité morbide celui-là, s'approcha et souleva le drap pour voir la dépouille. Le pauvre homme accidenté avait la bouche entrouverte, et ses dents apparaissaient tandis que ses yeux ternes fixaient le vide. Aucune blessure apparente; pas une goutte de sang, pas même s'échappant des narines. La mort avait opéré sans faire de bavure. Un coup sec et les vertèbres s'étaient brisées sans plus. Assez pour commander à l'âme de s'envoler ailleurs...

– Viens, on s'en va!

– O.K.

Et ce fut silence dans la voiture presque tout le long de la route. Honoré se fit jongleux. Il craignait la mort tout autant que sa maladie épisodique. Quand son passager se plaignit que son père refusait de signer pour l'achat d'une auto, il jeta laconiquement, comme si la chose allait de soi:

– T'as qu'à forger sa signature. Il peut pas rien lui arriver; il peut pas rien t'arriver. Des fois, dans la vie, faut pas attendre que les autres nous comprennent, faut agir par soi-même. Si on peut, c'est sûr...

– Forger la signature, c'est pas si simple...

– T'écris de la main gauche sur un matelas en regardant la signature de ton père; ton cerveau va faire le reste.

– Ouais...

À son retour de Thetford Mines, l'enseignant connut deux bonheurs dont l'un: il put dire à son ami qu'il achèterait son auto, une Pontiac 1957 très puissante, à changement de vitesses manuel, dépourvue de ceinture de sécurité, d'appui-tête... L'engin idéal pour se tuer sans bavure. La transaction pourrait avoir lieu dans une semaine ou deux, le temps de prendre son permis de conduire. Second bonheur, il lui fut donné de connaître un peu mieux la jeune fille blonde nouvellement arrivée chez Bernadette. Même que Claude Cloutier l'avait devancé, qui possédait tous les renseignements sur elle pour avoir emmené la jeune fille veiller au Château Maisonneuve le samedi d'avant. Mais il était prêt à la refiler avec l'auto vu qu'il partirait sous peu, sitôt ses affaires arrangées, pour aller travailler à Montréal.

Elle avait pour prénom Bibiane, pour âge 19 ans, pour père un cultivateur de Saint-Martin.

∞∞∞∞∞∞∞

Chapitre 33

1962

Séraphie Crépeau, veuve de Cyrille Bourré-ben-Dur Martin, s'éteignait à l'âge de 77 ans tandis qu'on était à construire une école primaire au voisinage du presbytère, sur le terrain où s'élevait naguère la grange du curé, une bâtisse miraculeusement sauvée d'un incendie ayant dévasté la boulangerie, voisine de quelques pieds seulement, grâce aux médailles du curé Ennis qui avaient fait office de barrage coupe-feu entre les deux constructions de bois.

Plus près de la rue principale, le vieux couvent dormait, bien enveloppé, lui dans son revêtement d'amiante qui le mettait à l'abri du feu, du moins d'étincelles provenant de sinistres aux alentours s'il devait s'en produire.

Alfred Grégoire un matin ferma son magasin. Pour l'éternité. Son temps comme marchand avait vécu. Il ne procéda à aucune vente de fermeture. Les frères Champagne achetèrent les maigres inventaires par reconnaissance pour cette loyauté dont Freddé avait fait preuve tout au long de sa vie active à titre de concurrent.

Devant les événements, les grands départs, les signes des temps, Bernadette devint plus nerveuse. Impatiente. Il lui manquait quelque chose. Une œuvre. Une promesse à remplir, promesse faite à la sainte Vierge. Il lui fallait à tout prix ériger enfin cet abri spirituel dont elle rêvait et parlait depuis tant d'années : la grotte dédiée à la Vierge Marie, réplique à l'échelle de celle de Lourdes.

Pour garnir sa grotte, Eugène Foley, son ami d'enfance devenu prêtre, lui offrit une statue de la Vierge Marie, celles de deux anges et une dernière représentant Bernadette Soubirous. Le long du chemin d'accès, Bernadette s'en donnait à cœur joie et exprimait à cet endroit tous ses talents de jardinière...

Un clocher dans la forêt, par Hélène Jolicœur

Lors de l'inauguration, Eugène Foley vint officier une brève cérémonie qui eut lieu un beau lundi soir douillet de la fin du mois d'août en présence de plusieurs invités, surtout des gens du voisinage immédiat parmi lesquels Marie-Anna et Raoul Blais, Anne-Marie et Napoléon Lambert, la veuve Poulin, les frères Mathieu, Itha et Jean Pelchat, Amanda et Alfred ainsi que Fortunat Fortier, l'hôtelier dont l'épouse portait aussi le nom de Amanda Nadeau : coïncidence plaisante.

Les pensionnaires sortirent toutes pour ajouter leur nombre de cinq personnes maintenant à celui des voisins. Elles restèrent regroupées, jasant de tout et de rien. Et voici que sur le trottoir, soutane battue par l'énergie de ses jambes, apparut le vicaire Plante, dont le visage rougissait davantage à chaque pas qu'il faisait et à mesure qu'il approchait du lieu de l'événement édifiant auquel l'avait délégué le curé Ennis que ses fonctions lourdes retenaient au presbytère.

– Mon doux Jésus, si c'est pas monsieur le vicaire ! s'exclama Bernadette en le voyant venir.

Gildas éclata de rire. Un rire nerveux dont il se servait pour abriter ses embarras, sa timidité naturelle. Et il n'eut pas à frapper à la porte du groupe pour qu'il s'ouvre. Les pas que fit Bernadette vers lui constituaient l'ouverture qu'il n'aurait pas à chercher.

– Monsieur le curé pouvait pas venir, dit l'homme en noir, qui pressait le pas pour atteindre le groupe au plus tôt. Il m'envoie pour représenter le presbytère.

– Que j'en suis donc heureuse ! Ah oui, ah oui !

Les jeunes filles, l'air de rien, jetèrent toutes un coup d'œil à ce prêtre trop beau pour l'être.

Mine de rien lui aussi, André se rapprocha du groupe de jeunes filles. Madeleine lui sourit. Il ne répondit pas de crainte qu'elle vienne lui parler alors que tout son intérêt allait à Bibiane.

Les deux Amanda se parlaient de jardinage ; Alfred et Eugène Foley, du vieux temps ; Fortunat et Jean Pelchat, de la terre à Ernest qui était sans doute à vendre d'après l'un et qui soulevait l'intérêt de l'hôtelier commerçant. Éveline et Itha se parlaient, quant à elles, de tout le travail que la grotte avait requis et de ses attraits évidents.

Madeleine savait par Bernadette que ce gars d'en face s'intéressait à la nouvelle pensionnaire et, pour se faire pardonner sa joyeuse infidélité de l'autre mois, elle s'approcha pour la lui présenter.

Le jeune homme salua mais ne tendit pas sa main qui tremblait trop au bout de son bras ballant. Et Madeleine eut le tact de leur tourner le dos aussitôt pour les laisser seuls.

– Ça faisait longtemps que Bernadette voulait faire bâtir une grotte dans sa cour.

– Ah ?

– Moi, je reste en face...

– Je le sais, je te vois tous les jours.

– C'est sûr ! Mais je travaille à Thetford... Ben pas encore, mais à partir du mois de septembre.

– Tu vas aller vivre par là-bas ?

– Non, ben non ! Rien que sur semaine. Le vendredi, je vas revenir par ici jusqu'au dimanche.

Le jeune homme devait laisser toutes les portes grandes ouvertes. Il reprit sur le même souffle :

– J'ai acheté l'auto à Claude Cloutier. Je vas l'avoir dans quelques jours. Aurais-tu le goût de venir au Château avec moi samedi prochain ?

– Ben... tu me téléphoneras la veille.

– Ah !

À ce moment, le jeune homme leva les yeux et son regard rencontra celui d'Éveline. Chacun appuya sur le sien pour mieux pénétrer celui de l'autre. Bibiane ne pouvait se rendre compte vu qu'elle lorgnait du côté du vicaire que Bernadette présentait à deux autres pensionnaires. L'interlocutrice de la femme regardait du côté de l'abbé Foley, dont elle était, comme les sœurs Grégoire, une fervente admiratrice. Et donc, les regards de la veuve et du jeunot eurent toute liberté durant quelques secondes de se parler.

– Faudra se retrouver quelque part !

– Non, j'ai trop de remords.

– J'ai su que t'aurais une machine ; tu pourrais me prendre autour du cimetière.

– Je veux sortir avec une jeune fille pure.

– Ce que tu refoules, c'est perdu à jamais.

– J'aurais pas dû faire... ça... avec vous.

– C'est bizarre, tu m'as jamais dit tu.

Il pouvait saisir dans sa vision périphérique la blondeur de Bibiane qu'il rapprochait, par une entourloupette à saveur religieuse, des couleurs de la Vierge de la grotte : le blanc, le bleu, l'éclat... Tandis que la veuve lançait des lueurs de lubricité. Il lui parut que le spirituel non seulement tenait tête au charnel, mais gagnait la partie. Le coup de grâce à donner à sa relation coupable avec cette femme de plus de 60 ans, c'était de baisser les yeux, de baisser la tête, de signifier par cette attitude de chien battu un refus devant la perspective de toute rencontre ultérieure à caractère sexuel.

En ce moment, il regrettait d'avoir fait l'amour avec elle.

En d'autres mots, il regrettait de ne pas l'avoir fait plus jeune. Et bien plus souvent.

Tout dépendait de la pulsion du moment.

Mais peut-être que cette jeune personne l'aiderait, par sa seule présence, à renaître à l'innocence ? À tout péché miséricorde ! Suffisait d'avoir la contrition dans l'humilité...

Une voix se fit entendre par-dessus les autres et qui soulagea les silences dont celui qui s'était établi depuis quelques secondes entre Bibiane et André :

– Mes amis, dit l'abbé Foley, debout devant la grotte, au nom de mademoiselle Bernadette Grégoire, je vous dis merci de venir assister à la bénédiction de ce que vous voyez ici, une réalisation magnifique de la personne peut-être la plus pieuse de tout Saint-Honoré.

Fortunat lança en applaudissant :

– Oué, oué, c'est ben vrai, ça !

Dans la maison Mathieu, Ernest avait changé de chambre afin de voir lui aussi ce qui se passait près de la maison de la voisine d'en face (de biais). Il s'était assis dans la véranda et renouait avec de vieux souvenirs du temps de sa vie active et de sa santé. Il regrettait d'avoir si souvent fait la vie dure à Bernadette, de l'avoir rabrouée sans raison valable et simplement parce qu'elle était naïve et généreuse dans son propos. Ces valeurs, il les reconnaissait, maintenant que sa vie allait rapidement vers sa fin.

Trente ans avaient passé depuis son arrivée en ces lieux. Et trente ans plus tôt, c'était la mise en terre d'Honoré Grégoire, un homme qu'il avait à peine connu mais dont la marque profonde restait en maintes choses (et êtres) du cœur du village bien qu'à chaque année, elle s'estompât progressivement devant du neuf, devant autre chose.

L'homme comprenait que la pensée d'Honoré et de son épouse guidait leurs enfants ainsi que le veut la nature humaine et que cette pensée était peut-être pour l'essentiel dans la décision de Bernadette d'ériger son petit sanctuaire à ciel ouvert.

L'officiant poursuivit :

– La prière la plus appropriée en cette soirée d'inauguration de la grotte dédiée à la Vierge Marie m'est apparu être le cantique de Marie, qu'elle déclama devant sa parente Élisabeth de Judée. Le voici, ce cantique issu d'un cœur pur et si grand dans sa simplicité...

Mon âme loue la grandeur du Seigneur,

Et mon cœur est plein de joie à cause de Dieu, mon Sauveur ;

Car Il a bien voulu abaisser son regard sur moi, son humble servante.

Oui, dès maintenant, les humains de tous les temps me diront bienheureuse,

Car Dieu le Tout-Puissant a fait pour moi des choses magnifiques.

Son nom est saint.

Il aura pitié dans tous les temps

De ceux qui le craignent respectueusement.

Il a accompli des œuvres puissantes par la force de son bras :

Il a mis en déroute les hommes au cœur orgueilleux.

Il a renversé des rois de leurs trônes

Et Il a donné une place élevée à d'humbles personnes.

Il a accordé des biens en abondance à ceux qui avaient faim,

Et Il a envoyé les riches les mains vides.

Il est venu en aide au peuple d'Israël, son serviteur ;

Il n'a pas oublié de manifester sa bonté

Envers Abraham et ses descendants, pour toujours,

Comme Il l'avait promis à nos ancêtres.

La voix quelque peu nasillarde des Foley, le ton pris par l'abbé pour chanter le cantique de Marie, la douce brise du soir, les couleurs et les personnes en présence, tout cela avait de quoi édifier le cœur du jeune homme. Ce qui l'empêcherait de poser même un demi-regard du côté d'Éveline, la pécheresse, la tentatrice qui avait fait de lui un homme. Et pourtant, il savait fort bien qu'il avait couru après et surtout qu'il devait se savonner lui-même entièrement aux enseignements de la religion pour parvenir à ressentir un faible regret, un semblant de vrai remords.

Jamais parole d'évangile ne lui pourrait mieux convenir que la suivante en ce soir de réorientation de sa vie : *l'esprit est fort, mais la chair est faible*. Bizarrement, il lui vint en tête une sorte de phrase antithèse : *la chair est forte, l'esprit est faible*.

L'abbé Foley referma son petit livre rouge et s'adressa à l'assistance tout en la scrutant du regard comme pour bien imprégner chacun de son message :

– Cette grotte que nous bénissons ce soir représente la réalisation d'un grand et lointain rêve né dans le cœur de notre sœur Bernadette Grégoire. Pour ceux qui l'ignorent, cette maison où elle vit maintenant fut celle qui me vit naître un jour de juillet, plus précisément le 13, de l'année 1903. Je suis donc, hélas, plus vieux qu'elle d'une bonne année...

– Mais aussi jeune de cœur, lança Amanda Nadeau qui reçut un coup de coude de Freddé, lui signalant son erreur.

– Pour ça, oui ! Jeune de cœur, Bernadette l'est et le demeurera jusqu'au jour de sa mort. Et c'est jeune de cœur qu'elle retrouvera son Créateur dans l'au-delà... son Créateur et bien sûr, la bonne sainte Vierge Marie, mère de Jésus...

André n'écoutait guère. La présence devant lui de Bibiane le troublait profondément.

Bernadette écoutait chaque mot, le buvait littéralement. La présence devant elle de son ami Eugène la troublait profondément.

Qui aurait pu penser que la grotte constituait un sorte de ménage spirituel entre le prêtre et celle qui en était l'inspiration et, dans un sens, le maître d'œuvre ? Bernadette avait caressé le projet depuis des lunes, fourni l'idée, les matériaux, payé la main d'œuvre ; son ami Eugène, lui, avait meublé la grotte de ses personnages très saints. Un couple spirituel avait réalisé là de manière concrète une œuvre spirituelle ; il y avait en cela une sorte de mystère que seuls les deux intéressés étaient en mesure de saisir...

André se sentait des ailes lui pousser. Celles de la pureté retrouvée et d'un cœur qui s'émeut devant une belle de soir. Il y avait une ombre au tableau pourtant. Claude Cloutier se vantait souvent de ses exploits auprès des filles. Il disait avoir 'frenché' une collègue de travail, Thérèse Rouleau, dans la cave de la banque où ils travaillaient tous deux. Il racontait avoir peloté la poitrine de Fernande Champagne, une fille du Grand-Shenley, un soir qu'il l'avait eue à bord de sa Pontiac. Il se targuait d'avoir presque fait l'amour avec Lise Boulanger dans une pièce de la salle paroissiale, tout près du cimetière, au su et au vu des morts, ajoutait-il en s'esclaffant. Et comme il était sorti deux fois avec cette jeune fille-ci, nouvelle pensionnaire chez Bernadette, qu'il l'avait emmenée veiller au Château, que s'était-il donc passé par la suite ? Du *parking* ? Du *necking* ? Du... Il refusa de regarder le mot en face et pourtant, c'était bel et bien l'insupportable et si vulgaire *fucking* auquel il avait pensé... Au moment de faire les papiers concernant l'achat de l'auto, il questionnerait, saurait, verrait si Bibiane n'avait pas de l'usure déjà... plus encore que la Pontiac ?

– Pouvez-vous imaginer quelle émotion est la mienne devant l'œuvre accomplie ? Le saviez-vous, mais Bernadette et moi, un jour de notre enfance, avions d'un commun accord décidé de faire un gâteau...

– Mon doux Jésus, conte pas ça au monde, Eugène! échappa Bernadette qui tâchait le plus possible de vouvoyer le personnage devant ceux qui ignoraient la durée de leur amitié.

Le prêtre sourit. L'autre prêtre, Gildas Plante, éclata de son rire énervé. Eugène reprit:

– Cela se passait dans le sous-sol de la maison rouge de monsieur Grégoire ici présent, maison qui, bien entendu, appartenait à son père, monsieur Honoré Grégoire et à son épouse Émélie, tous deux de regrettée mémoire. Tout d'abord, on a conçu le projet. C'est Bernadette qui en a eu l'idée. Nous nous sommes rendus dans la cave de la maison rouge, et il nous a fallu, en premier lieu, fabriquer un poêle. Pour ça, on s'est servi de deux grosses boîtes de thé en tôle placées l'une sur l'autre, la boîte du bas servant à faire le feu et celle du haut servant de fourneau. Puis, nous préparâmes notre gâteau avec des biscuits écrasés, des œufs et de l'eau. (Je sais que Bernadette depuis ce temps-là a appris à faire la cuisine de façon plus... disons sophistiquée...)

L'abbé obtint des éclats de rire dont celui de Bernadette, qui hochait la tête tout en se cachant les yeux de honte. Il poursuivit:

– On a versé la pâte préparée dans le fourneau puis allumé le feu dans la partie du bas bourrée de copeaux. Les flammes s'échappèrent du poêle improvisé, et une épaisse fumée envahit la pièce. Affolement. Terreur quasiment. Tous les deux, nous courûmes au magasin en criant: «Au feu! Au feu! Le feu est pris dans la maison rouge!» Des clients du magasin et monsieur Grégoire, Honoré, bien sûr, s'amenèrent avec des seaux d'eau et ils éteignirent le début d'incendie. Furieux, et pour cause, monsieur Grégoire administra à la jeune Bernadette une bonne fessée...

– La seule de ma vie, mais je m'en rappellerai toujours, avoua Bernadette en promenant son regard honteux sur les assistants.

– Et j'ai failli en avoir une, moi aussi. Monsieur Grégoire me dit alors : « Si tu reviens ici faire des choses pareilles, tu vas avoir toi aussi une saprée bonne fessée, et de mes mains, à part ça ! » Ça m'a fait peur longtemps, et à mesure que je grandissais, la crainte s'estompait à mesure que mes fesses grossissaient...

La réflexion lui valut l'hilarité générale.

– Tout ça pour vous dire que les projets d'enfants, même s'ils partent de bonnes intentions, peuvent finir dramatiquement. Il n'en est pas ainsi de la grotte que nous inaugurons ce soir...

Éveline délaissa les quelques personnes se trouvant près d'elle, l'épouse de Jean Pelchat et celle de Victor Mathieu, pour donner l'air de retourner discrètement chez elle, mais elle parut aussi changer d'idée et revint vers l'arrière, assez près du lieu où se tenait André, à côté du groupe des jeunes pensionnaires. Il lui était venu à l'idée de comparer la force de son attrait à celui de la jeune fille qui intéressait ce grand garçon qu'elle désirait connaître intimement de nouveau quand l'occasion se présenterait.

Mais les paroles de l'abbé Foley l'empêchaient de dire quelque chose ou bien on l'aurait méjugée certainement. Elle se fiait à son aura pour agir en sa faveur. Son parfum, ses ondes, ses formes que le soir embellissait, érotisait...

Il l'aperçut s'approcher, se sentit mal à l'aise, comme si ce fait devait révéler à Bibiane qu'il avait été souillé par le péché de la chair, par l'impureté abominable à laquelle il avait consenti et qu'il avait recherchée. Sa conscience était tourmentée de regrets maintenant. Mais il n'y pouvait rien si ce n'est rester sur place, planté comme un piquet, écartelé entre son passé trop charnel et un futur qu'il voulait irréprochable.

La seule façon pour lui d'exiger que les jeunes filles fréquentées soient vierges et pures, c'était de l'être lui-même. Par chance, se disait-il, un pucelage d'homme se refait, lui...

– ... Nous avons eu la chance à Saint-Honoré de côtoyer une personne comme Bernadette dont la vie fut toute de dévotion pour la Vierge et mise au service de son prochain. Les cœurs purs devant la statue de Marie s'élèveront encore plus haut dans une atmosphère de vertu. Les pécheurs verront cette grotte et peut-être que ce seul regard permettra au repentir de poindre en leur conscience...

Cette fois, André écoutait les paroles de l'abbé. Il avait péché mais retrouverait son cœur pur... Décision finale. Et plus question de jeter un seul regard du côté de la veuve. C'est la jeune fille devant qui eut tout son intérêt, et elle seulement...

L'abbé Foley parla ensuite de Vatican 2, le Concile initié par le nouveau pape dit le bon pape Jean XXIII. Il souligna la jeunesse de cœur du vieil homme devenu chef de la sainte Église, dit qu'on ferait le ménage de tout ce qui était devenu désuet au sein de l'institution millénaire afin de la rendre plus attrayante et de son temps...

Quand il eut terminé, l'abbé bénit la grotte puis les assistants. Et Bernadette invita les gens à se rendre sur sa galerie, où les attendaient des canapés et du café. Mais d'abord, elle les remercia de leur présence et leur demanda de l'accompagner dans la récitation d'un *Pater Noster* et d'un *Ave*.

Une heure très édifiante prit fin.

Les pensionnaires rentrèrent. André retourna chez lui. Son père était assis en haut de l'escalier quand il pénétra dans la maison. Il lui demanda de sortir et d'aller prévenir Fortunat Fortier pour qu'il vienne le voir.

– J'ai décidé de vendre ma terre, maudit torrieu...

Par cette parole, l'homme de 62 ans décrétait qu'il n'aurait plus rien ensuite pour le retenir en ce bas monde... La transaction eut lieu dès septembre.

∞∞∞

Et ce mois-là, il y eut un décès au sein de la famille Grégoire. On s'y attendait. L'homme de 76 ans était malade depuis quelque temps : cancer du foie. Un mal qui ne pardonnerait pas. Il eut son service funèbre en l'église de Saint-Gédéon, et son corps fut enterré dans le cimetière paroissial.

Comme il l'avait promis solennellement, Arthur Boutin ne s'était jamais remarié après la mort de sa femme Éva plus de vingt ans auparavant. Il venait de la rejoindre dans leur éternité...

∞∞∞∞∞∞

Chapitre 34

1963

Après avoir trouvé que la jeune fille ne « marchait » pas avec les gars, du moins, selon son ami, le séducteur Claude Cloutier, voici qu'André demanda à Bibiane pour la fréquenter. Dès lors, il savait qu'il l'épouserait. Ce n'était plus qu'une question de temps.

Le mariage eut lieu le 20 juillet, journée mémorable s'il en fut puisque le ciel s'obscurcit alors que les nouveaux mariés partaient en voyage de noce. Sur le chemin de Lambton, ils purent s'arrêter et assister à une éclipse totale du soleil tandis que les invités observaient le phénomène depuis la galerie de la maison à Saint-Honoré.

– Mais ça sera pas le jour le plus sombre de notre vie ! déclara le jeune marié à son épouse avant de l'embrasser sans crainte du péché, puis de reprendre la route sans peur et sans reproche.

Au retour, leur logement les attendait au cœur du village de Saint-Honoré, au-dessus du restaurant. Lui enseignerait au vieux couvent que l'on avait rouvert pour les besoins du cours secondaire. Et elle deviendrait, à 20 ans, femme d'intérieur...

∞∞∞

– Mon p'tit Matcheu ? Ça d'l'air que tu vas faire l'école dans le vieux couvent ?

– C'est ça, oué...

L'homme qui passait en bas était perdu dans son cœur quoique sain d'esprit. C'est qu'il avait enterré sa femme Rosalie au printemps et qu'il avait du mal à s'en remettre. C'était aussi qu'il ne travaillait plus. Ainsi qu'il le disait souvent pour blaguer et masquer un peu sa tristesse de vivre, il s'était mis à 'la r'traite et à l'arthrite'... Pit Veilleux, l'ancien homme à tout faire d'Honoré puis de Freddé Grégoire, avait maintenant 65 ans. Sa Rosalie en avait 64 au moment de sa mort en mars. La famille ne comptait qu'un fils, Marcel, établi à Saint-Georges.

Il s'était arrêté sur la rue quand il avait aperçu le jeune professeur assis sur le balcon en train de préparer ses premières journées de classe de septembre. Sa façon de prononcer le mot Mathieu avait de quoi étonner Bibiane qui avait mis son nez dans le treillis de la porte pour tâcher de s'adapter à son nouvel état de vie.

– Ta femme, j'ai ben connu son pére... Freddé avait une terre dans le 2 de Saint-Martin, pis j'y parlais souvent à ton beau-pére...

– Ah ben !

– Pis ton pére, comment c'est qu'il va ?

– Toujours pareil. Le cœur, ça revient pas tout seul.

– Ah, maudite maladie d'tcheur ! Ça fait mourir quasiment la moitché du monde, ça.

Sa Rosalie aussi était morte du cœur.

– Si vous voulez aller le voir, le père, il serait pas fâché de ça, lui.

– C'est pas un' méchante idée que t'as là... Pauvr' lui, il s'est brûlé dans sa boutique de forge. Cuit par le feu, tué par l'ouvrage trop dure... Forgeron : un métché pour mourir ben jeune, ça. Y a Georges Pelchat qui travaille encore passé 70 ans, mais c'est son gars Georges-Édouard qui fait le gros de l'ouvrage dans la boutique. En plus que des ch'faux à ferrer, y en reste pas mal moins que dans l'temps. Mais eux autres, les Pelchat, c'est fait en fer, c'te monde-là. Sont forts comme des ch'faux... Anyway...

Pit avait le sentiment qu'on ne l'écoutait guère. De plus, il voyait venir Pit Roy, qui arrivait à hauteur de la maison à Bernadette. Ce serait un interlocuteur autrement plus intéressant parce que de son âge, même si leur allégeance politique était différente. Mais comment Pit Veilleux aurait-il pu ne pas être libéral puisque son neveu Jean-Paul Racine avait représenté la Beauce sous la bannière de ce parti durant quatre ans, de 1958 à l'année précédente, alors que la vague créditiste initiée par Réal Caouette, un tribun à forte image télévisuelle, avait balayé la moitié du Québec?

– Ben salut là!

– C'est ça...

Le jeune prof revint à sa tâche consistant à prendre des notes dans un livre de zoologie pour les transcrire dans un cahier de préparation de classe.

– J'peux te déranger une minute? lui dit sa jeune épouse.

– Ben...

Elle n'attendit pas la réponse et vint s'asseoir sur l'autre berçante. Il croyait qu'elle aussi avait le goût de voir autre chose que l'intérieur du petit logement, de regarder peut-être le presbytère au bout du chemin bordé de grands arbres, droit en face, ou bien l'église endormie les jours de semaine, ou encore sur la gauche, le magasin Grégoire devenu bureau de poste et la vieille maison rouge à l'arrière, ou encore, plus loin, la maison à Bernadette, où Bibiane avait habité pendant un certain temps. Du balcon, l'on pouvait aussi très bien apercevoir la maison Jolicœur où s'éternisait Marie Lamontagne, la veuve de Gédéon, sous la garde attentionnée de la veuve Poulin.

– J'ai téléphoné au docteur Roy pour mon test de grossesse que j'ai passé cette semaine.

Cette façon d'aborder la question fit aussitôt deviner la réponse par le jeune homme. Sûrement qu'elle était enceinte, ce qui n'était pas pour l'enchanter.

– Pis ?

– Ben...

– Dis-le... c'est oui ou c'est non ?

– C'est oui. Pour la fin de mai, début juin.

Il blêmit :

– Eh ben !

L'été commençait à s'incliner devant les premières avances de l'automne, et ce, malgré la force toujours présente du soleil qui plombait au cœur du jour. La jeune femme ne sentit guère d'enthousiasme chez son mari. Pour elle comme pour lui, c'était comme si on avait monté sur un bateau, celui du mariage, pour faire comme les autres, et voilà que le bateau allait de lui-même, prenait le contrôle de leur vie. Ils s'étaient lancés à l'eau, et l'eau les emportait, eux et leur frêle esquif, où elle le voulait...

– C'est que t'en penses ?

– C'est que tu veux que j'dise ?

– T'es-tu content ? T'es-tu pas content ?

– Suis surpris.

– On a fait c'est qu'il fallait pour.

– J'sais ben, mais... Je m'attendais pas à ça aussi vite.

– Qui c'était, l'homme avec qui tu parlais ?

– Lui qui s'en va... avec les pieds ouverts ?

– Lui là.

– Lui, c'est Pit Veilleux.

– Ah oui ? Parent avec Adjutor ?

– Son frère. Comment ça, tu connais Adjutor?

– Tu sais pas que c'est lui qui a marié la femme à mon oncle Donat? Je te l'ai déjà dit, voyons...

– Ah?

La conversation se déroulait sans que lui n'y prête beaucoup d'attention. En fait, son esprit avait du mal à rester présent à l'échange et, comme pour se délivrer de cette nouvelle apte à changer sa vie et chargeant ses épaules de la responsabilité d'un enfant, une tâche qu'il savait devoir durer jusqu'à la fin de ses jours, il essayait de remonter le temps par l'imagination en se demandant comment ce serait de vivre au temps de la construction de l'église et du magasin Grégoire, soit vers 1900...

Le père Lambert avait raconté déjà devant lui comment, avec Freddé, ils avaient escaladé les échafaudages jusqu'au clocher l'été où la grande église était en voie d'érection... Et Freddé y avait ajouté son grain de sel... L'un avait 13 ans, l'autre 12, mais Napoléon était déjà borgne alors. Que voyaient-ils de là-haut? Comment était le village au temps d'Honoré Grégoire? Qu'apercevait le jeune Lambert de son seul œil?

– Tu sais, Lambert, j'ai envie de grimper là-dedans jusque dans le clocher en haut.

– Es-tu fou, Freddé? On va se faire punir.

– Pas mon père.

– Le mien par exemple.

– Quoi, il te bat encore, ton père?

– Ben... des fois... pas souvent asteure, dit l'autre honteux.

– Envoye, on monte.

Et Freddé prit l'initiative. Napoléon suivit après avoir inspecté les alentours de son seul œil, l'autre n'étant plus qu'un souvenir et ne présentant qu'une paupière presque soudée sur une ligne rouge.

On n'aurait pu les apercevoir que de deux ou trois maisons aux alentours: madame Lemay, le docteur Drouin et le presbytère. Le curé était occupé à préparer son sermon et les mots qu'il prononcerait lors de la bénédiction officielle du chantier de l'église et celle du complexe Grégoire, dont l'inauguration suivrait la première cérémonie. Le docteur ronflait encore, et madame Lemay cuisinait pour deux voyageurs qui avaient passé la nuit chez elle.

La progression des deux adolescents fut rapide. Alfred avait des bras forts, et son compagnon n'en avait guère à traîner vu sa petite taille et sa maigreur. Ils furent bientôt rendus sur la plate-forme qui serait à la base du clocher comme soutien des cloches et, de là, purent embrasser tout le village du regard.

– Hey, j'pense qu'on voit la maison à mon grand-père dans le 9.

– Où ça ?

– Là, regarde au bout de mon doigt.

– Ben moé... j'vois pas loin ben ben...

Alfred prit conscience que l'autre n'avait qu'un œil et il n'insista pas. Voici qu'il regardait vers l'est quand une voix énorme leur parvint d'en bas :

– Descendez de là, vous autres, mes deux sacrifices de faiseux de trouble !

C'était Honoré devant le cimetière et qui hurlait de façon à mettre l'entier village en alerte. Pas question de discuter et son fils reprit le chemin de la descente parmi l'enchevêtrement de montants. Pendant ce temps, d'autres enfants Grégoire s'étaient amenés pour voir leur frère explorateur. Éva et Ildéfonse hésitaient entre leur admiration devant l'audace d'Alfred et sa conduite un peu délinquante réprouvée par leurs parents. Car Émélie était sur le perron du magasin à regarder son fils revenir sur le plancher des vaches. C'est elle qui depuis l'intérieur de l'établissement avait aperçu les deux oiseaux perchés à soixante-dix pieds du sol dans le squelette de l'église. Pour elle, cela frisait le sacrilège. Elle avait prévenu Honoré en lui recommandant de réprimander sévèrement leur fils aîné.

Alfred mit le pied au sol. À ce moment, Napoléon perdit prise et dégringola à travers les planches sur les derniers pieds à descendre. Il se releva en exprimant de la douleur par un geste de la main sur un genou et une grimace au visage.

– T'es-tu fait mal, Lambert ? demanda Honoré qui voulait d'abord régler cette question.

– Ben… non…

– Dans ce cas, retourne chez vous.

Le garçon ne se fit pas prier : il partit à la course en passant sous l'œil dur d'Émélie, qui ne pardonnait à Napoléon que parce que le garçon n'avait, lui, qu'un seul œil valide.

– C'est-il ça qu'ils vous montrent asteure au collège de Sainte-Marie ? À faire des maudites folies comme tu viens de faire là ?

Alfred demeura silencieux, tête basse, bras coupables, épaules résignées. Mais pareille attitude choquait son père. Il aurait voulu que son fils se tienne droit dans son audace et jusqu'au bout. Qu'il supporte les conséquences de ses gestes, qu'il les assume, même dans les pires reproches à lui être adressés. Car après lui, ce serait au tour d'Émélie de le savonner, et la soupe pourrait s'avérer encore plus chaude pour Freddé.

– T'as rien à dire ? Tu réponds pas ? Ils te montrent pas à parler non plus ? On va te retirer du collège pour te faire travailler avec ton grand-père dans le neuf.

– C'est ben correct !

La réponse atterra Honoré, qui demanda :

– T'aimerais ça ?

– Oué…

– C'est le boutte de la marde ! fit Honoré qui perdait sa dignité coutumière. Pour te punir, suffit de t'envoyer au collège ? Ben tu vas y rester une maudite « escousse », ça, je peux te le dire. Tant que t'auras pas ton diplôme, même si tu dois en sortir à 20 ans. As-tu compris ça, Freddé Grégoire ?

La moisson d'or, page 315

Voilà en substance ce dont le jeune homme de 1963 se rappelait du récit des deux comparses qui, plus d'un demi-siècle après la construction de l'église, avaient raconté devant lui, pour la énième fois sans doute, leur piteux exploit de 1901.

– T'as pas l'air d'écouter pantoute ! dit Bibiane à son mari.

– Oui, oui... Suis pas obligé d'avoir la bouche ouverte pour tout gober c'que tu dis, là...

Elle soupira et entra, pensant qu'elle devrait faire en sorte d'apprivoiser son époux à l'idée de devenir père...

Et lui avait envie de quitter la maison pour une heure ou deux, d'aller marcher et peut-être de se rendre au cimetière y interroger les pierres tombales... Car en ce moment, il marchait dans le noir, en aveugle...

∞∞∞∞∞∞∞

Chapitre 35

1963...

Le plus jeune membre d'une famille vit un sentiment de solitude que les plus vieux ne connaissent pas. Ou peu. Pour cette raison, les mères couvent davantage les derniers-nés. Mais on préfère dire d'eux qu'ils sont plus choyés que leurs frères et sœurs.

Quatre ans séparaient Hélène Jolicœur de celle qui la précédait dans la famille, et cela aussi augmentait son isolement. Parce qu'elles avaient leur jeunesse à vivre, et leurs occupations nombreuses, les aînées n'avaient guère envie de traîner leur petite sœur à gauche, à droite.

Ils sont nombreux ceux qui vivent la même solitude à se créer des amis dans le placard ; Hélène n'avait pas eu besoin de ces créatures imaginaires dans sa petite enfance puisque son compagnon était bien réel et d'une incomparable fidélité. Et le chien Pitou l'accompagnait aussi à son entrée dans l'adolescence. Deux inséparables.

Et Berthe grommelait à tout venant :

« Pourquoi qu'on m'impose ça, moi, les chiens, les chats, les lapins, les perruches... Pauvres enfants : prompts à vouloir un animal, mais oublieux quand vient le temps de s'en occuper. »

Et pourtant, la femme prenait un soin de vétérinaire de toute bête ayant franchi le seuil de la porte. Il lui arriva même de saupoudrer le derrière d'un oiseau atteint d'un désordre intestinal et qu'elle devait laver à tout moment.

Mais quand, par jour de pluie, Pitou rentrait et secouait sa « poilure » pour l'alléger de l'eau qu'elle contenait, et alors que les éclaboussures mouillaient le plancher, voilà Berthe qui reprenait à gueuler :

« J'te dis, toi, que j'te retournerais dans le fond de la Beauce, à Donat Bellegarde, pis par le premier autobus... Tout salir mon plancher comme ça. Pourquoi des animaux dans la maison, hein ? On vit à Sillery, pas dans la concession de Dorset ! »

Mais Pitou, qui venait du fond des campagnes, savait comment faire pour traverser un boulevard sans se faire happer par un véhicule. Mais Pitou n'avait jamais mordu quiconque. Mais Pitou faisait du bien à tout le monde. Mais Pitou était le gardien, le confident d'Hélène.

« Mon doux Seigneur, dirait Bernadette, viens, toi, que je t'éponge le museau et tout le reste. »

Et Berthe s'approchait de l'animal avec une grande serviette de ratine. Et Pitou se laissait faire. S'il avait su rire, il l'aurait sûrement fait... dans sa barbe...

Le chien avait éveillé puis soudé fortement la complicité d'Hélène avec le monde animal. Tous deux communiquaient par le regard, un regard profond, de compréhension mutuelle, d'amour.

Quand elle était à la maison, le soir, les fins de semaine, la jeune fille lisait, inventait des histoires, fabulait, convertissait la descente de cave en chalet l'été, bref, elle rêvait et se créait un univers où se trouvait en abondance nourriture du cœur et de l'esprit.

Malgré sa créativité, elle avait trop souvent le sentiment de passer à côté de quelque chose. Isolée aussi par sa taille, elle qui, comme Berthe jadis, poussait en orgueil, c'est-à-dire grandissait trop vite. À telle enseigne que dans les pièces de théâtre improvisées entre amies ou préparées à l'école, on lui confiait invariablement des rôles en fonction de cette stature. Jamais Lady Marie-Anne et toujours Petit-Jean. Jamais la mariée et toujours le marié. Et quand revenait la visiter son sentiment de mise à part, Pitou venait combler le vide. Il entendait le spleen d'Hélène. Et il s'approchait d'elle pour le lui dire par ses yeux qui brillaient d'intelligence.

Ainsi, Hélène devenait-elle peu à peu une personne adulte. Mais un chien, lui, vieillit de plusieurs années chaque année...

∞∞∞

Un troisième automne d'affilée, Lise Boutin dut aller s'agenouiller devant le cercueil d'un être cher. En 1961, ç'avait été son père adoptif, Stanislas Michaud. En 1962, son père Arthur. Et voici qu'en ce triste septembre 1963, sa sœur Lucienne mourut d'un cancer de fumeur. Elle avait 48 ans.

La mort moissonna aussi chez les personnages illustres de ce monde qui subissait des changements en profondeur. Le 3 juin, celui qu'on avait appelé le pape de transition, Jean XXIII, était parti pour aller vivre son éternité dans les jardins du Seigneur. On avait pleuré sa mort, mais puisqu'il s'agissait d'un octogénaire, pape ou pas pape, on avait séché ses larmes à l'élection de son remplaçant, qui prenait le nom de Paul VI.

Mais, insatisfaite, la mort se vengea de n'être pas prise au sérieux à son goût et le 22 novembre, elle offrit l'un de ses plus grands spectacles du siècle, un *show* télévisé et quasiment en direct depuis la ville de Dallas, au Texas. Le plus jeune président de l'histoire des États-Unis, John Kennedy, vedette mondiale de la politique, eut la tête massacrée par des projectiles dont on ne devait jamais connaître à coup sûr l'origine. Voilà qui fit de Kennedy une icône, un mythe...

Cette fin d'après-midi, Freddé reçut un appel de Saint-Séverin. Honoré voulait savoir si son père connaissait la terrible nouvelle.

– On r'garde la télévision, nous autres itou.

– Des fois que vous l'auriez pas su.

– On va s'en rappeler.

– Tout est correct par chez vous ?

– Ben oué... Pis dans ton boutte ?

– Ben correct nous autres itou.

Il ne fallait pas des mots recherchés pour aller en la profondeur de chacun. Le ton, le sentiment que l'autre se préoccupe de soi, tout le vécu depuis l'enfance de Doré jusqu'à ce jour, tout cela passait par un langage lapidaire et contribuait à rendre encore plus solide le lien que la distance ne touchait d'aucune manière.

– Tu veux que j'te passe Solange ?

– Ouais.

Solange prit le récepteur et elle éclata de rire.

– Ça va-t-il ben, toi ?

– Enhen...

– Vas-tu toujours t'asseoir dans la vitrine ?

– Enhen...

– Même si le magasin est fermé ?

– Enhen...

– Vas-tu sur le cap à Foley ?

– Honhonhonhon...

Tel était le non de Solange, un son semblable au vocable lui-même, et ses proches le comprenaient, tout comme ils connaissaient depuis longtemps le « enhen » du oui, puisqu'elle ne savait émettre que deux sons avec ses cordes vocales.

– As-tu vu à la télévision le président Kennedy qui s'est fait tuer ?

– Enhen...

Il arrivait à Solange de pleurer. Elle qui traînait dans sa sacoche depuis 1960 une photo de John Kennedy et de son épouse Jacqueline, et devant l'affliction mondiale qu'elle était en mesure de saisir, du moins partiellement, par la télévision, voici que d'entendre la voix désolée de son frère déclencha un déversement de pleurs qu'elle avait retenus dans sa gorge depuis l'arrivée de la funeste nouvelle.

Des larmes coulèrent sur son visage rougi et qui paraissait bouffi, mais cela avait toujours été depuis l'enfance. En plus d'être muette, la pauvre avait des pommettes excessives qui la défiguraient tout autant qu'un nez à la François Bélanger, soit plat et large, qu'elle nettoyait de ses doigts nus malgré tous les reproches qui lui avaient été adressés par ses sœurs du temps de l'absence de leur mère dans les années 1930.

– Passe-moi ta mère, Solange, veux-tu ?

– Enhen...

Ce qui fut fait.

– Quel temps qu'il fait par chez vous ? demanda-t-il.

– Euh... nuageux, je pense. J'ai pas sorti de la journée. Pis toi, par là ?

– C'est pareil. On n'est pas si loin.

L'échange fut bref. Kennedy n'intéressait aucunement Amanda. Elle ne se sentait pas concernée par ces drames-là. Que le monde continue de tourner à sa façon, elle s'en accommoderait sans dire un mot ni même penser qu'elle pouvait y faire quelque chose, la moindre chose...

∞∞∞

Un autre décès survenu quelques jours plus tard l'étonnerait un peu plus. C'est Bernadette qui frappa chez Amanda pour le lui apprendre et, en fait, le faire savoir à son frère avant tout.

On était le 2 décembre, et il neigeait doucement sur le cœur du village.

– Rentre! Rentre! lança Alfred, qui se berçait dans la cuisine et voyait sa sœur qui attendant dans l'entrée.

– Suis venue vous dire qu'on a un mort dans la paroisse. J'sais pas si vous l'savez.

– Les nouvelles, t'es toujours la première à les savoir.

– C'est pas un reproche que tu me fais, toujours, Freddé?

– Pantoute! Dis-nous ça! J'suppose que c'est quelqu'un de notre âge?

– Ben... pas loin.

Amanda eut un éclat de rire:

– Si tu le dis pas, on le saura pas.

– Ah, vous le sauriez par d'autres que moi, c'est sûr.

– Qui c'est d'abord?

– J'ai envie de vous le faire deviner.

– De notre âge, de notre âge...

– Ben... pas tout à fait... 69 ans...

– Qui c'est qui serait donc venu au monde en 1894? Je dirais... pas Louis Grégoire toujours?

– Non. Il est même pas malade, lui.

– Archelas Poulin.

– Non.

– Omer Veilleux.

– Pit, Omer, Adjutor, Aurèle pis Jos, les Veilleux sont pas malades, pas un.

Amanda se rendit à l'évier, se racla la gorge et cracha. Bernadette comprit qu'elle en avait assez de ce petit jeu puéril entre elle et Freddé.

– Je vas vous le dire, c'est Arthur Bégin. Mon doux Seigneur, quand j'ai su ça, je le revoyais au cinquantième en 1923, sur un cheval, vous en rappelez-vous?

– Non. Quoi ? Il jouait au cow-boy. Je me rappelle certains, mais pas lui trop trop... Lambert doit s'en rappeler comme il faut, lui. Il voyait tout le monde par la bouche de sa bonne femme, lui. Il m'en a parlé durant des années de temps au bureau de poste, du défilé du cinquantième.

– Je les vois passer, lui pis Adjutor Veilleux. Chacun avait un cheval noir. Peut-être brun, je m'en rappelle pas exactement... Noir... Pas d'importance. Les chevaux venaient par paire. Pis y avait Hilaire Talbot... Martin Bégin de Saint-Martin, le père à Paule, la femme à Jean-Paul Racine...

– Adjutor pis Arthur Bégin, c'étaient des hommes à chevaux tous les deux, ça. Ils appelaient ça des hommes de « hovel » dans le bois.

– Ça, ça me dit trois fois rien. Je le savais pas. Mais toi, t'aimes les chevaux, Freddé. T'as toujours ton Jos d'abord...

Amanda prit la parole :

– Ben oui, pis c'est Donat Bellegarde qui s'en occupe. Ça coûte cher pour un caprice d'homme.

– Tu sauras qu'un ch'fal, c'est pas un caprice, c'est une nécessité. Je m'en sers encore...

– Trois, quatre fois par année, hia, hia, hia, hia...

– Je vas l'garder jusqu'à ma mort, mon ch'fal roux. Quand j'pars en voiture le dimanche, l'été, pis que je prends le bord du Grand-Shenley, rendu dans la sucrerie à Grenier, je sens la fraîche de mes 20 ans.

Bernadette agrandit les yeux :

– Mon doux Seigneur, mais j't'ai jamais entendu parler de même, Freddé. Tu me fais penser à Eugène dans son temps. Un vrai poète qui chante la liberté.

L'homme éclata de rire. Amanda plus encore. Et Solange ajouta son grain de sel, qui écoutait en se berçant dans le coin le plus sombre de la pièce.

– Pis toi, Solange, lui dit Bernadette, tu y vas jamais, prendre un tour de voiture avec ton père.

– Honhonhon...

Et elle eut un autre puissant éclat de rire qui voulait dire : il voudrait pas m'emmener.

– Quand j'pars, j'pars tout seul ! enchérit Alfred, qui tenait comme la prunelle de ses yeux à ce petit morceau de liberté et de jeunesse qu'il goûtait rarement par ces randonnées du dimanche après-midi en belle saison.

∞∞∞

Chez lui, au même moment, André, qui avait su pour la mort d'Arthur et s'en souvenait comme d'un fervent joueur de whist qu'il avait d'ailleurs affronté durant sa prime adolescence au *shack* des Anglais, annonça à son épouse enceinte qu'il partait pour aller jouer aux cartes au garage chez Armand Bilodeau.

– Tu vas être longtemps ?

– Sais pas. Une partie de cartes, on sait quand ça commence, on sait pas quand ça va finir.

– Y a de l'épicerie à faire.

Mais il avait déjà refermé la porte derrière lui...

C'est au rappel de la mort de Kennedy survenue une semaine plus tôt que, ce jour-là, il pensa donner à l'enfant à naître le prénom de Caroline, si une fille ce serait. Il se dit qu'il n'aurait pas de mal à mettre sa femme d'accord là-dessus. Comme sur tout le reste... À chaque famille, il fallait un chef, pas deux...

Et le poker lui fit vite oublier la mort d'Arthur Bégin, qui amusait tant les petits enfants avec ses litanies joyeuses et les bruits drôles qu'il parvenait à faire avec sa langue... Un véritable clown, ce grand ami des chevaux! Le clown était mort, mais il fallait rire tout de même...

∞∞∞∞∞∞∞∞

Chapitre 36

1964

Et l'enfant naquit ce 6 juin, jour mémorable à cause du débarquement en Normandie vingt ans auparavant. Le jeune père fut étonné de le voir, ce bébé tranquille au fond d'un lit blanc encerclé de verre à la sortie de la salle d'accouchement. Béat, comme s'il était incrédule devant le fait qu'un si mince effort de sa part ait pu produire la créature humaine, la plus noble créature sur terre selon elle-même...

Mais que de plis quand on naît ! Venir au monde l'air vieux, ce n'est pas ce qu'on souhaiterait, mais comme on ne s'en rend pas trop compte...

C'était une petite fille.

On la baptisa le jour suivant sous le prénom de Caroline. Le même que l'arrière-arrière-grand-mère de l'enfant. Ce n'était pas par respect ou souci de l'aïeule qu'on avait choisi ce prénom, mais pour suivre la mode lancée par Grace Kelly et Jacqueline Kennedy, les deux plus grandes promotrices au monde de formes de chapeaux – mieux encore que la reine Elizabeth – , de couleurs, de tailleurs et de prénoms pour nouveau-nés.

La mort du président continuait d'assombrir la planète, mais elle n'avait pas mis fin à la vague Kennedy. Car il restait le clan Kennedy, les frères Kennedy, les parents Kennedy, les enfants Kennedy et surtout la légende Kennedy...

Comptant aussi sur l'image éblouissante de la prestigieuse famille, leur pays se sentait prêt à commettre les pires erreurs, sachant qu'on lui pardonnerait en pensant aux héros du nom de Kennedy. John n'avait-il pas sauvé le monde de la destruction nucléaire lors de la crise des missiles de Cuba pour ensuite mourir martyr à Dallas ?

Bernadette vint voir le bébé un jour tard en automne.

Elle avait vu grandir le père ; elle avait pensionné la mère un certain temps. Elle n'avait pas besoin de servir de prétexte autre que l'affection pour frapper à la porte.

Elle entra quand le jeune homme lui ouvrit. Une fois encore, selon son habitude, elle multiplia les sourires engageants, les saluts presque à la japonaise, les accents chantants dans la voix :

– Mon doux Seigneur, c'est tout un escalier pour venir ici, une chance que vous êtes jeunes tous les deux.

– Tiens, bonjour, comment allez-vous ?

Bibiane sortait de la chambre avec le bébé dans les bras. Elle avait pomponné la petite en la revêtant d'une robe toute blanche : un cadeau de baptême.

– Viens t'asseoir au salon, Bernadette ! lui dit André, qui la précéda.

Mais la femme s'attarda devant la mère et surtout son enfant.

– J'ai su qu'elle s'appelle Caroline : un ben beau nom, ça.

– C'est son père qui l'a choisi.

– Lui... il sait faire les choses...

La femme tenait une boîte à la main. Et cela ressemblait fort à un cadeau. Au mariage du couple, elle leur avait offert un set à thé dont on se servait dans les grandes occasions. Cette fois, c'était un cadeau de baptême. Elle, qui avait eu tout le mal du monde à payer pour les travaux relatifs à la grotte, elle, dont le petit héritage avait fondu avec les années, elle, qui rejoignait difficilement les deux bouts grâce aux pensionnaires qu'elle gardait, trouvait moyen de donner quelque chose à un jeune couple qui n'avait de parenté avec elle que le bon voisinage.

– Est ben belle, la petite fille !

Caroline la regardait avec curiosité. Elle se savait en sécurité dans les bras de sa mère. Mais elle ressentait l'authenticité chez les gens, parfois les craignant, parfois les adoptant. La voix chantante de Bernadette lui valut un sourire.

– Elle m'a souri, elle m'a souri, s'émerveilla la visiteuse.

– Ça veut dire qu'elle vous aime bien.

– Je gage que je vas pouvoir la prendre avant de m'en aller tout à l'heure. Je vous dérange pas trop, toujours ?

– Ben non voyons !

Le jeune homme attendait dans l'embrasure entre la cuisine où étaient les femmes et l'enfant, et le salon par lequel il fallait passer pour se rendre sur le balcon. Cinq mois, et il n'avait pas une seule fois pris par lui-même l'enfant dans ses bras et autrement que par nécessité. Il avait un blocage psychologique. Une peur inexplicable. De la culpabilité peut-être. Un certain regret du passé de la grande liberté. Ou alors un mélange de tout ça en bien des sentiments bizarres qui faisaient de lui un père des générations précédentes : indifférent en apparence, silencieux, centré sur son seul rôle de pourvoyeur et plus souvent qu'autrement à l'extérieur de la maison.

– J'ai apporté un petit quelque chose. Je voulais toujours venir le porter, mais ça adonnait pas. Suis venue une fois ou deux, mais vous étiez partis.

– Le dimanche, on s'en va chez mes parents à Saint-Martin.

– Justement, suis venue le dimanche. Veux-tu que j'te montre ça tout de suite ?

– Pourquoi pas ? On va aller dans la chambre. Même qu'on pourrait l'essayer tout de suite... Ben j'dis ça... comme si je savais que c'est du linge pour bébé.

– En plein ça : une petite robe. Mais attention, ça vient pas du magasin, là. J'en dis pas plus, je vas te montrer ça.

Bibiane précéda l'autre dans la chambre à coucher et déposa le bébé sur le lit. Caroline ne rechigna pas. Cette enfant ne pleurait jamais. Comme son père dans sa petite enfance. Laissée seule, elle trouvait toujours intérêt à quelque chose. Et si elle ne trouvait rien, elle produisait des sons avec sa bouche et semblait se bâtir des images dans sa tête, à en juger par les mouvements de ses yeux et leur brillance profonde. De plus, il était apparu dans deux situations évidentes qu'elle détestait le bruit des pleurs des autres bébés ; peut-être qu'elle se sentait agressée tout autant par celui de ses propres pleurs ! Autant se la fermer alors !

Bibiane enleva le ruban puis ouvrit la boîte.

La petite robe en laine d'un blanc cassé se révéla de suite être d'un autre temps.

– C'est ma mère Émélie qui l'a faite. Elle m'a donné un coffre avant de mourir, et c'était dedans. J'aurais pu la donner à quelqu'un de la famille Grégoire, à mes sœurs, à mes belles-sœurs, mais quand le moment de le faire venait, j'y pensais pas. Tu parles, je l'ai vue rien qu'une fois après la mort de ma mère en 1930. Ça fait 34 ans de ça... Et en fouillant l'autre jour, je l'ai trouvée au fin fond du coffre. Elle sentait la boule à mites. Chaque année, j'en mettais en masse. Je l'ai fait éventer pour chasser l'odeur. Tu vois, elle a l'air quasiment neuve. J'ai pensé que ça te ferait plaisir vu que ç'a été fait à la main. Pis pas n'importe quelle main : celle de ma mère.

– Comment elle s'appelait, votre mère ?

– Émélie... Émélie Allaire... Si tu vas au cimetière, tu vas voir son nom sur le monument des Grégoire...

– Je vas l'essayer tout de suite sur la petite. Suis sûre que ça va lui faire. C'est pas une robe de bébé naissant.

– C'est ça que j'me suis dit hier. Ah, si ça lui fait, je serais pas mal contente.

– On va voir.

Et l'on vit. Caroline eut l'air de se bien sentir dès que le vêtement fut sur elle. Sa mère la prit dans ses bras :

– Je vas aller la montrer à son père.

Elle précéda Bernadette, traversa la cuisine, entra dans le salon où lui était devant le téléviseur en attendant que les femmes en aient fini avec leurs commérages de femmes.

– As-tu vu la belle robe que mademoiselle Grégoire est venue porter pour la petite ?

Il examina le vêtement du regard seulement :

– C'est vrai qu'elle a du style.

– C'est ma mère qui l'a tricotée pis brodée. C'est de la laine avec des fils de soie. C'est du beau : ma mère aimait quand c'était bon et beau.

– Ça fait un bébé 1900.

Le front de Bernadette se rembrunit :

– T'as pas l'air d'aimer ça, André.

– C'est pas ça que j'ai dit, au contraire. Tout ce qui est historique... je veux dire du passé, ça me fascine.

– Mon doux Seigneur, tu devrais écrire des livres.

Il se mit à rire tandis que sa femme déposait la petite sur le divan de cuir.

– J'serais ben en peine pour écrire un livre.

– Si t'essayes pas, tu sauras pas.

– C'est certain, mais...

Bibiane prit la parole :

– Vous allez m'excuser une minute. Je reviens...

– Pas besoin, faut que je parte. J'voulais juste être une minute.

– C'est une ben belle petite robe, Bernadette. Y a de l'ouvrage là-dedans.

– Ma mère, quand elle faisait quelque chose, elle prenait le temps de le faire comme il faut.

– Ben le bonjour, ma petite Caroline! dit-elle avant de quitter le salon.

Bibiane avait besoin de se rendre aux toilettes, et l'autre comprit qu'elle ne devait pas s'attarder.

– Ben bonjour à vous deux, là!

– Merci beaucoup pour le cadeau! dit Bibiane, qui se rendit reconduire la visiteuse à la porte.

Même si elle en avait oublié l'existence pendant des années, c'était là un objet d'une grande valeur sentimentale pour Bernadette. Une autre qu'elle aurait été déçue de la réaction pas très enthousiaste, du moins assez peu expressive, du couple à qui elle venait de l'offrir. Qu'importe, elle était contente d'elle-même, de son sacrifice et se disait que la petite fille avait dû ressentir quelque chose d'Émélie quand sa mère lui avait mis la robe sur le dos.

André regarda sa fille puis il riva son regard sur l'écran du téléviseur. On parlait de plus en plus du premier anniversaire de la mort de John Kennedy. Déjà un an, mais une tragédie aussi abominable que le premier jour. Le produit Kennedy se vendait merveilleusement bien à la télé, et les réseaux de se privaient pas de le mettre à l'affiche, surtout la scène prise par un cinéaste amateur et qui montrait la réaction du jeune président au moment de l'impact des projectiles sur sa tête...

Un bruit se fit entendre. Ce n'était pas du tout à la télé mais juste à côté. Une espèce de gazouillement de ruisseau mélangé à un roucoulement de colombe. L'homme regarda sa fille. Caroline le regardait. Elle souriait. Puis, elle dit un mot magique, un mot qu'il n'oublierait jamais, un mot que la petite robe, qui sait, avait inspiré, le mot le plus simple et le plus grand par sa douceur et par sa force: le mot «papa».

– Pa...pa...

Le jeune père fut alors touché par la grâce. Ses yeux devinrent grands comme jamais il ne les avait eus. Il aurait voulu que le monde entier entende. C'était bien plus important que l'anniversaire de la mort de n'importe qui. C'était la vie, l'éveil d'une intelligence, celle du cœur.

– C'est que t'as dit ? Bibiane, viens ici...

– Oui, quoi ?

– Viens, dépêche !

Et il s'adressa à la petite fille :

– T'as dit quoi, Caro ?

– Pa... pa...

Et les syllabes vinrent avec des petites bulles entre les lèvres.

Le jeune homme en avait les larmes aux yeux. Son épouse arriva.

– Elle a dit papa...

– Ah oui ?

– Dis-le encore, Caroline...

L'enfant esquissa un sourire, tourna la tête, comme si elle refusait de se commettre devant sa mère.

– Caroline, Caroline...

La petite se tourna encore vers lui.

– Dis-le encore... pa... pa...

– Pa... pa...

Bibiane dit la première chose qui lui vint en tête mais qui pouvait fort bien être inspirée :

– C'est la petite robe à Bernadette qui a agi sur elle.

– Ça se pourrait, ça se pourrait...

Elle n'eut pas à prendre la petite pour la mettre entre les bras de son père, il la prit de lui-même...

Le jeune homme ne se rendait pas compte qu'il venait de découvrir sa fillette en même temps qu'elle l'avait découvert, lui. Tout cela passait par des sentiments qu'il n'aurait pu exprimer de manière rationnelle.

Et dans son éternité, Émélie Grégoire devait sûrement sourire en regardant sur terre à travers les mailles du tricot de la petite robe d'enfant... Et son cœur devait battre entre ceux de Caroline et de son papa...

Et le jeune homme, tout en caressant les cheveux puis la robe, renoua avec l'idée de Bernadette: « Tu devrais écrire un livre, toi. »

Cette fois, l'esprit d'Émélie tout partout dans le tissu laineux sourit encore plus intensément...

∞∞∞∞∞∞

Chapitre 37

1964...

Cette nuit-là, Benoît Grégoire, le fils de Pampalon, passait par son village natal pour retourner à Notre-Dame-des-Bois, où il était établi à titre d'hôtelier. Il avait visité son frère Yves, qui, lui, vivait à Saint-Côme et possédait aussi un hôtel, le Castel-des-Fleurs.

Alors qu'il s'approchait de l'hôtel Central où il avait grandi bien qu'il fût né dans la bâtisse voisine 36 ans plus tôt, maison remplacée par le foyer pour personnes âgées, il freina net en plein milieu de la rue. Son regard avait été attiré par une haute colonne de fumée s'échappant au-dessus du toit de l'établissement, voisin du foyer, et qui logeait une plomberie et son propriétaire, le restaurant et son propriétaire ainsi que la famille André Mathieu vivant au-dessus dudit restaurant.

Le jeune homme qui voyageait seul descendit de voiture et se rendit frapper à la porte des Brousseau. Le plombier, petit homme maigrichon d'environ 50 ans, ouvrit. Il alerta aussitôt le chef des pompiers et réveilla tout son monde. Puis, délégua son fils pour aller prévenir le restaurateur.

Vinrent les sapeurs alors que les deux familles étaient évacuées. Personne ne songeait qu'au second étage vivait la jeune famille du professeur. La fumée avait envahi toute la bâtisse, y compris le logement du haut. La petite Caroline secouait la tête à la recherche d'oxygène. Dans la chambre voisine, ses parents dormaient de plus en plus profondément à cause de l'air vicié.

Benoît Grégoire ignorait que celui qu'il connaissait depuis longtemps comme le petit frère à Jeanne d'Arc habitait là-haut. L'homme était inquiet sans savoir pourquoi et il lui arrivait de jeter un regard vers le balcon du second étage tandis que sous l'éclairage de la pleine lune, des curieux accouraient d'un peu partout, amenés en plein cœur de nuit devant l'église par la sirène des pompiers, par le brouhaha ou par un appel téléphonique.

– Y a personne qui vit en haut toujours ? demanda soudain Benoît à Paul Brousseau.

– Mathieu, baptême, on l'a oublié...

– Quel Mathieu ?

– Le gars à Ernest... André... On va l'avertir, baptême de baptême...

Déjà Benoît empruntait l'escalier longeant le restaurant. Il escalada les marches quatre par quatre et sitôt à la porte se mit à frapper du poing et du pied. Il se donna cinq secondes avant de défoncer, mais l'homme de la maison fut réveillé et se rendit compte aussitôt que le logement était rempli de fumée.

– Va ouvrir la porte, cria-t-il à son épouse. Je vais chercher Caroline.

Puis il cria au sauveteur :

– On arrive, on arrive...

Le jeune père pensa envelopper la petite de ses couvertures et la prit dans ses bras. Bibiane ouvrit au sauveteur puis retourna chercher des vêtements pour elle et son époux. C'était novembre tard, là, dehors...

Au petit matin, il ne restait de cette bâtisse, en ce cœur de village blessé, qu'un trou noir dans lequel gisaient des biens et des souvenirs devenus charbon. Il neigeait un peu...

Même la petite robe pour bébé d'Émélie que l'on avait reçue en cadeau de Bernadette disparut dans l'incendie.

Le couple et leur enfant trouvèrent refuge chez les beaux-parents à Saint-Martin. Une collecte fut organisée en faveur des trois familles. Bernadette déposa chez Victor pour son frère et sa femme trois couvertures dont elle dit qu'elles provenaient du coffre hérité de sa mère en 1930. Décidément, Émélie trouvait encore moyen d'établir contact avec un ou plusieurs membres de cette jeune famille... Quand Émélie désirait quelque chose de son vivant, elle s'entêtait jusqu'à l'obtenir...

∞∞∞

Ernest reçut un choc en apprenant durant la nuit même qu'un incendie détruisait l'habitation de son fils. Il juronnait, allait s'asseoir en haut de l'escalier, retournait à sa chambre pour surveiller les flammes qui s'élevaient dans le ciel et que les sapeurs de Shenley auxquels s'étaient ajoutés ceux de Saint-Martin combattaient afin de protéger les maisons des alentours et la grande église en face, et même le vieux couvent malgré son revêtement de tuiles d'amiante.

Une assurance contre l'incendie étant inabordable pour un jeune couple vivant dans une bâtisse qui abritait deux commerces à risque élevé de feu, tous les biens perdus le furent à cent pour cent. Pour un homme né en 1899 et qui avait traversé la grande dépression, voilà qui représentait une terrible perte, et Ernest n'arrivait pas à se calmer.

– On va s'en relever, lui disait son fils. On a toute la vie pour ça. Dans deux, trois ans, on sera comme avant.

Mais l'homme malade continua de se faire du mauvais sang, et neuf jours plus tard, en plein jour, il subit une autre attaque cardiaque. On fit venir l'ambulance; il fut hospitalisé. À leur arrivée à l'hôpital, les frères Mathieu furent conduits à la chambre occupée par leur père. L'homme avait les yeux ouverts, fixes, sortis de leurs orbites.

– Pauvre papa ! s'exclama Victor, emporté par ses sentiments.

– Il est bien mieux comme ça ! Bien mieux !

Quatre ans que cet homme vivait l'inutile, emprisonné dans sa chambre par la maladie, cloué à son lit le plus souvent à demander la fin. Pourquoi pleurer à le voir parti, là, où on s'en va tous ?

Voilà à quoi pensait le jeune homme en regardant la dépouille d'un être qui, toute sa vie, s'était entouré de solitude et caché derrière un voile de mystère qui le faisait craindre. Qui était-il vraiment ? Nul ne le saurait jamais...

∞∞∞∞∞∞

Chapitre 38

1965

Saint-Honoré-de-Shenley, le nid de la famille Grégoire continuait de changer par les naissances, les décès, les événements nouveaux. Autres temps, autre monde ! Et si les êtres du passé se faisaient de plus en plus nombreux dans leur dimension, d'autres façonnaient à leur place et à leur suite la belle paroisse.

La veuve de Jean Jobin dit la Brunante, sa seconde épouse en fait, mourut à 81 ans.

Charles Rouleau, patriarche d'une grande famille, décéda, lui, à 88 ans.

Mais Zoël Poulin, dit le Vieux Broc, célibataire endurci qui, naguère, vendait chaque année ses services à Freddé Grégoire, Ernest Mathieu et d'autres pour la récolte de foin ou d'avoine, d'où son surnom, rendit son âme au Seigneur à l'âge de 81 ans.

Et la famille Grégoire elle-même fut touchée d'assez près par la disparition à 71 ans du petit-fils de Grégoire Grégoire, Louis, le joyeux Louis qui racontait chaque jour au moins une douzaine de blagues en mâchouillant son brin de foin, lui qui n'avait jamais, au contraire de ses pairs pour la plupart, voulu faire usage de tabac. Mais le cœur de chair aussi a ses raisons que la raison ne connaît pas...

L'homme mourut le 15 mars, et son corps fut déposé dans le charnier du cimetière en attendant que la terre dégèle et qu'on puisse creuser les fosses librement.

Quelques jours plus tard, soit le dimanche 21 mars, Freddé se mit à la fenêtre de cuisine pour regarder le printemps s'installer au cœur du village quand il aperçut un homme assis dans les marches du perron de l'église. Quelqu'un qui avait trop bu, songea-t-il. Mais l'imprudent pouvait mourir sur place par hypothermie, car la température de la nuit était descendue sous le point de congélation.

À bien regarder, il se rendit compte que l'homme avait des cheveux blancs et que ce n'était donc pas un jeune écervelé qui avait festoyé un peu trop jusqu'aux petites heures du matin. Il s'habilla sans penser que s'il y avait urgence, il ne pourrait pas grand-chose, sinon prévenir le voisinage encore endormi. À 77 ans, Freddé n'avait plus les capacités physiques d'antan...

Il sortit et suivit le sentier glacé où il faillit glisser à deux reprises. De coutume, quand il y avait de la glace, il attachait à ses semelles des griffes de métal pour assurer son pas. Mais il devait poursuivre son chemin et il se promit de faire usage de prudence.

Plus il s'approcha du perron de l'église, plus il devenait incrédule devant l'horreur de la situation. Ce qu'il apercevait n'avait aucun sens. Peut-être n'était-il pas encore éveillé et achevait-il un cauchemar que les récents événements lui avaient soufflé à l'esprit dans ce monde onirique imprévisible ? Et pourtant, la réalité établit tout ses droits. L'homme assis dans les marches du perron était bel et bien Louis Grégoire, son petit-cousin décédé plus d'une semaine auparavant. Quand il en fut certain, Freddé ne savait plus où donner de la tête. Le nouveau restaurant n'était pas ouvert à cette heure. Le presbytère, c'était trop loin. Alors, il espaça les pas les plus longs et les plus rapides qu'il lui soit possible de faire vers le foyer de

Claire-Hélène. La femme ensommeillée se présenta en personne à la porte, en robe de chambre bleu poudre.

– Louis Grégoire... il est sur le perron de l'église.

– Voyons donc, Monsieur Grégoire ! C'est que vous me dites là, vous ? fit-elle sur un sourire parfaitement incrédule.

– Regarde par toi-même !

L'endormitoire la quitta net, et ses yeux devinrent grands comme des piastres :

– Ben trop vrai ! Pas le voir, je le croirais pas. C'est quoi qu'il est donc arrivé ? Même mon frère, qu'on appelait Gilbert Les Poules du temps qu'il restait par ici, aurait jamais pu faire un coup pareil. Y en a qu'un par ici pour faire ça... Mathieu le Diable...

– Appelle la police ! Pis le presbytère... Le curé Ennis va savoir quoi faire.

Le corps fut ramené dans son cercueil du charnier par un groupe de bénévoles formé par le curé. Des policiers de la SQ s'amenèrent de Saint-Georges. On leur donna la seule piste que le triste événement laissait voir. Ils se rendirent dans le rang 9, interroger d'abord le père du Diable. Albert leur dit que son fils était arrivé au milieu de la nuit ivre mort. Et il se rendit lui-même questionner Ovila. Puis, il redescendit et s'adressa aux hommes de la SQ :

– C'est lui qui a fait le coup. Allez le chercher, pis sacrez-moi ça en prison !

– On vient pas pour l'arrêter, on vient pour savoir... Comme ça, on va pouvoir faire notre rapport...

Et Mathieu le Diable ne serait jamais incarcéré pour cette infraction grave. De toute façon, il avait l'habitude de courts séjours en prison pour divers délits, ceux seulement pour lesquels il se faisait prendre.

C'était l'occasion qui lui avait permis de profaner le corps de Louis Grégoire, la dépouille ne pouvant pas être enterrée avant le dégel printanier. Et Ovila, dans son état d'ébriété, s'était rappelé qu'il en devait bien une à ce personnage qui l'avait rabroué un jour sur le perron chez Freddé... C'est la raison pour laquelle il avait pris le corps de Louis dans sa valise d'auto et transporté jusque devant l'église pour le laisser dans les marches en plein cœur de la nuit.

∞∞∞

Quand la neige eut disparu, Alphonse Fortin, jeune homme de 39 ans, entré au service de la Voirie provinciale en 1960 à l'avènement des libéraux, entra dans le vieux couvent à la recherche du professeur André Mathieu. Il le trouva au second étage en train de travailler à son bureau. Salutations. Étonnement de l'un.

– Y a personne pour s'occuper de l'O.T.J. Le curé m'a demandé d'en être le nouveau président. Il s'organise des tires de chevaux, des fêtes de tout ce que tu voudras, y a rien qui marche. J'ai dit au curé que si tu viens comme secrétaire, j'accepterais. Je viens te voir pour ça...

Flatté, le professeur regarda ailleurs pour dissimuler son plaisir pour le moins narcissique.

– Ouais... ça fait quoi, un secrétaire d'O.T.J. ?

– Les minutes... les comptes... ça aide...

– Non. Pas intéressé.

Alphonse rougit de contrariété. Il ne s'attendait pas à un refus aussi net. Il insista, vanta les mérites de l'autre, dit que son acceptation était essentielle pour la santé morale et physique de la jeunesse de Shenley.

– Pas intéressé de refaire les mêmes choses qui se sont avérées un échec, reprit l'autre. Donne-moi jusqu'à demain midi. Je vais te préparer une réponse élaborée...

– Ce qui veut dire ?

– Que si tu acceptes mes conditions, j'irai, sinon... c'est non final.

Alphonse pensa que la moitié du chemin était accomplie. Il parla d'autre chose et partit.

Le prof délaissa ses travaux d'enseignant et se pencha sur une idée. Il mit quelques heures pour dresser un plan. Si Alphonse embarquait...

Les deux hommes ne se revirent que vers la fin de l'après-midi du lendemain. Au même endroit que la veille.

– J'ai dressé les plans d'une activité. Suis pas intéressé, comme tu disais, à refaire les mêmes vieilles affaires... Suis parti de l'idée que Shenley, c'est la plus grosse paroisse agricole dans grand, et une des plus grosses du Québec. Là, j'ai le plan d'une foire agricole...

– Une quoi ?

– Une foire agricole... comme les *state fairs* aux États.

– Une exposition agricole...

– Si tu veux...

Le projet fut mis sur la table. Alphonse demanda à son tour une journée pour le mûrir. Il y avait complémentarité entre les deux hommes. La créativité de l'un et la capacité de réalisation de l'autre... Une combinaison productive !

Et c'est ainsi que naquit l'exposition agricole de la Beauce appelée à se perpétuer d'année en année... jusqu'en 2007 à tout le moins...

∞∞∞

– Jamais vu autant de monde aux alentours de toute ma vieille vie ! déclara Freddé à son fils venu rendre visite à ses parents.

C'était dimanche de foire agricole en août. Les deux hommes étaient allés s'asseoir sur le petit cap à côté de la maison rouge, où Émélie aimait tant pique-niquer avec les enfants autrefois.

– Ça fait trois jours qu'on entend parler rien que de ça sur le poste de radio de Saint-Georges. L'annonceur Gilles Bernier passe son temps à dire que ça va «foirer» à Shenley.

– J'me demande pourquoi qu'ils ont appelé ça une foire itou.

– Tout ce qui fait parler le monde amène du monde.

– Quant à ça...

Des arbres ombrageaient le lieu où ils jasaient. La chaleur du jour augmentait à chaque heure. Et le nombre de voitures à se stationner sur le terrain de la fabrique augmentait, lui, chaque minute. Des bénévoles préposés au stationnement durent demander aux automobilistes de se trouver eux-mêmes un espace ailleurs. Il y avait à côté tout le terrain appartenant naguère à Freddé et devenu propriété de Donat Bellegarde. En principe, il fallait demander la permission pour y faire rouler une voiture dans l'herbe verte ou la repousse du foin autour des granges. Les visiteurs n'en avaient cure, et un premier envahit le territoire privé pour aller garer sa Buick devant l'un des anciens hangars. Un bénévole regarda du côté des Grégoire et, n'obtenant aucune réaction négative, il indiqua aux visiteurs suivants de rejoindre le premier puis les autres. Et le terrain noircissait vite d'autos de toutes les couleurs.

– C'est Donat qui va se faire maganer son terrain, avança Doré.

– Bah! C'est rien que des machines. Le terrain est pas mal sec pis durci. Ça fera pas de dommages. Pas pire que des sabots de chevaux!

– Parlant de chevaux, êtes-vous allé au jugement hier?

– Au jugement non, mais suis allé voir les chevaux de près dans un clos de l'autre bord du cimetière. Y avait là des belles bêtes. Ça vient de toutes les paroisses autour...

– Le vôtre, votre cheval roux, vous le prenez encore pour aller en voiture ?

– Quasiment pas ! J'ai offert à Donat Bellegarde de lui vendre hier. Je l'ai vu là-bas... Il a pas dit oui ; il a pas dit non. Il va me rendre une réponse aujourd'hui, qu'il a dit.

Honoré regarda au loin, mais la distance parcourue par son regard se calculait en temps et non en espace. C'est qu'il se rappelait cette scène surréaliste survenue le soir de son *shower* manqué alors qu'il avait attelé Jos puis, par un orage d'exception, avait fini par s'arrêter devant le cimetière où Rachel était apparue comme un fantôme surgi d'entre les morts après que la foudre eut frappé le calvaire, fracassé le grand crucifix et décapité la statue de la Vierge. Et il se demandait pourquoi tout cela était arrivé un même soir. Aurait-on pu faire mieux au cinéma ? En tout cas, personne n'aurait cru que tant de faits extraordinaires, mystérieux et effrayants puissent se produire dans la même heure. Lui-même avait du mal à le croire. Et pourtant...

– Salut, Monsieur Doré ! dit une voix qui le fit émerger d'une torpeur que respectait Freddé.

C'était Donat Bellegarde qui, ayant aperçu cette invasion de machines sur sa propriété, venait y voir de plus près. Aussi, il venait donner sa réponse à Freddé quant à l'achat du cheval roux.

– Quen, Donat ! Ça va bien ?

– En masse ! Pis toi, Doré ?

– Numéro un.

– Tu travailles toujours à Thetford ?

– C'est ça, pis je reste à Saint-Séverin.

– Jamais allé par là.

– Tu viendras faire un tour.

– Certain, un bon matin !

– Mon grand-père est parti d'en bas pour venir s'établir par ici pis moi, j'ai fait le contraire : parti d'ici pour aller m'établir en bas. Voudrais-tu t'asseoir avec nous autres ? Je vas aller te chercher une chaise à la maison...

– Non, non... j'serai pas longtemps.

Donat avait l'habitude de jaser debout, bras croisés, et même qu'il préférait ainsi.

– As-tu repensé au « ch'fal » ?

– J'ai une proposition à vous faire. Je vas vous l'acheter, mais je vas le garder. Pis quand vous voudrez, l'été, vous pourrez atteler pour partir en voiture. C'est que vous en pensez ? Je vas m'en occuper comme il faut, comme je l'ai toujours fait depuis que je le garde en pension, pis vous pourrez vous en servir, sauf que vous en aurez pas la propriété, encore moins la responsabilité.

– C'est un poids que tu te mets sur le dos pour moi, ça.

– Monsieur Grégoire, vous m'avez traité comme votre garçon, laissez-moi vous traiter comme mon père.

– Si ça peut te faire plaisir... Parlant de ton père, comment c'est qu'il va, Octave ?

– Pas fort, pas fort ! Il en a pas pour longtemps, lui, là. Que voulez-vous, rendu à 87 ans... J'me rendrai pas là...

Honoré s'objecta :

– T'es grand, fort, plein de santé, tu vas vivre jusqu'à 100 ans au moins, Donat.

Et l'on parla de l'événement du jour. On avait devant les yeux la preuve que l'entreprise audacieuse s'avérait un succès de foule impressionnant. Donat ne s'inquiétait pas des traces que les roues de voiture pouvaient faire sur son terrain. Ce serait sa façon à lui d'aider les organisateurs de la foire et par conséquent d'aider sa paroisse.

∞∞∞

La foire fut aussi une grande réussite financière. Malgré cela, à une prochaine réunion des organisateurs, le président et le secrétaire donnèrent leur démission. André Mathieu devait quitter Saint-Honoré pour aller travailler à Saint-Georges; Alphonse Fortin argua que la tâche demandait trop. Une nouvelle équipe, selon lui, apporterait du sang neuf, marcherait dans les traces du chemin difficile qu'on avait bûché dans un territoire vierge et prendrait la relève avec bonheur.

Le curé Ennis, qui assistait à la réunion, quitta en claquant la porte, rouge de colère, après avoir craché derrière lui: «C'est écœurant!» On avait presque détruit l'immense fierté qu'il avait ressentie le soir de la foire à l'idée que l'événement avait mis le focus de toute la Beauce sur sa chère paroisse de Saint-Honoré.

Sur les pressions du curé, Alphonse Fortin ne se vit d'autre choix que celui de faire volte-face quelques jours plus tard, et il revint à la barre de l'organisme, mais pas son secrétaire, dont l'immuable décision d'aller vers autre chose, vers ailleurs, vers du neuf, demeura inchangée.

∞∞∞

En automne, un vent électoral souffla sur la Beauce et particulièrement Saint-Honoré.

Battu par les créditistes en 1962 et 1963, Jean-Paul Racine obtint de nouveau l'investiture du parti libéral pour le comté, et le 8 novembre, il fut élu député pour un second mandat après celui de 1958-1962. Son parti l'emporta sur les bleus de Diefenbaker, et Lester B. Pearson devint premier ministre du Canada. À la justice, il nomma quelqu'un de très peu connu, un certain Pierre-Elliott Trudeau...

« Les créditistes ont mangé une maudite volée, » dit Freddé à Pampalon au téléphone le soir de l'élection.

∞∞∞

Un mois plus tard, un éminent citoyen de Shenley disparut. Octave Bellegarde, cet industriel d'une autre époque, bâtisseur de couvents, s'éteignit à 87 ans. Ce fut sa disparition qui décida le curé Ennis à prendre sa retraite car il put louer la maison maintenant libre.

Milieu décembre, des bénévoles déménagèrent les biens du prêtre et de sa sœur encore vivante, Emma, de même que Lucia Létourneau à son service depuis sa première cure à Dorset. Et le curé, après 30 ans d'occupation du presbytère de Saint-Honoré, y fut remplacé par l'abbé Léo Dubord tandis que le jeune vicaire Gildas Plante, en place depuis 6 ans, gardait son poste, mais demandait son remplacement pour, lui aussi, aller à la découverte d'autres cieux.

Il arrivait en été que le vicaire et André Mathieu s'affrontent au tennis.

Et l'hiver, c'était au billard à la salle des Chevaliers de Colomb. Cette activité d'intérieur favorisait l'échange, et la discussion prenait parfois allure de passe d'armes. Chaque fois, le vicaire en sortait plus fort dans sa foi ; l'autre plus faible. L'on passa en revue toutes les grandes lignes de la bible, les commandements de Dieu et de l'Église, les péchés capitaux et tutti quanti... Morale, métaphysique, diverses doctrines comme la prédestination... tout était mis sur la table, et les idées devenaient des numéros sur les boules, et la raison quant à elle prenait allure de boule blanche. Et ça roulait dans tous les sens sur le tapis vert...

Fin 1965, le jeune homme cessa de pratiquer sa religion.

Il ne croyait plus alors qu'en Dieu, mais pas en son intervention dans les affaires humaines. Sans le savoir, il était devenu panthéiste et il le devait aux idées butées du jeune prêtre qui ne faisait jamais la moindre concession et s'alignait minutieusement sur l'enseignement catholique romain quelles qu'en fussent la rigidité et l'aridité...

∞∞∞∞∞∞∞

Chapitre 39

1966-1967

Devenu préfet de comté et redevenu député de Beauce, Jean-Paul Racine avait du poids à Ottawa, là où c'était nécessaire pour son comté et son village. L'exposition agricole moyennant certaines conditions serait éligible à des subventions fédérales. On fit passer par ce chemin la construction d'un aréna municipal, le premier à être bâti dans un village de la Beauce. Le député lui-même avait été la source de l'idée. Et le projet se réalisa au cours de l'été 1966.

Et la deuxième année, la foire eut un succès plus grand encore que la première, signe qu'elle aurait la vie longue, fort longue. Voilà qui remit bien d'aplomb la fierté du curé Ennis. Le prêtre de 76 ans en était à sa première année de retraite dans la maison achetée de la succession d'Octave Bellegarde. Il ne lui restait plus que d'être heureux en regardant vivre son monde, car sa santé, toujours précaire mais jamais dramatiquement touchée, lui permettait d'espérer une belle dizaine d'années encore...

Bernadette, blême comme la neige tombée cette nuit-là et qui blanchissait le sol, frappa à la porte chez Freddé pas longtemps après la messe du matin.

– J'ai pas une bonne nouvelle à matin, dit-elle à son frère et à sa belle-sœur.

Amanda, qui travaillait au comptoir de la cuisine, dit ce qui lui passa par la tête :

– Il m'semble, il m'semble... Veux-tu un tasse de café ? Non, j'sais que t'en prends jamais... Assis-toi à table...

Bernadette pensa qu'on était en période de pleine lune et que sa belle-sœur traversait une zone de turbulence... Ça lui passerait dans quelques jours.

– Dis ce que t'es venue dire ! lança Freddé, qui se berçait, le dos aux portes fermées du petit salon.

– C'est monsieur le curé... ils l'ont trouvé mort à matin dans son lit.

– Hein ? Mais il est pas si vieux...

– Je parle du curé Ennis, pas de l'autre.

– Ça, c'est pire !

Ces trois mots signifiaient l'attachement de la population pour celui qui avait été son pasteur durant 31 ans. Amanda regarda Bernadette en paraissant ne pas la croire ou peut-être ne pas la comprendre. Elle s'intéressa à sa popote, et son esprit rentra en lui-même. Solange se berçait sur une chaise droite comme ça lui arrivait souvent. Seul son corps se balançait d'arrière en avant.

Bernadette l'interpella :

– Ça te fait-il de la peine, Solange, que le curé Ennis soit mort ?

– Enhen !...

Et elle cessa de se balancer pour, sembla-t-il, réfléchir. Son regard énervé allait d'une direction à l'autre, comme si elle cherchait à se bâtir un sentiment nouveau en picorant des graines parmi ceux qu'elle connaissait depuis son enfance...

∞∞∞

Le prêtre fut exposé dans la grande salle paroissiale, en cette bâtisse qu'il avait fait ériger naguère. C'était là sa marque la plus tangible de son passage à la cure de Saint-Honoré, mais il laissait dans les cœurs de ses paroissiens le souvenir d'un homme posé, tenace, courtois et possédant un haut sens de l'humour.

Le charisme de la Patience avait été accordé à cet homme par l'Esprit-Saint. Il savait écouter, consoler et encourager. En ce sens, l'abbé Ennis était devenu ce que rêvait le bon pape Jean XXIII dans la réforme de Vatican II : Savoir se pencher vers le peuple pour mieux le comprendre et l'apprécier.

Livre du centenaire, curé Antoine Gilbert.

On lui devait *la restauration de l'église, tant à l'intérieur qu'à l'extérieur, la construction d'un nouveau perron, l'installation d'un chemin de croix, l'agrandissement du cimetière, la construction de la salle paroissiale et le terrassement et l'embellissement des abords de l'église, ce qui a donné un parc-auto des plus pratiques...*

Livre du centenaire, page 36

– Monsieur André va bien ? dit une voix féminine derrière le jeune homme qui était venu au corps exposé dans un cercueil grand ouvert, devant lequel il se trouvait à quelque distance parmi d'autres paroissiens.

Il se tourna. C'était madame Éveline. Voilà qui le rendit un brin nerveux :

– Ben... oué...

– On te voit pas souvent par ici.

– Non... je travaille à Saint-Georges.

– Je sais, oui. Tu pourrais quand même venir nous voir de temps en temps.

– Ben... suis là.

– Autrement que pour venir au corps.

Les années commençaient de peser lourd sur la femme de 67 ans. Le jeune homme se demanda une fois encore pourquoi il s'était laissé séduire par elle et surtout pourquoi il ne le regrettait toujours pas. Cette interrogation sans douleur ne l'avait jamais empêché de dormir, mais elle revenait chaque rare fois qu'il voyait la veuve. En fait, il ne lui avait jamais parlé de nouveau après le grand événement dans le camp à Armand Grégoire. Une pensée de Nietzsche faisait sa réponse un peu énigmatique : « Tout ce qui ne tue pas fait grandir. » Or, devenir un homme par les soins d'Éveline ne l'avait pas tué du tout, au contraire...

– On m'a demandé pour travailler à l'organisation de la prochaine exposition agricole. Je serai plus souvent par ici durant l'été qui vient...

– Manque pas de me donner signe de vie !

Elle lui adressa un fin sourire qui disait tout.

Lui regarda le visage du prêtre endormi à jamais. Puis, ses souliers luisants. Décidément la religion n'exerçait plus aucune influence sur lui ; mais l'humain l'intéressait...

– J'y manquerai pas...

∞∞∞

1967

L'homme n'avait que 55 ans, mais il se sentait vieillir de dix ans par année. Il se savait malade et, pourtant, retardait à se faire examiner afin de repousser le plus loin possible le moment tant redouté d'un diagnostic. Son regard se promena sur le cimetière ; il ne put apercevoir que des parties de pierres tombales que l'hiver généreux et rigoureux avait enfouies sous la neige.

On était le dernier jour de février. C'était la mise au charnier de sa mère décédée trois jours plus tôt de sa belle mort à l'âge de 92 ans. Marie Lamontagne, veuve de Gédéon Jolicœur, avait rendu l'âme durant son sommeil, gratifiée par son

Créateur, tout comme le curé Ennis, d'une mort des plus douces.

L'air froid et sec, s'ajoutant à un certain épuisement physique et moral, provoqua chez Ovide une quinte de toux que l'homme voulut le plus discrète possible. Le préposé des pompes funèbres ouvrit les portes du charnier, dont les abords avaient été déblayés plus tôt. Les porteurs s'engagèrent avec le cercueil dans les trois marches à descendre. On ne pleure pas une femme de cet âge, alitée depuis tant d'années. Mais on est baigné de respect devant la dépouille d'un être dont la vie en fut une d'un labeur intense et d'un entier dévouement envers son époux et ses quatorze enfants. Et c'est cela qui caractérisait cet enterrement : un respect profond dans le silence et la dignité.

Berthe, au bras de son époux, s'inquiétait, sans le dire ni le laisser voir. Combien de fois n'avait-elle pas demandé à Ovide de cesser de fumer depuis la première à la cabane à sucre avant même leur mariage ? S'il avait cessé de boire, il n'était pas parvenu à se libérer aussi du tabagisme. Et ses voies respiratoires en souffraient, elle ne le savait que trop, elle que la tuberculose avait touchée mais qui lui avait permis de connaître des gens que le tabac avait rendus malades. Et fait mourir. La cigarette continuait de séduire et d'être à la mode, mais surtout pas pour une femme comme Berthe Grégoire qui en savait tous les pouvoirs ravageurs.

On ne meurt pas à 55 ans : c'est bien trop tôt ! Mais on peut se suicider à petit feu à tout âge. Et Ovide, sans trop le savoir, sans le vouloir consciemment, courait à sa perte...

La maison Jolicœur fut mise en vente. L'on accorda quelques mois à Éveline pour trouver à se loger autre part. Avec l'aide de ses enfants, la veuve trouva une solution qui lui convenait, elle qui n'avait aucune envie, si jeune encore, de se ramasser dans un foyer pour personnes âgées. Elle fit l'achat d'une maison mobile et d'un terrain dans la rue de la caisse populaire, tout près de chez cet homme qui avait été son amant mais ne l'était plus : Philias Bisson. À seulement 63 ans, le garagiste à sa retraite pourrait peut-être de nouveau combler ses appétits charnels que le temps n'amenuisait pas, ce qui faisait parfois penser à Éveline que l'Indienne Amabylis avait vu juste en disant d'elle que le démon de la concupiscence l'accompagnerait comme un ange gardien toute sa vie durant.

En mai, elle déménagea et trouva dans son nouveau logis confort mais exiguïté. Ayant vécu toutes ces années dans la grande maison du docteur Goulet, voici qu'elle se sentait comprimée, à l'étroit. Qu'à cela ne tienne, elle sortirait plus souvent pour faire ses tournées Avon.

Et Philias recommença de la voir sans que personne du village ne le sût. Il n'avait qu'à passer par l'arrière de sa maison, franchir la petite clôture écrasée dans les herbes et frapper discrètement à la porte après avoir regardé tout autour. Les deux sexagénaires continuaient de craindre le scandale et le qu'en-dira-t-on...

∞∞∞

André visita la veuve pour les besoins de la foire. On lui avait acheté des échantillons de parfum pour utilisation dans des kiosques d'amusement. L'idée en était que des retombées devaient se faire sentir chez tous ceux de Saint-Honoré qui avaient des choses à vendre.

Elle le reçut courtoisement. Lui fit visiter sa demeure. Devant la porte de sa chambre, il aperçut une paire de petites culottes accrochée à la tête du lit. Un message on ne peut plus clair. Mais le jeune homme avait signé un contrat de fidélité avec son épouse ce jour de juillet 1963 ; il ne parvint pas à glisser sa pensée entre les lignes. Encore moins sa libido. Et si les commandements de la religion ne signifiaient plus pour lui que des souvenirs où il faisait figure de nigaud bien attrapé, un sens de la loyauté qu'il ne se connaissait guère l'empêcha de réagir quand la veuve le toucha à quelques reprises à la main, avec pour prétexte de lui faire sentir des échantillons.

Et il repartit sans que rien de ce que la femme désirait ne survienne. Il aurait toute la vie pour interroger la peur et la retenue de ce soir-là...

∞∞∞

Une autre intervention du député Racine valut à Saint-Honoré la construction d'un bureau de poste tout neuf. L'endroit tout désigné était la grande cour de la propriété Mathieu en face même de la résidence Grégoire. En fait, aucun autre terrain n'était disponible au centre du village, et celui-ci l'était depuis le déménagement naguère de la vieille maison (ancien presbytère) par Ovide Jolicœur.

L'inauguration se fit le jour même des 80 ans de Freddé. Le vieil homme y assista. L'abbé Dubord procéda à la bénédiction de la bâtisse en présence des deux députés, Jean-Paul Racine du fédéral et Paul Allard du provincial.

Quand la cérémonie fut terminée, en entoura l'ex-maître de poste et on lui serra la main. Chaque bon mot qu'il recevait se transformait en Alfred Grégoire en morceaux de nostalgie. Et l'image la plus forte à lui rester en tête était celle de Napoléon Lambert appuyé au mur de l'escalier près de la planche à bascule, lançant des idées en attendant que la malle soit dépaquetée.

Maintenant âgé de 79 ans, l'aveugle vint aussi féliciter Freddé. Il fut amené devant lui par son épouse que le Canada venait d'honorer en même temps que le député Jean-Paul Racine de la médaille de la Confédération. Lui pour ses nombreux états de service variés au bénéfice de sa collectivité et elle de même, mais à une échelle paroissiale.

– C'est ton père qui serait content de voir une belle bâtisse de même pour servir de bureau de poste.

Alfred savait que Lambert la voyait, cette bâtisse, à travers les mots de son épouse et par les yeux de son cœur. Cette fois, il n'y tint plus et des larmes se mirent à couler dans son visage, à travers les rides et le temps fort long écrit en chacune d'elles avec de l'encre indélébile.

∞∞∞∞∞∞

Chapitre 40

1968-1969-1970

Les foules folles scandaient le nom d'idoles tout partout dans le Québec politique.

« Tru deau ! » « Tru deau ! » « Tru deau ! »

« Ca ouette ! » « Ca ouette ! » « Ca ouette ! »

Les noms des Maurice Richard et Jean Béliveau des éliminatoires électorales se transformaient en mantras dans ces chœurs de bouches débiles.

On tiendrait des élections fédérales le 25 juin. Deux formations se disputaient les appuis des Québécois. Les libéraux, dirigés par le très charismatique Pierre-Elliott Trudeau, y affrontaient les bouillants créditistes que menait leur chef brûlant Réal Caouette.

Dans la Beauce, la machine bleue se taisait. On voulait remettre au libéral Jean-Paul Racine la monnaie de sa pièce, lui qui s'était glissé entre deux candidats forts en 1958 et 1965, profitant de leur curée mutuelle.

Les conservateurs laissèrent donc les créditistes de Romuald Rodrigue battre le libéral Jean-Paul Racine.

Et Jean-Paul Racine fut battu.

Par contre, à l'échelle nationale, Trudeau l'emportait avec 155 sièges contre 72 pour les conservateurs. Quant aux tenants du crédit social, ils virent le nombre de leurs députés grimper à 14.

Trudeau demeurait donc premier ministre haut de gamme en décapotable sportive. Sa popularité allait *usque ad mare* et traversait allégrement la frontière du pays. Le Canada s'était doté de son John Kennedy, chicanes de ménage et adultère en moins, puisque son PM n'avait pour épouse, encore, du moins, que le vent de la liberté.

On aurait pu croire que Saint-Honoré prendrait le deuil en ce soir de défaite, mais il n'en fut rien. La moitié de la population s'était laissée séduire par le rêve créditiste. Et les jours suivants, bien des regards se faisaient piteux et honteux au passage du p'tit gars de la paroisse défait alors qu'il se rendait à pied au bureau de poste en roulant dans sa poitrine de grosses boules d'amertume. Le bien le plus aléatoire qui soit est la reconnaissance du peuple, et on avait oublié le soin, peut-être paternaliste, que l'homme de 41 ans avait pris de son Saint-Honoré natal.

∞∞∞

Loin, bien loin des préoccupations politiques, Ovide Jolicœur, lui, reçut son terrible pronostic de mort. Atteint d'un cancer, ayant subi une opération majeure qui visait l'ablation partielle d'un poumon, il n'en avait plus que pour quelques semaines. Sa volonté fut de les passer chez lui, dans sa demeure du boulevard Laurier à Sainte-Foy, parmi ses proches et près de Berthe, qui lui tiendrait la main jusqu'à son dernier souffle.

Tous savaient imminente la fin de l'homme de 56 ans. Le chien, lui, la sentait. Et veillait au pied du lit. Il pleurait comme un enfant parfois. Mais il gardait un œil toujours ouvert afin de surveiller la mort et de l'empêcher d'entrer dans la chambre. Qu'elle se présente donc le nez dans la porte et, lui qui n'avait jamais mordu personne, la mordrait à l'os.

Berthe fut d'un soin de tous les instants, mais au milieu d'août, la situation pour elle et lui devint intenable. Il fallut se résigner à faire hospitaliser le malade avec son accord. C'est couché sur une civière qu'Ovide Jolicœur put voir pour la dernière fois la façade de sa chère demeure.

Durant tout son séjour à l'hôpital, Pitou pleura. Le chien eut des gestes inhabituels. Il tournait en rond. Se couchait en des lieux où il n'était jamais allé dans la maison. Mais le plus souvent, il continuait de veiller au pied du lit, maintenant vide.

Ovide avait toujours interdit à l'animal sa présence dans le salon quand l'homme était à la maison. Pitou ne profita pas de son absence pour y entrer, sauf en plein cœur de jour, ce mardi le 20 août. Alors, il pénétra dans la pièce, museau en l'air, comme s'il allait à la rencontre de quelqu'un.

Ce devait être l'âme d'Ovide car elle avait quitté son corps en cette minute même.

∞∞∞

Henri Grégoire et son épouse, Clara Anctil, vinrent aux obsèques depuis leur demeure de Brunswick. L'homme âgé de 73 ans ressemblait à un cadavre ambulant. Il avait du mal à parler, ses cordes vocales refusant de produire les sons qu'il voulait ; il lui fallait utiliser un appareil qu'il collait sur son cou afin de parvenir à se faire entendre et comprendre.

Ce serait son dernier voyage au Canada.

Atteint d'un cancer de la gorge, probablement causé par le tabac, Henri fut pris en charge par ses enfants, surtout son fils Henri-Paul et sa femme Mary, chez qui il demeura en compagnie de Clara jusqu'à sa mort. Il s'éteignit en mars 1969 dans un hôpital de Quincy, en banlieue de Boston, à l'âge de 74 ans.

Un clocher dans la forêt, par Hélène Jolicœur

∞∞∞

Et la grande faucheuse récolta bien des âmes de Saint-Honoré en ces années-là. Elle s'arrêta chez Georges Pelchat le 12 juillet (1969) pour demander à l'homme de 80 ans de la suivre. Il obéit et ferma boutique.

Elle en réclama d'autres, les Pierre Champagne, Ferdinand Bégin, Réal Quirion, madame Joseph Fontaine, grand-mère de Jean d'Arc, madame Onésime Beaulieu, Albert Bisson, frère de Philias et encore...

André Mathieu avait bâti une maison à Saint-Georges et il enseignait maintenant à Saint-Martin, dans la première école polyvalente construite sur le territoire. Ce jour du 14 septembre, alors qu'il arrivait dans le grand hall, une connaissance, Roger Demers, l'arrêta pour lui faire part d'une nouvelle triste.

– As-tu su pour Carole Boulanger ?

– Su quoi ?

– Elle est morte.

– Ah oui ?

Mais l'étonnement n'était pas à son comble, même s'il s'agissait d'une jeune fille de 19 ans que le professeur connaissait bien. C'est qu'il avait prédit cette fin tragique.

La scène s'était passée au printemps dans son bureau de l'école Notre-Dame-de-la-Trinité, où le jeune homme travaillait. Visité par l'étudiante Carole Boulanger et son amie Lucille Jobin, on avait parlé de la mort. Et sans le vouloir, il avait dit soudain à la jeune fille : « Tu vas mourir avant tes 20 ans. » Carole, blanche comme de la cire, avait aussitôt quitté le bureau comme quelqu'un qui fuit la peste noire.

– Un accident. Deux morts. Ça s'est passé à Notre-Dame-de-la-Guadeloupe. L'auto a frappé une maison. La boisson peut-être. La vitesse, c'est sûr...

Le professeur se rendit au corps le lendemain, mais ne fit part à personne de ce phénomène ésotérique dont il avait été au cœur, et pas pour la première fois ni la dernière[2].

1970

Aux deux bouts de cette année-là, le cœur du village connut le deuil. Deux voisines des familles Grégoire et Mathieu moururent. Bernadette et Freddé regardaient s'en aller tous ces gens de leur époque et de leur milieu en se demandant quand viendrait leur heure.

Début février, ce fut le tour de Marie-Anna Nadeau, épouse de Raoul Blais, femme de 56 ans, d'être emportée par le cancer. Au corps, André raconta à Bernadette ce qui s'était passé à la banque, tenue par Marie-Anna, en 1957, alors que la femme n'avait encore que 43 ou 44 ans.

– Elle m'a dit au sujet de ma mère à l'agonie : « C'est donc jeune pour mourir, ça, à 56 ans. Et surtout d'un cancer. » Et il y avait comme une grande peur écrite sur son front. Blanche comme un drap blanc...

– Elle devait sentir que la même chose lui arriverait, suggéra Bernadette. 56 ans. Cancer.

– J'ai envie de penser qu'on sait quand on va mourir, mais que la raison brouille les cartes.

– Ça doit être quelque chose comme ça... Pour le moment, ça serait bien le temps de dire une dizaine de chapelets...

2.Note de l'auteur :

Il m'est arrivé une dizaine de fois entre les âges de 15 et 31 ans de prévoir la mort de quelqu'un, et pas du tout des vieillards malades mais des personnes jeunes et bien portantes. Cette espèce de médiumnité, dont je n'ai à peu près jamais parlé et que j'ai toujours attribuée au hasard, s'est arrêtée autour de la trentaine... En fait, j'étais récepteur d'ondes que je réfléchissais simplement, de la même manière que ma mère avait vu mon frère en béquilles sur son lit de mort, alors qu'elle ne pouvait l'avoir su de personne et l'avait donc perçu à distance... Encore que dans son cas à elle, il s'agissait de télépathie alors que dans les miens, il s'agissait de prémonitions... que j'attribue à la télépathie et à la programmation de chacun... Ces personnes infortunées, sachant inconsciemment qu'elles allaient mourir tôt, me le faisaient savoir par leurs ondes que j'avais alors la « chance » de capter... Ah, mais comment savoir à coup sûr quand on nage aussi loin du rationnel ?

En décembre, l'épouse de Jean Pelchat, Itha Paradis, rendit l'âme à son tour, à 77 ans...

Au corps, Bernadette dit à Freddé :

– L'année prochaine, on va avoir du répit. La mort va se tanner d'achaler Shenley. On va l'envoyer un bout de temps ailleurs que par chez nous. J'vous dis qu'elle, là...

∞∞∞∞∞∞

Chapitre 41

1971

Mais la pauvre Bernadette était à côté de sa plaque en prédisant une année calme, ce qui voulait dire un temps de répit sans trop de disparitions de personnes significatives. Même qu'un sixième sens lui disait tout le contraire d'une accalmie. À telle enseigne qu'elle ressentit le besoin d'effectuer un changement majeur dans son existence : vendre sa maison et déménager chez Freddé, dans un logement aménagé à la place du bureau de poste, sur les lieux mêmes de l'ancien magasin dont elle avait si vaillamment frotté le plancher jadis et où devait se trouver parfois l'esprit de bien des Grégoire, en commençant par celui de sa mère Émélie et de son père Honoré.

Et, à vivre plus près de Solange, la femme remplirait mieux la mission qu'elle s'était donnée bien longtemps auparavant : veiller jalousement sur sa nièce infirme. Chaque fois que l'occasion se présentait, elle l'emmenait avec elle, soit à l'église à des funérailles, soit au salon funéraire, soit en visite chez Berthe et Alice à Québec.

Mais tout autour, la noire moisson de la grande faucheuse reprit de plus belle avec la mort à 21 ans de Liette Pelchat début février, celle de Lucia Létourneau, servante du curé Ennis, un mois plus tard, à 74 ans.

Puis, ce fut le tour de Boutin-la-Viande le 17 mars. Né en 1882, l'homme de 89 ans avait ouvert un premier abattoir en

1900 et vendu ses produits par les portes toutes ces années, jusqu'à sa retraite, alors que son fils Georges-Henri avait pris la relève.

En frappant au royaume des personnes âgées, la redoutable cachait son jeu une fois encore. Mais au printemps, elle montra son vrai visage empreint de cruauté quand elle ravit à leurs parents du rang 6 deux de leurs enfants, Nicole et Christian, âgés de 7 et 8 ans. Ils se noyèrent dans un étang près de la demeure familiale alors que la glace, affaiblie par avril, céda sous leurs jeux.

Ce serait ensuite le tour de Lydia Bégin, veuve de Napoléon Martin, l'homme à deux femmes. Cette disparition donna à réfléchir à Éveline qui avait presque le même âge. Le temps des amants était fini pour elle, qui ne voyait même plus Philias, son voisin. Elle devinait bien court le temps qu'il lui restait à vivre.

Rendu à près de 84 ans, Alfred Grégoire ne regardait plus que derrière lui. Mais il vient un jour où même la nostalgie du passé n'est plus permise et alors, il faut lui faire un enterrement de première classe.

Voilà qui fut accompli un dimanche de juillet par une dernière randonnée en voiture avec le cheval roux, ce complice de vieillesse de l'ancien marchand.

Alfred attela la voiture fine et emprunta la voie principale jusqu'à l'entrée du rang 9. Comme s'il avait su où son maître voulait aller, Jos tourna de lui-même dans ce chemin de gravier. Il lui fut demandé d'aller le pas afin que dure le voyage ultime d'un homme à travers les derniers milles de sa vie.

Le temps avait respecté la vieille intégrité des deux premiers kilomètres, et il ne se trouvait encore en 1971, de chaque côté du chemin, que des champs tout verts, propres à la réflexion d'un vieillard dont le rêve de cultiver la terre ne s'était jamais éteint ni réalisé non plus. Il en aurait le regret jusqu'à son dernier souffle. Ce regret avait commencé de l'habiter le jour où il avait reçu le prix d'assiduité à l'école, mais que son père avait à peine regardé comme s'il s'agissait d'un détail sans la moindre importance. Alors, l'enfant avait décidé d'aller le montrer à son grand-père Allaire dans le 9...

Le souvenir de cette démarche revenait nettement en la tête du vieillard bedonnant aux cheveux tout blancs, si blancs d'années de labeur et de douleur...

L'enfant avait souvent entendu son grand-père parler de manière élogieuse de la terre nourricière et cela se produisait chaque fois que l'homme allait se recueillir sur la tombe de Marie et celle voisine de cette dame du rang 10. Voilà qui lui suggéra quelque chose: c'est à lui qu'il devait montrer son prix – L'Outaouais supérieur par Arthur Buies – à cause du sujet du livre – la colonisation –. Il décida de se rendre dans le rang 9 à pied en prenant le raccourci de la terre des Foley.

Oui, mais arborer un livre devant un homme qui n'avait de toute sa vie jamais su lire un traître mot, une simple lettre de l'alphabet, il y avait de quoi le contrarier voire blesser son orgueil, songeait en substance et en sa manière de dire le garçon qui marchait le pas long malgré des chaussures qui lui enserraient un peu trop les pieds. Néanmoins, son élan du cœur le transportait, lui donnait des ailes pour franchir les ruisseaux, escalader les clôtures, courir sur les planches de labour, marcher dans le foin long en frôlant le haut des tiges avec ses mains ouvertes au bout de ses bras allongés en croix.

Ce n'était pas la première fois qu'il se rendait voir son grand-père en passant par là, et tout l'enchantait depuis le vert bocage du cap à Foley jusqu'à la roche à Marie près de la rivière du rang. Chemin faisant, il s'adonna à quelques haltes pour admirer la terre, humer ses odeurs, vibrer à sa puissance créatrice. L'une d'elles lui plaisait davantage car elle lui permettait d'embrasser du regard tous les environs: le clocher dans les arbres là-bas, les maisons alignées comme des soldats de part et d'autre de la seule rue du village, la verdure des champs fertiles, les érables se chuchotant des secrets en petits groupes et les bouleaux se rappelant des souvenirs du temps de la sauvagerie qu'ils avaient si bien connue. Et de l'autre côté, le rang 9 qui s'enfonçait dans l'horizon peu éloigné pour se perdre aussitôt dans les vallons, ne laissant apercevoir que ses deux premières maisons dont l'une appartenait à Augure Bizier, l'ancien quêteux de grands chemins et son épouse indienne, l'Amabylis, toujours si colorée et si timide... Du très bon monde. Des gens qui avaient accompagné la pauvre tuberculeuse de Marie Allaire l'année de sa mort, qui se trouvait aussi celle de la naissance d'Alfred: 1887.

Le garçon s'assit au pied d'un bouleau blanc et s'y adossa pour lire au hasard dans ce livre à reliure en peau de chagrin, qui ne cessait d'alimenter sa joie depuis la veille. Il tomba sur un texte de Buies parlant des moustiques et dont il ne lut qu'un paragraphe par le milieu:

«J'ai vu de pauvres vaches, la queue tout épilée, sèche et rude comme une queue de tortue à force de s'en être fouetté les flancs; j'ai vu des chiens tellement éreintés, morfondus par leur lutte avec les moustiques que, pour aboyer aux voitures qui passaient, ils étaient obligés de s'appuyer sur les clôtures, et qu'à peine ouvraient-ils la gueule qu'une nuée de brûlots s'y engouffraient comme au lit d'un ravin se précipitent les sables ardents...»

Et l'enfant se mit à rire en s'imaginant le chien de la maison, la gueule posée sur une pagée de clôture pour japper aux passants... Tout en ce livre venait chercher son cœur et son esprit. Il serait son inspiration. Et c'est lui qui ferait grandir en lui jusqu'à son accomplissement son désir de posséder et de cultiver de la terre.

Puis, il reprit son chemin et rejoignit le rang de terre battue sur laquelle il courait en dansant, loin des préoccupations de sa famille à propos de son avenir que les élections du lendemain modifieraient peut-être.

– Si c'est pas le p'tit Freddé! s'exclama Édouard lorsque l'enfant parut dans l'embrasure de la porte.

– Pepére, j'viens vous montrer quelque chose que j'ai gagné à l'école.

– Tu m'en diras tant!

…

Alfred courut à l'homme assis qui fumait sa pipe; il tendit son livre en même temps qu'il parlait:

– Je l'ai eu hier parce que j'ai pas manqué une journée d'école de l'année.

– Hey, tout un beau livre, ça!

– Vous pouvez l'ouvrir.

Ce que fit le sexagénaire en disant:

– Mais… tu sais que moé, j'sais pas lire. J'ai pas eu la chance d'aller à l'école. Dans mon temps, c'était pas la mode comme asteure… Tandis que ton père à toé, c'est un homme instruit. Instruit comme ça se peut pas. Un cours commercial bilingue du collège de Sainte-Marie, c'est quelque chose. Pis va falloir que toé itou, tu t'instruises…

– Moi, j'veux cultiver la terre comme vous, Pepére.

– C'est pas parce qu'on cultive la terre qu'il faut être gnochon, Freddé. Vu que tu sais lire pis que tu pourras te faire instruire, tu pourras apprendre des manières de cultiver qui sont meilleures, qui ont été trouvées par des agronomes… Bon, assis-toé pis explique-moé c'est quoi au juste, ton livre.

Le garçon fit comme demandé. Et ce fut au tour de son grand-père d'écouter. Ce qu'il fit avec une grande attention tout le temps que son petit-fils lut devant lui des passages plus savoureux les uns que les autres. Et quand ce fut terminé et que le temps vint pour Alfred de retourner au village, l'homme lui dit:

– Quand tu vas revenir, tu l'emporteras, ton livre, pis tu m'en liras encore des bouttes. Ce monsieur Arthur Buies, il est pas piqué des vers pour dire les bonnes choses. C'est un homme d'une grande

intelligence. J'comprends comme il faut pourquoi c'est faire que le curé Labelle l'avait pris comme secrétaire. C'est un ben beau livre qui va te mettre des bonnes idées dans la tête...

Sur ces mots, l'enfant s'en alla. À la roche à Marie, il se rendit sur le bord de l'eau et lut un autre paragraphe, un morceau qui ne faisait pas partie à proprement parler du livre et y avait été inséré par l'éditeur, histoire de provoquer un peu les lectrices.

« L'onde est trompeuse comme la femme ; c'est pour cela qu'elle attire... »

Qu'est-ce que l'onde ? se dit le garçon. Il demanderait à sa mère en revenant chez lui.

La moisson d'or, chapitre 6

Et ces scènes, vieilles de près de 75 ans, vinrent chercher des larmes dans les yeux déjà à moitié éteints de cet homme sensible dont le cœur ne s'était jamais asséché malgré les épreuves les plus lourdes et le temps évanoui.

Et la randonnée poursuivit son cours, baignée de souvenirs épars, bousculés, qui s'envolaient rapidement pour laisser la place à de nouveaux, comme si Alfred était à revoir, comme bien des mourants, le film de toute sa vie.

Des automobiles passèrent en soulevant des nuages de poussière. On s'étonnait de voir pareil vestige du passé : une voiture fine attelée, chose normalement réservée pour les anniversaires de paroisse comme ces fêtes du centenaire à venir dans deux ans.

Le cheval roux secouait la crinière chaque fois pour la débarrasser des résidus que l'air y avait transportés et déposés. Au pont, près de la roche à Marie, le cheval s'arrêta net, sans qu'on le lui ait demandé de le faire par les guides ou par la voix. Freddé avait voulu qu'il en soit ainsi, et le cerveau de l'animal avait sans doute capté le message.

Un fantôme apparut en bas, fantôme de jeune femme assise sur la roche, et qui pleurait en entendant les cloches de l'église sonner pour le mariage de celui qu'elle aimait et qu'elle avait renvoyé pour cause de maladie incurable la condamnant à mort. Cela était le fruit de l'imagination du vieillard. Mais aucunement une vision nouvelle puisque chaque fois depuis l'enfance qu'il apercevait ce lieu, il croyait y apercevoir sa tante Marie, ou bien la créait-il de toutes pièces en son esprit et en son cœur.

Et Marie, vaporeuse, cotonneuse, se leva et se tint debout pour le regarder et lui dire, comme on lui avait dit en 1880 et comme elle en avait eu le souvenir en 1887 dans l'escalier de la maison où la mort viendrait la prendre quelques instants plus tard :

– Nous viendrons te chercher, Marie, nous viendrons pour t'emmener avec nous, et tu trouveras la paix et le bonheur. Il ne se passera pas sept ans avant notre retour. C'est pour très bientôt. Tu n'auras pas peur. Mais tu auras mal... comme moi, comme Georgina... et tu seras libre pour toujours, avec nous deux et aussi ton frère Édouard et ta petite sœur Henriette. La forêt verte ne saurait te protéger mais elle ne saurait te retenir non plus. Nous t'attendrons au paradis, Marie. Plus tard, bien plus tard, ton père viendra aussi puis, longtemps après, ce sera le tour d'Émélie et de Joseph. Et un jour, nous serons tous ensemble. Mais toi, tu seras la première à nous rejoindre, la première, la première...

Alfred sentit ces mots qu'il ne pouvait connaître autrement que par une grâce de l'au-delà. Sa tante Marie, qui ne l'avait vu qu'une fois, tout petit bébé, lui dit alors comme on le lui avait dit, à elle, en 1887 :

– Nous allons prier ensemble puis tu viendras nous retrouver si tu veux.

Alors, apparurent d'autres fantômes, une foule d'entre eux, tous souriants, tous aimables, tous généreux, et qui, en un chœur sublime, chantèrent leur invitation au vieillard. Il y avait là, qui brillaient tous à leur propre intensité, proportionnelle à leur signification dans la vie de de Freddé, d'Édouard Allaire, son grand-père si bon et accueillant, d'Émélie, sa mère, d'Honoré, son père, de ses frères et soeurs disparus, d'Éva, la perle de la famille, d'Ildéfonse, celui qui, par sa mort, avait empêché Alfred de réaliser son rêve de cultiver la terre, d'Eugène, le doux poète qu'aimait tant Émélie, d'Armand, l'enfant gâté qui n'en avait toujours fait qu'à sa tête, d'Henri, qui avait préféré l'exil au giron familial, et d'autres, qui n'avaient avec le visionnaire aucun lien du sang, les Jos Page, Cipisse Dulac, Thomas Ennis, Tine Racine, Ti-Peloute Boutin, Augure Bizier, Gédéon Jolicœur et tant de ceux que Freddé avait servis au magasin et côtoyés au cours de sa vie.

Leur chant lui dit à quel point l'après-vie est douce et bonne. Le vieil homme leur sourit. Et ce sourire leur dit qu'il acceptait leur invitation...

Puis, le cheval reprit son pas. Alfred lui fit rebrousser chemin dans la cour chez Édouard Foley, et l'attelage retourna au village. Jos fut dételé, et l'homme le conduisit à la barrière du clos de pacage. Il lui flatta la crinière, le chanfrein, le remoulin et lui adressa deux derniers mots :

« Salut ! Salut ! »

L'animal passa par l'ouverture et s'arrêta un moment. Il tourna la tête, hennit puis s'en alla tranquillement vers le cap à Foley. En disant adieu au cheval roux, Alfred Grégoire venait de dire adieu à son passé, à sa vie... Le chœur des fantômes pouvait bien venir le chercher maintenant...

Il retourna à la maison.

∞∞∞

En août (1971), l'infatigable curé Foley, sur l'ordre de son médecin, dut abandonner les responsabilités de sa paroisse. Il souffrait d'étourdissements inquiétants, faisait des chutes pénibles... Son départ fit mal à tout le monde. Mgr Jean-Marie Fortier, archevêque de Sherbrooke, lui fit connaître son profond regret en y ajoutant des mots d'encouragement et d'affection.

Il fut hospitalisé au Centre universitaire de Sherbrooke afin d'y subir une délicate intervention chirurgicale pour une tumeur au cerveau. L'opération fut réussie, mais la guérison fut lente. Après un long séjour à l'hôpital, la convalescence se poursuivit au presbytère Sainte-Jeanne d'Arc pour se transformer en retraite au pavillon Mgr Racine...

Le fils de Joseph, par Aline Boutin

∞∞∞∞∞∞

Chapitre 42

Noël 1971

À maintenant 84 ans, Alfred Grégoire conservait un état de santé surprenant pour un homme de pareil âge. Malgré son acceptation de la mort, celle-ci dormait, faisait l'indépendante, ne voulait pas de lui, peut-être parce qu'elle ne parvenait pas à lui inspirer la moindre crainte? Et les fantômes de la roche à Marie devaient être à préparer d'autres banquets célestes que le sien.

Le vieillard avait décidé de se rendre à la messe de minuit, lui pour qui les traditions demeuraient intouchables. Mais ni Rachel, ni Solange, encore moins Amanda, ne l'accompagneraient. Deux d'entre elles s'étaient enrhumées, et la troisième, son épouse, se plaignait de fatigue intense suite aux « cuisinailles » d'avant les Fêtes.

Quand la cloche de l'église transmit aux paroissiens le dernier signal d'appel, le vieil homme revêtit son manteau noir, s'apprêtant à sortir de la maison pour se rendre à la messe.

– Tu mets pas tes grippes? lui dit soudain Amanda qui s'était levée, mue par un mauvais pressentiment.

– C'est pas nécessaire.

– Certain que c'est nécessaire! Il a tombé de la pluie verglaçante aujourd'hui.

Alfred se ravisa. Il prit une chaise à côté de la porte et s'assit. Sa femme appelait ses grippes des lames triangulaires de vieux moulin à faucher, repliées aux trois angles, et retenues à des lacets de cuir insérés par des ouvertures pratiquées dans le métal. Ces objets avaient été bricolés par le forgeron Ernest Mathieu nombre d'années auparavant. Ils étaient solides et sûrs, mais le temps a raison des meilleures choses. Et Alfred avait négligé de changer les lacets l'année précédente, et l'un d'eux commençait à souffrir d'usure.

Il les prit, qui gisaient entre des chaussures mises sur un tapis de vinyle à rebords, et les assujettit à ses pardessus noirs un peu trop grands pour ses souliers.

Il quitta la maison sans rien dire, à sa manière de toujours, discrète et sans civilités oiseuses.

Inquiète, Amanda se rendit à la porte pour voir dehors, mais n'aperçut que l'obscurité qui noyait le cœur du village et que perçaient les seules fenêtres brillantes de la grande église paroissiale.

Alfred n'avait jamais été sûr de ses pas tout au long de sa vie. Des chaussures trop étroites avaient comprimé ses pieds au cours de son enfance et les avaient déformés ainsi, consécutivement, que son marcher.

Une fois encore, quand il atteignit la rue et tourna son pas vers l'église sous l'éclairage des lampadaires et de voitures qui ne cessaient d'arriver pour se stationner dans le parc-auto voisin, il se souvint de la scène d'escalade de la structure en 1901 avec son ami Napoléon Lambert. L'image ne s'attarda pas dans sa tête, et il poursuivit sa marche vers le perron. Rendu là, il croisa Jos Gosselin, qui le salua à sa façon, d'une voix puissante et de mots appuyés aux « R » bien grasseyés :

– Salut, Freddé ! J'te trouve bon de venir à la messe de minuit.

– J'ai jamais manqué ça. Noël sans la messe de minuit, ça serait pas Noël.

Les deux hommes, qui n'avaient pas cessé de marcher lentement, furent rejoints par le voisin de Jos Gosselin, Jos Lapointe, le marchand de vêtement maintenant âgé de 75 ans et dont le magasin avait été vendu un certain nombre d'années auparavant à un dénommé Yvon Gilbert. On s'échangea quelques mots sur le temps plutôt doux de la soirée puis les trois hommes entrèrent et se séparèrent automatiquement, chacun se dirigeant vers son banc propre. Aucun n'eut à gravir les marches du long escalier menant aux jubés. Freddé se pencha, enleva les accessoires mis à ses pieds afin de ne pas ruiner le prélart de l'église...

Ce fut une fort belle messe grâce aux talents combinés de Paule Bégin-Racine et de Gaby Champagne-Poulin, l'une touchant l'orgue et l'autre dirigeant le chœur mixte. Alfred eut une pensée pour le curé Ennis qui avait si longtemps dirigé le chant des fidèles et dont la voix puissante et riche manquait à plus d'un, même six ans après son départ.

Tant de gens avaient abandonné la pratique religieuse qu'il arrivait rarement, et à peu près seulement à Noël, que l'église soit ainsi remplie de fidèles. Cela réconforta le cœur du vieillard. Il revivait une messe comme dans le vieux temps, le bon vieux temps.

Et il ressentit encore plus de calme en son être profond après être allé communier.

Baigné de lumière, de sons enchanteurs, de paix de l'âme et sûrement de grâce, Alfred demeura à son banc quand les fidèles quittèrent. Il ne voulait nuire à personne dans le tambour quand il s'arrêterait un moment pour réinstaller ses grippes à ses chaussures.

Un lacet céda sous la pression; il lui fut impossible d'assujettir une des lames, celle du pied gauche, son plus faible.

Qu'importe, il n'avait remarqué aucune surface glacée en venant. Et il sortit alors que les automobiles se faufilaient les unes entre les autres pour emmener les paroissiens chacun chez soi. Freddé s'approcha de la première marche et quand il voulut la descendre, il fit son dernier pas sur terre. Le pied non ferré glissa sur un soupçon de glace, et le vieil homme ne put rétablir son équilibre. Son corps fut emporté par son destin. Il chuta. Aucun dommage à la colonne ne fut causé par l'impact, mais la tête heurta violemment la marche.

L'homme perdit conscience tout près de l'endroit même où une main criminelle avait laissé le corps de son cousin sept ans auparavant. Et parce que les êtres sont programmés à leur insu, les deux hommes qui s'étaient adressés à lui à l'entrée furent aussi ceux que le destin mit auprès du vieillard blessé. Jos Gosselin et Jos Lapointe, témoins de l'accident, accoururent... Pourquoi ces deux hommes et pas d'autres ? Personne n'aurait pu dire...

Alfred fut transporté chez lui par de jeunes bras solides. On téléphona aussitôt pour faire venir l'ambulance. (Saint-Honoré était privé de médecin depuis plusieurs années.) Et le blessé partit pour l'hôpital sous les regards atterrés des trois femmes de la maison.

Freddé resta plusieurs jours à osciller entre la vie et la mort, luttant pour éliminer le caillot de sang qui s'était formé dans son cerveau. Mais il s'éteignit le 7 janvier suivant. Son corps fut déposé dans le cimetière paroissial quatre jours plus tard.

Un clocher dans la forêt, par Hélène Jolicœur

C'est depuis un autre monde que cet homme de cœur assisterait aux célébrations du centenaire à venir l'année suivante.

∞∞∞

Une autre de sa génération rendit l'âme en mars. La sœur du curé Ennis, Emma, disparut à l'âge de 89 ans.

Mais l'abbé Foley, lui, avait récupéré de l'intervention chirurgicale par laquelle on avait extirpé une tumeur de son cerveau. Et voici que le 7 mai, on fit du prêtre retraité le héros d'une fête mémorable organisée par les paroissiens en l'honneur de leur curé fondateur. Le compte rendu de cette célébration, tiré du bulletin paroissial du 14 mai, fit état de l'événement inoubliable, mentionna les noms des célébrants et concélébrants à cette cérémonie en l'église du Cœur-Immaculé-de-Marie, de même que ceux des nombreux dignitaires présents. Il y fut aussi question du banquet à cinq-cent convives qui suivit.

Le nom de la personne la plus importante de toutes au cœur du jubilaire ne fut pas donné pour la bonne raison que pas un, à part le prêtre, ne le connaissait. Et c'est avec la même discrétion qui, toutes ces années, avait protégé leur lien de toute une vie, que Bernadette Grégoire et Eugène Foley passèrent cette journée à se parler par le regard, par les mots et par leur simple présence en un même endroit.

Eugène prit une dernière fois la plume pour livrer dans le feuillet paroissial du 28 mai son témoignage de gratitude.

Le plus beau jour de fête de ma vie ! Telle fut mon exclamation au soir du 7 mai dernier. En effet, chers amis, vous tous, les grands responsables de cette inoubliable rencontre, vous avez inondé de joie le cœur de votre vieux curé. Dans un raffinement de délicatesse, vous avez posé un geste devant lequel je reste muet, les mots humains ne pouvant traduire toute ma reconnaissance. Vous m'avez vraiment comblé ! D'abord, vous m'avez procuré le bonheur de revenir dans cette chère église où, tant de fois avec vous et pour vous, j'avais offert le sacrifice eucharistique. Pouvez-vous mesurer quelle émotion fut la mienne en pénétrant dans ce cher sanctuaire dont je vivais éloigné depuis plusieurs mois déjà ? Cette concélébration avec mes confrères dans le sacerdoce, amis intimes et si dévoués collaborateurs, me fut une immense consolation...

Vous revoir, chers paroissiens, dans une église pleine à craquer, me retrouver ensuite au banquet devant tant de figures connues, aimées et toutes rayonnantes d'allégresse...

...

Ma solitude sera peuplée désormais par les mille personnages aux multiples couleurs qui seront quotidiennement mes hôtes à l'avenir. Laissez-moi vous dire pourtant, chers amis, qu'il est un film dont la vision ne pourra jamais me lasser... Tous les jours, ce sera splendide quand, les yeux clos, je vous verrai tous passer un à un, dans mon esprit et dans mon cœur. Ce sera alors le renouvellement merveilleux de la fête du 7 mai 1972...

Le fils de Joseph, par Aline Boutin

∞∞∞

Bernadette continuait de faire du porte à porte pour annoncer les bonnes nouvelles ou bien les drames survenus dans la paroisse mais pas plus que jamais auparavant, elle ne disait de mal de quelqu'un.

En juin, elle apprit qu'un nouveau médecin, enfin, viendrait s'installer à Saint-Honoré en juillet. Il avait pour nom André Vachon. Et la femme de 68 ans le fit connaître aussi bien que ne l'aurait fait Anne-Marie Lambert dans son journal, du temps où elle en était l'échotière officielle.

Il lui fallut aussi faire part aux gens visités de la disparition de Marie-Anne Morin, épouse de Joseph Mathieu puis, vers la fin de l'été, de sa belle-sœur des États, Clara Anctil. L'épouse de son frère Henri avait été emportée par un cancer du pancréas et reposait pour toujours dans le cimetière de Brunswick, aux côtés de son époux.

À la mort de Freddé au début de janvier, personne n'aurait pensé que cette année funeste emporterait aussi Jos Gosselin, qui se trouvait encore loin de l'âge où l'on s'attend de fermer ses yeux à jamais si prochainement. Celui qui avait opéré l'autre abattoir de Saint-Honoré, qui s'était fait épicier, commerçant d'animaux, fut rappelé par ceux qui dans l'autre monde voient à la sélection des humains destinés à servir l'Être ailleurs que sur terre et autrement.

– C'est effrayant comme le bon Dieu nous en demande depuis deux, trois ans, se plaignit Bernadette devant Éveline au salon funéraire.

– Mourir à moins de 75 ans, c'est mourir trop jeune. C'est vrai que le bon Dieu pourrait s'abstenir de venir nous chercher avant.

Les deux femmes étaient assises dans la salle même où le corps du défunt reposait. C'est à ses 67 ans que les deux songeaient, l'une ayant dépassé ce cap et la veuve rendue à 73 ans, bientôt 74.

– Autant oublier ça et penser aux fêtes du centenaire qui nous pendent au bout du nez.

– Ça va te rappeler des souvenirs, toi, Bernadette.

La sexagénaire rougit. Comme si Éveline avait su lire en elle ce qui s'était passé sur le trottoir de bois entre la résidence Grégoire et la maison rouge, ce soir de 1923, alors que s'était produit et de manière bien furtive le seul rapprochement amoureux qu'il lui avait été donné de vivre, quand son ami Eugène et elle s'étaient embrassés tendrement, apposant sur leur lien le sceau de l'amour éternel.

– Pourquoi que tu dis ça?

– Je me rappelle... t'étais costumée en hôtesse. Quel âge t'avais?

– Pas dur à compter: cinquante ans de moins que j'ai là. Ce qui fait 18 ans... non, 19 ans en 1923.

– Et moi, j'en avais 23, soupira Éveline. J'étais mariée déjà depuis un an. Ça se peut pas, le temps, passer si vite. Cinquante ans, c'est le temps d'un clin d'œil.

Et l'échange se poursuivit sur les banalités traditionnelles en de pareilles circonstances : la mort qui prend par surprise, la vie qui passe trop vite, la nostalgie qui ouvre les tiroirs de la mémoire voire de l'imagination qui, elle, embellit les scènes du passé, la foi en un grandiose au-delà tout rose, chantant, magique.

Ce soir-là, sur les conseils d'Éveline, Bernadette prit la décision de déménager quand cela lui serait possible. Elle craignait de vivre dans la même bâtisse que Rachel voire même Amanda Grégoire. Rachel, dans ses moments noirs, avait tendance à jouer avec le feu. Et Alfred n'était plus là pour y voir. Ni non plus pour contrôler sa femme comme il était parvenu à le faire pour le plus grand bien de tous depuis sa sortie de l'hôpital en 1941.

Elle sut qu'un logement se libérerait dans la maison Amédée Racine et se rendit voir qui de droit pour en faire la réservation. Elle emménagerait là-bas quelque part au cours de l'année 1973.

∞∞∞∞∞∞

Chapitre 43

1973

Jos Lapointe fut enterré le jour du déménagement de Bernadette, qui ne put ainsi assister aux obsèques. Le départ de ce père d'une belle et nombreuse famille, travailleur acharné et ami de tous, remplit l'église de monde. Et c'est tout à son regret que la vieille demoiselle dépaquetait ses affaires dans son nouveau logement de la maison Amédée Racine. Elle s'excuserait auprès de Claudine, la fille du défunt, maintenant épouse de Laurent Racine, son ami d'enfance et de jeunesse.

Quand les cloches de l'église lui apportèrent des nouvelles de la cérémonie funèbre en cours, la femme songea au destin qui avait réuni les deux voisins, Jos Gosselin et Jos Lapointe, auprès de Freddé, le soir de son accident aux conséquences mortelles. Les deux hommes alors en santé ne devaient pas se douter qu'ils suivraient Alfred d'aussi près dans le tombeau. Que s'était-il vraiment passé dans l'inconnu des esprits cette nuit de Noël, sur le perron de l'église ?

Et Bernadette se souvint que Jos Lapointe avait été le chauffeur du cardinal Bégin en 1923. Comment oublier l'inoubliable ? Jos lui-même avait raconté à Bernadette comment ça s'était passé, comment Monseigneur ne cessait de l'appeler « mon brave » et combien il avait trouvé curieux que son épouse puisse porter un nom qu'il croyait exclusivement masculin : Orpha.

Les plus petits détails de l'événement avaient allumé des lueurs saintes dans le regard de Bernadette, et l'homme en avait rajouté. Et la femme l'avait écouté religieusement...

« Conduire un cardinal, quelle grâce du ciel ! »

∞∞∞

En ce début de 1973, et malgré d'autres décès de figures respectées et aimées comme Wilhelmine Gagnon, l'une des filles d'Auguste, épouse de Paul Fortier, et sœur de feu Rosalie (Pit Veilleux) et de Laura (Amédée Racine), ainsi que de l'épouse de Wilfrid Gilbert, un seul vent d'allégresse commençait de souffler sur la grande paroisse : celui du centenaire et de ses célébrations prévues pour le mois de juillet.

Ce soir d'avril, le comité du centenaire se réunissait pour la cinquième fois depuis la première le 20 décembre 1972. En fait, la première avait été une grande assemblée publique en vue précisément d'élire un comité exécutif.

Jean-Paul Racine avait été appelé à la présidence. Deux vices-présidents étaient alors nommés : Laurent-Paul Dallaire et madame Armand Bolduc. Un secrétaire : Michel Gosselin. Des conseillers : Pierre-Albert Fortin et son épouse, Ronaldo Plante et madame Robert Couture. Et comme directeurs : le nouveau curé, l'abbé Malenfant, les maires Ovila Boucher et Luc Quirion. La trésorerie fut confiée à Gaétan Gosselin, gérant de la caisse populaire.

Ils étaient tous là, ce soir de printemps, à la réunion mensuelle pour faire le point sur les préparatifs. L'assemblée avait lieu à la salle du conseil municipal.

Après une prière d'ouverture, le président lut l'ordre du jour. On discuterait tout d'abord du livre du centenaire. Et les responsables de sa rédaction, Sœur Gertrude Fortier ainsi que

Jean Pelchat et sa nouvelle épouse, assistaient eux aussi à la réunion.

– Sœur Gertrude, fit le président avec sa condescendance habituelle devant quelqu'un de trop sec, voulez-vous nous dire où en est le projet du volume ?

Visage d'autorité, la supérieure de l'école Sainte-Thérèse s'exprima sur un ton de fonctionnaire qui allait bien avec sa chevelure abondante et ses épais sourcils à moitié cachés par ses lunettes bien ancrées sur un nez allant de l'avant.

– Le plan qui vous a été soumis en février est en voie de s'accomplir. Nous en sommes maintenant aux pages 64 et 65. La moitié de l'une est consacrée à monsieur Honoré Grégoire, et l'autre contiendra une photo de la maison rouge ainsi qu'une de monsieur Alfred Grégoire.

La religieuse souleva deux pages montées et les montra. Sur l'une, il y avait, dans la colonne de gauche, la photo du premier magasin Champagne, suivie de celles des fondateurs, Louis Champagne et son épouse, tandis que sur la colonne de droite, on pouvait voir la photo du magasin Grégoire au début du siècle, suivie des photos des fondateurs, Honoré et son épouse.

Une remarque du président parut alors étonner tout le monde :

– Vous avez écrit sous la photo de madame Grégoire, Mme Honoré Grégoire. Est-ce qu'il n'aurait pas été de mise d'écrire plutôt Mme Émélie Allaire... ou, à la rigueur, Mme Émélie Grégoire ?

– Euh !

La sœur regarda les autres membres présents. Tous interrogeaient Jean-Paul Racine du regard. Où leur président avait-il bien pu pêcher une pareille idée ? L'épouse d'Honoré Grégoire, c'était madame Honoré Grégoire : quoi de plus normal qu'on la désigne ainsi ? Ces deux personnes avaient formé toute leur vie durant un couple marié et uni. Parmi les membres du comité, trois avaient connu le couple Grégoire, soit madame Bolduc née en 1908, Laurent-Paul Dallaire né en 1918 et Ronaldo Plante né, lui, en 1912.

Bombardé par des yeux questionneurs, Jean-Paul enchérit tout de même :

– Au cimetière, sur les pierres tombales, on inscrit le nom de fille de la dame, pas son nom d'épouse.

Ronaldo, personnage à la voix souriante, avenante, conciliante, dit :

– Jean-Paul, tu viens de donner la réponse à la question. Une femme porte son nom de fille avant et après son mariage. Entre-temps, elle porte son nom de femme. C'est la règle. C'est la norme.

Le front du président se rembrunit :

– Moi, j'avais à peine trois ans quand madame Émélie est décédée, mais on m'a raconté... ma mère et d'autres... que c'était une femme de cran, de décision, que c'est elle qui a ouvert le magasin avec son père, que c'est elle qui gérait le tout à sa façon et qu'il en fut de même tout au long de sa vie, même du temps de son mariage avec monsieur Grégoire. Peut-être que ça lui mériterait son nom de fille sous sa photo dans le livre du centenaire, non ?

Le curé Malenfant, que certains interrogèrent du regard, prit la parole à son tour et, souriant, dit sur un ton mesuré :

– Peut-être que la société d'aujourd'hui n'en est pas rendue là encore.

Aumônier militaire durant vingt ans, le prêtre avait les idées plus larges que son prédécesseur, l'abbé Dubord, un curé mal aimé, lui, à Saint-Honoré. Et pourtant, sur pareil sujet, il préférait la norme à l'innovation. Aucun vent de féminisme n'avait encore soufflé sur le clocher de l'église paroissiale. On continuait de vivre à l'heure du paternalisme patriarcal que d'aucunes ailleurs désignaient sous le nom de machisme...

Madame Bolduc parla à son tour :

– C'est un bien bel hommage que tu rends à madame Honoré Grégoire, Jean-Paul, mais d'après moi, elle voudrait qu'on écrive Mme Honoré Grégoire, pas Mme... euh...

– Madame Allaire, Émélie Allaire, fit Jean-Paul avec un sourire fin qui consacrait sa défaite acceptée.

Car, visiblement, on ne le suivrait pas sur ce terrain.

Il parut que plus personne n'avait rien à dire. Le président reprit la parole :

– Sœur Gertrude, je crois que tous ici, nous apprécierions que vous nous lisiez ce que vous avez écrit à propos des Grégoire.

Des approbations fusèrent de toutes les bouches. « Bonne idée, ça ! » fit Ronaldo. « Oui, oui ! » dit madame Fortin. « Ben certain ! » approuva madame Bolduc.

Et la religieuse s'exécuta :

– *Après avoir commencé dans la maison centenaire un modeste commerce, M. Honoré Grégoire, en 1901, construisit le magasin général qui vient à peine de fermer ses portes. Il est encore tel qu'il était, voisin de l'église, avec ses dépendances qui éveillent maints souvenirs chez nos gens.*

Homme bien vu de ses concitoyens, M. Honoré Grégoire a su rendre florissant son commerce sans cesse grandissant et accommoder surtout la classe agricole. Les pièces réservées à la famille et le bureau de poste logeaient aussi dans cette immense construction.

Ses études terminées, son fils, M. Alfred, s'associe à son père et le remplace après le décès de celui-ci en 1932. La renommée de la famille Grégoire se perpétue et passe à l'histoire. Son esprit serviable demeure toujours vivant pour la population de Saint-Honoré.

Livre du centenaire, page 64

Des félicitations surgirent de toutes les bouches. «Magnifique! Magnifique!» déclara Ronaldo. «Un beau texte!» fit Michel Gosselin. «Tout un hommage!» enchérit Dallaire, qui se frotta les mains d'aise et en profita pour les gratter et soulager la démangeaison.

Jean-Paul applaudit. Et pourtant, en son for intérieur, il se taisait. Comment pouvait-on accorder tout le mérite à Honoré seulement alors que son épouse Émélie avait été la figure dominante du couple dans la grande réussite commerciale de l'entreprise qu'ils avaient partagée? Il eut envie de redire que le commerce avait été ouvert par Émélie et son père dans la maison rouge, mais à quoi bon? Peut-être que justice serait rendue à cette femme un jour, d'une autre manière? Au 125e peut-être, en 1998? En tout cas, lui, s'il devait s'y trouver, reviendrait à la charge...

– Et... le texte sous la photo de la maison rouge, demanda-t-il à la sœur qui le lut.

Qui n'a connu le magasin de M. Alfred Grégoire, voisin de l'église? C'était autrefois également le bureau de poste. Eh bien! juste en arrière de cet immeuble, conservé dans son même style, se trouve la 'petite maison rouge centenaire que M. Raoul Grégoire, fils de M. Alfred, nous invite à visiter lors des fêtes. Nous regrettons que M. Freddé, comme tous l'appelaient, nous ait quittés avant le centenaire. Il est décédé accidentellement il y a un an et demi, à l'âge de 84 ans, au grand regret de tous ceux qui l'ont connu.

Livre du centenaire, page 65

«Magnifique!» «Magnifique!» s'exclama Ronaldo une fois encore. «Ça dit tout en peu de mots, « déclara Pierre-Albert Fortin.

– En tout cas, j'aurais pas pu faire mieux, mentit diplomatiquement Jean-Paul Racine. Et ensuite, qu'est-ce qui nous attend, Sœur Gertrude?

– Dans les deux pages suivantes, on va tâcher de résumer sur deux colonnes intitulées « aujourd'hui » et « hier » métiers et commerces. Par exemple, dans la colonne de gauche, il sera écrit dans la rubrique « salon funéraire » : Maison Gédéon Roy et en regard de l'inscription, dans la colonne de droite, on va écrire sous la rubrique « embaumeurs » les noms de messieurs Octave Bellegarde et Uldéric Blais.

– Je compte que vous ne m'oublierez pas, blagua Jean-Paul. Pas comme député battu, mais comme agent d'assurance... pour la publicité...

– Bien sûr que non ! On ne vous oubliera pas, Monsieur Racine, sachez-le bien.

Jean Pelchat glissa alors son mot :

– Saviez-vous, tout le monde, qu'on a eu deux notaires par ici ? Monsieur Busque de 1913 à 1919 et le notaire Côté de 1919 à 1930 ? En 1913, j'avais déjà 22 ans, moi. Imaginez que je les ai bien connus, tous les deux. Le notaire Côté, il était marié avec une Grégoire, lui. Une cousine à Honoré. Tout un personnage...

– Dites-nous donc sous la rubrique maréchal-ferrant ? demanda Michel Gosselin qui aurait bien voulu entendre parler aussi d'épiceries, mais n'osait le demander vu que son père avait longtemps été un épicier-boucher.

– Là, on en a plusieurs... On parle d'hier, de ceux qui sont décédés... Il y a eu Cyrille Martin Bourré-ben-Dur...

Le surnom appelait toujours les sourires, et cette fois encore les provoqua. La religieuse en recueillit quelques-uns puis baissa les yeux sur sa liste et ajouta :

– Messieurs Jean-Baptiste Pelletier, Joseph Foley, Georges Pelchat, Elzéar Tine Racine, Ernest Mathieu...

– Tous des bons forgerons en masse, commenta le vieux Jean Pelchat, un vieillard d'à peine cinq pieds. Asteure, c'est mes deux neveux, Georges-Édouard pis Josaphat, les deux gars à Georges qui sont forgerons. Chacun de son bout du village. Mais c'est pas des chicaniers.

Jean-Paul parla :

– Oubliez pas de questionner monsieur et madame Lambert. Eux autres, ils en ont des souvenirs. Ils en ont connu, du monde. Dépassent 85 ans tous les deux. Et madame Lambert, on a dû vous le dire, Sœur Gertrude, a longtemps été correspondante à *L'Éclaireur*, le journal régional.

– J'y ai pas manqué. Ils m'ont parlé entre autres de monsieur Anselme Morin que d'aucuns appelaient, sans trop de respect peut-être, Morin la Botte. De monsieur Napoléon Cipisse Dulac et de son élevage de renards. Des deux messieurs Joseph Roy qui ont tenu un restaurant au même endroit, un qui s'appelait Jos King et l'autre Pit Roy. Le restaurant était dans la maison de monsieur Jean Pelchat. Ils m'ont parlé de monsieur Cyrille Beaulieu qui était tailleur et de sa dame qui était modiste. Ils m'ont parlé aussi de monsieur Pit Racine qui vendait de la bière d'épinette. De monsieur Joseph Lapointe qui a été barbier, restaurateur, taxi, propriétaire d'un magasin de confection et même... chauffeur du cardinal Bégin un beau jour de 1923 lors du cinquantenaire.

La religieuse s'arrêta et regarda les gens qui l'écoutaient avec respect et attention. Jean-Paul Racine dit :

– Je pense que le livre du centenaire est entre bonnes mains, vous pensez pas, mes amis ?

On applaudit fort et joyeusement.

Sœur Gertrude rougit jusqu'aux oreilles... Une couleur chair née de son bonheur et d'une fierté certaine...

∞∞∞∞∞∞

Chapitre 44

1973...

Gravement malade, Édouard Foley ne saurait assister aux fêtes du centenaire de ces jours prochains. Il viendrait de sa parenté des États, mais logerait au Château Maisonneuve. Quant à son frère Eugène, il avait pris arrangement avec le curé Malenfant et passerait les deux prochaines nuits au presbytère dans la chambre des dignitaires visiteurs.

Bernadette savait tout cela, qui attendait son ami, le prêtre retraité. Eugène, arrivé la veille, avait promis de la visiter chez elle au début de l'après-midi du samedi. Dans son petit logis, elle ne tenait pas en place, courant de la table au poêle puis à sa chambre. Tout était prêt pour le recevoir, mais elle ne parvenait jamais à en être sûre à cent pour cent. Et ce petit doute agaçant la faisait courir d'un bord à l'autre.

Enfin, la sonnerie de la porte retentit.

Elle accourut, ouvrit, s'avança au bord de l'escalier. En bas, Eugène s'arrêta, leva la tête, et leurs yeux se rencontrèrent.

– Je regarde au ciel et qui je vois là ? Toi, ma si chère amie : Bernadette Grégoire.

Elle éclata de rire sans trop savoir quoi rétorquer. Mais finit par trouver :

– Tu viens pas assez souvent, et un bon matin, tu vas regarder au ciel pis tu vas m'y voir pour de vrai.

Il rit à son tour :

– Ça... non... jamais ça n'arrivera parce que je vais partir bien avant toi.

– En attendant, monte... avec moi, ici, au ciel de la maison...

– C'est en plein ce que je vas faire...

Et l'homme en soutane s'engagea tranquillement dans l'escalier en mesurant ses pas avec soin. Et en égrenant des plaintes presque joyeuses :

– J'ai des bobos un peu partout, tu sais... Aux genoux surtout... Comme quand on était petits, tous les deux, et que je plantais la pirouette sur le chemin Foley... Je maganais mes pauvres genoux d'enfant... Mais c'était pas long que je guérissais... Des fois, tu me mettais du mercurochrome... Ou de l'onguent de j'sais pas quelle sorte... Mais ça faisait du bien... Sauf que les bobos, maintenant, ils sont à l'intérieur des articulations... et pas rien que sur la peau... Ah, la vie si courte ! Ah, les maux qui nous gênent ! Mais la souffrance élève... C'est une mise en banque pour le ciel... Et toi, dis-moi, comment vont tes pieds ?

– Toujours pareil ! Rien de changé. Des fois, j'peux pas sortir. D'autres, je leur donne ça pour voir un peu de monde autrement, je pourrais venir folle, toujours toute seule dans la maison.

– T'as le téléphone... la télévision... Ça aide à tromper la solitude...

C'est de l'hiver dont avait le plus peur Bernadette...

Vers l'âge de la retraite, elle commença à souffrir de petites dépressions saisonnières. Son système tombait au ralenti vers le mois de novembre puis recouvrait progressivement toute son énergie au printemps. Ces cycles annuels ont longtemps laissé perplexes les médecins qui la soignaient. (Aujourd'hui, la cause de ces dépressions est bien connue du monde médical et se soigne aisément.)

Un clocher dans la forêt, par Hélène Jolicœur

Quand il fut rendu sur le palier, le prêtre s'arrêta pour, sembla-t-il, se reposer ; mais c'était surtout pour regarder sa vieille amie droit dans les yeux et lui serrer les deux bras entre ses mains.

– Le ciel, c'est dans ton regard qu'il se trouve, Bernadette.

– S'il y en a un de nous deux qui a le ciel en lui, c'est bien toi, Eugène Foley. Comment ça va ?

– C'est comme la dernière fois qu'on s'est vus... au mois de mai de l'année passée à Sherbrooke.

Ils entrèrent, et ce fut un blabla continuel jusqu'au milieu de l'après-midi. Le temps passa comme une étoile filante. Ils se reverraient le lendemain, après les célébrations du jour : messe, parade, visite de la maison des colons sur le terrain du centenaire, célébration à l'aréna avec discours des anciens et chant du centenaire aux paroles composées par Ronaldo Plante sur un air de Vigneault.

Bernadette recevrait son vieil ami à souper le dimanche soir. Ensuite, ils se rendraient tous deux à la grotte qu'ils avaient fait construire ensemble puis à la maison rouge, où se tenait une exposition de photos anciennes à la lueur de bougies et chandelles.

Chacun voulait faire de chaque minute passée avec l'autre un diamant qu'il ajouterait à la couronne de sa vie. Car chacun savait, sentait que les quelques heures de coudoiement qui leur étaient encore allouées par le bon Dieu seraient les dernières. Peut-être se reverraient-ils dans les années à venir, mais ce serait tout au plus un épilogue et non pas un dernier chapitre comme celui en cours.

Ils se séparèrent. Elle le vit dans le chœur à la messe du centenaire. Et sentit son regard à quelques reprises. Elle assista à la parade depuis le balcon avant de son logement et reçut un salut chaleureux de la part de son ami qui paradait dans une décapotable réservée aux dignitaires. Puis, elle sentit aussi son regard à l'aréna municipal en après-midi tandis que le prêtre adressait un mot à ses anciens concitoyens en tant qu'enfant de la paroisse-mère, si fière de ses vocations qu'elle leur donnait une place de choix dans son cœur et sa mémoire.

Enfin, les deux amis furent à table, chez Bernadette, au soir de la fête. Ils se parlèrent avec émoi du succès de cette grande journée. On en savait plus sur les pionniers, on en savait plus sur les vieilles années, on en savait plus sur les vrais battements du cœur de la paroisse en cette mémorable année 1973.

On parla de ceux qu'on avait connus dans l'enfance, qu'on avait côtoyés à l'école, les Fortunat Fortier, Philias Bisson, Philippe Boutin, Zéphirin Morissette, Nérée Poirier, Adjutor Veilleux, Imelda Lapointe, Pit Roy et d'autres venus avant, des contemporains de leurs parents comme Octavie Buteau, Pierre Perron, Napoléon Lapointe, Adolphe Fortier, Désiré Bellegarde...

– Il faudrait partir plus tôt et se rendre ensemble au cimetière, prier sur la tombe de mes parents et des tiens, avant d'aller à la grotte et à la maison rouge.

– Bonne idée, mais... tes genoux?

– Ce sont les escaliers qui les meurtrissent; la marche leur fait même du bien quand c'est pas trop humide dehors.

– La journée a été pleine de soleil.

– À qui le dis-tu! Et c'est pas fini. La soirée sera pleine de soleil aussi à cause de la pleine lune.

– Ça va nous rappeler 1923.

– En fait, il y avait eu de l'orage si tu te souviens...

– Si je me souviens...

Bernadette ne voulut pas aller plus loin au vieux chapitre de la nostalgie. Il fallait en garder un peu pour la soirée. Alors, on pourrait se souvenir comme il faut... se souvenir de l'essentiel...

En se rendant au cimetière, l'on se parla de la maison des colons qu'avaient reconstruite deux hommes de leur génération, les Narcisse Jobin et Gédéon Talbot. Et qui en étaient fort fiers. Là-bas, Bernadette lut l'épitaphe sur la pierre tombale des parents d'Eugène :

– Joseph Foley, 1857-1917. Lucie Poulin, 1859-1912... Mourir si jeunes... Il avait 60 ans, elle 53...

Elle tourna son regard vers Eugène et le trouva qui pleurait doucement. Son cœur devait être en visite chez ses parents, soit dans le passé, soit dans l'au-delà.

– Viens, je vas t'en lire d'autres...

Elle le toucha au bras et l'éloigna de sa souffrance.

– Xavier Lachance, 1850-1932. Anastasie Doyon, 1856-1939. Te souviens-tu de leur cinquantième anniversaire de mariage ? Une belle fête, ça aussi. Tiens, regarde là... Louis Carrier, 1840-1917. Célanire Blais, 1848-1944. Elle était à bout d'âge, la Célanire, quand elle a rendu son âme au bon Dieu. Et là, regarde, Eugène... tous les deux morts avant qu'on vienne au monde... Édouard Paradis, 1831-1903. Célina Carbonneau, 1841-1897. Veux-tu voir monsieur et madame Jolicœur ? Sont là, pas loin, de ce côté-là...

Et la visite passa par la pierre tombale des époux Pelchat, Onésime et Célanire (fille de Restitue Lafontaine), des Dubé, Joseph et Malvina, des Bourget, Antoine et Marie-Zélou, des Jobin, Jean jr dit la Brunante, Délia Blais, sa première épouse morte à 39 ans, et Marie-Anna Leclerc, la deuxième, décédée en 1965. Et la visite prit fin devant le lot des Grégoire. Bernadette en faisait l'entretien ainsi que du lot des Foley. Et là, ce fut silence. La femme voulut laisser Eugène lire mentalement les noms et dates inscrits dans la pierre bleue.

– Allons donc prier la sainte Vierge pour tous les disparus, veux-tu ? Je veux dire à la grotte... à notre grotte...

– Allons-y donc sans tarder !

La prière devant les statues de Marie et de Bernadette Soubirous fut intense mais brève. On vibra un moment à la complicité qui avait permis l'érection de cette grotte au début de la précédente décennie. La brunante s'annonçait, et on voulait se rendre à la maison rouge avant qu'il ne fasse trop noir. C'est que chacun savait sans que l'autre n'en ait parlé qu'on passerait par le trottoir entre les deux résidences, le même vieux trottoir de bois que cinquante ans plus tôt, mais, bien sûr, dont la plupart des planches de cèdre avaient été remplacées depuis lors. Bernadette savait qu'on ne risquait pas de se briser les os en marchant là, même dans l'ombre profonde du soir tombé.

Et l'on y fut bientôt, en ce lieu de paradis. Ils s'arrêtèrent et appelèrent le grand souvenir, le beau souvenir...

(Berthe est dans sa chambre et peut entendre sa sœur de 19 ans et Eugène Foley (20 ans) qui se parlent sur le trottoir en bas, sous sa fenêtre...)

... Le tonnerre au loin grondait. Des souvenirs de la journée lui revenaient pêle-mêle. Aucun ne l'accaparait plus que les autres. Quand elle avait le cœur à la poésie, elle n'avait pas l'esprit à l'analyse.

– Bernadette ! Bernadette ?

La jeune femme reconnut la voix retenue de son ami. Elle y répondit :

– Suis là, à côté de la cabane de l'engin.

– Je viens.

Un premier éclair significatif les silhouetta tous deux quand ils furent l'un devant l'autre.

– Faudrait pas se faire surprendre ou ils vont croire des choses.

– Comme quoi ? demanda-t-elle.

– Comme... ben ce qui est impossible entre nous deux.

– Viens, marchons sur le trottoir comme autrefois.

– On va se faire prendre par l'orage.

– Seigneur… j'aimerais ça qu'un éclair nous prenne tous les deux pour nous emmener dans la paradis.

– Mais non ! On a chacun notre mission sur cette terre du bon Dieu.

– Notre destin ?

– Notre destin, ça n'existe pas. Notre seule voie, c'est de faire la volonté du bon Dieu. Et c'est pour ça que mon avenir est tracé.

– En es-tu ben certain, Eugène ?

– Pour dire la vérité, pas encore à cent pour cent.

Un éclair zébra le ciel et les fit voir à Berthe qui regardait en direction des voix entendues. Le coup de tonnerre suivit de près, ce qui laissait à penser que la pluie entrerait dans la danse très bientôt.

– Tu peux pas t'engager dans une voie sans être certain de ton coup.

– La certitude ne pourra jamais être à cent pour cent. Elle se forge à mesure, comme le fer à cheval sur l'enclume de mon père.

Elle le toucha au bras pour qu'il s'arrête au milieu de la distance parcourue par le trottoir de bois entre l'ancienne résidence et la nouvelle. On était devant la porte de cave, barricadée par ordre d'Honoré depuis l'histoire du gâteau qui avait pris en feu.

– On est souvent venu ici pour jaser, tu t'en souviens ?

– Jamais je n'oublierai ce temps-là, Bernadette, tu le sais très bien.

– Pourquoi ce temps-là n'a-t-il pas eu de suites ?

– Il a des suites. En voici une ce soir…

Berthe soupira. Il lui semblait que ces deux-là devaient palabrer moins et s'embrasser plus.

Un éclair encore et les silhouettes vues en plongée apparurent à la grande fouine qui avait collé sa tête contre le moustiquaire pour mieux y voir. Un autre suivit aussitôt et deux coups de tonnerre se bousculèrent sans attendre.

– Qu'est-ce que tu ressens au fond de toi pour moi ?

Il soupira :

– Beaucoup d'amour.

Bouleversée mais consciente qu'il s'agissait de sa chance ultime, Bernadette lança, le ton grimaçant, les mots tordus :

– Montre-le donc avec des gestes, motadit !

Il comprit sa supplique. Lui-même avait besoin de savoir à quelle profondeur sa vocation sacerdotale était enracinée dans son cœur et dans son âme.

On entendit des gros grains de pluie frapper les bâtisses. Puis, l'orage s'introduisit entre les deux maisons. Un éclair permit à Berthe de voir sa sœur en attente devant Eugène et lui, figé comme une statue malgré cette trombe qui les attaquait tous deux.

Le ciel éclata de nouveau. Et Berthe les vit, qui garderait pour toujours enfouie au plus profond de son être l'image d'un baiser faiseur de destins.

Eugène avait pris Bernadette dans ses bras, et ils s'étreignaient. Un baiser mortel, eût cru le curé Proulx. Véniel, eût dit le vicaire Bélanger. De miel, pensait Berthe qui enviait sa sœur sans la jalouser.

– J't'aime depuis tout le temps, Eugène Foley.

– Moi aussi, mais... j'aime le bon Dieu encore plus.

– Moi aussi, j'aime le bon Dieu encore plus. Mais ça empêche pas un homme et une femme de...

– Il fallait qu'on passe pour où on vient de passer. Ça va nous faire progresser. On va examiner tout ça dans les semaines à venir, et ça va nous éclairer.

– Pour moi, c'est clair, Eugène.

– Pour moi... pas encore.

– Tu vas me faire mourir.

– Mourir d'amour, c'est la plus belle mort au monde.

– Mourir, c'est pas drôle : qu'on meure de quoi c'est qu'on voudra.

Les phrases et les images parvenaient toutes deux sous forme stroboscopique à l'observatrice de là-haut. Le fantôme de la maison rouge apparaissait et disparaissait. Tout ça lui semblait si loin de la réalité que Berthe se pinça en fermant les yeux pour vérifier. Mais tout revint devant ses sens quand elle se reprit d'attention pour la scène théâtrale et si grandement romantique se déroulant sous sa fenêtre.

– La mort, on va l'attraper si on reste trop longtemps sous l'orage.

– Pour moi, avec toi, l'orage existe pas.

– Tu sais, Bernadette, l'homme ne vit pas que de pain; mais sans pain, il ne survit pas. Je veux dire qu'il faut aussi protéger notre corps de ce qui peut lui nuire, comme les intempéries. On peut ressentir les feux de l'amour, mais si on croit que ça pourrait nous protéger au cœur de l'incendie, on se trompe.

– Les miracles existent.

– Mais rarement! Viens, on va s'abriter dans le hangar.

Il prit Bernadette par la main et l'entraîna. Berthe les perdit de vue et n'entendit plus que les claquements du tonnerre. Elle ferma la fenêtre et courut à sa chambre où elle se mit à celle donnant sur l'église et le cimetière.

D'énormes zébrures cassaient le ciel noir en morceaux qui se rassemblaient aussitôt pour subir de nouvelles fractures étonnantes. Les pierres tombales devenaient visibles et invisibles tour à tour, blanches comme la mort ou noires comme le néant.

Les cinquante ans de Saint-Honoré achevaient. Et tous les destins des paroissiens avaient rendez-vous sur la côte. Pourtant, il parut à Berthe qu'elle dormirait ailleurs à la fin de ses jours...

Les nuits blanches, chapitre 31

– Une amitié éternelle! s'exclama Eugène qui soupirait.

– Un amour éternel!

– L'amour d'amis, bien sûr, dans ce sens-là. C'est le plus grand, le plus noble des sentiments à l'exception de l'amour du bon Dieu...

– Et de la sainte Vierge.

– Et de la sainte Vierge !

Bernadette regarda la porte du sous-sol de la maison rouge. En fait, elle n'en pouvait voir que la forme, et c'était mieux ainsi puisqu'elle arrivait mieux à la ramener dans son imagination telle qu'elle était dans leur enfance.

– Penses-tu à notre gâteau, des fois ?

– Souvent ! Bien souvent, Bernadette. Chaque fois que je vois un enfant, une petite fille comme celle que tu étais quand on a...

– ... mis le feu.

Et tous deux éclatèrent de rire.

Les choses ont beau se répéter, elles ne sauraient se ressembler par tous leurs détails. En 1923, il y avait l'orage. En 1973, il y avait un clair d'étoiles là-haut. En 1923, on se parlait dans une solitude à deux, ignorant même que des oreilles curieuses, celles de Berthe, étaient à l'affût. En 1973, des gens bruyants allaient et venaient dans l'escalier de la maison rouge et marchaient sur la galerie là-haut pour se rendre à l'exposition de photos et d'objets antiques à l'intérieur. En 1923, Bernadette espérait que le bon Dieu suggère à son ami de vivre en laïc, ce qui lui donnerait une chance magnifique d'être un jour son épouse. Lui en était à une certitude incomplète, et ce fut l'événement qui lui indiqua hors de tout doute la voie à suivre, bien que le doute ne fût pas endormi à tout jamais : n'était-il pas un simple humain avec toutes ses faiblesses ?

Mais en ce jour de centenaire, pour tous ceux qui avaient vécu le cinquantenaire, le chemin accompli derrière soi donnait la direction du chemin qui restait à faire devant soi. L'on ne se côtoierait désormais qu'en des heures d'enterrement, de deuil, d'affliction...

– Il est temps de rejoindre les autres dans la maison rouge, penses-tu, Bernadette ?

– Même si on avait voulu retenir le temps ici, sur le trottoir de bois, le jour du cinquantenaire, le temps nous aurait échappé des mains. Un clin d'œil et nous voilà au centenaire. C'est comme ça, la vie sur terre.

– Un cœur comme le tien comprend Dieu.

– J'essaie.

– Le seul chemin pour comprendre Dieu, c'est celui de l'humilité. Un trottoir de bois comme celui-là, étroit, et qu'on parcourt à tâtons... Viens, donne-moi donc la main!

Ce qu'elle fit. Ils durent se laisser la main au pied de l'escalier. Des gens descendaient...

L'on ne se côtoierait désormais qu'en des heures d'enterrement, de deuil, d'affliction... Voilà qui surviendrait bien vite. En septembre, le frère d'Eugène, Édouard, s'éteignit.

Les réunions de famille, les anniversaires de mariage ou de naissance étaient des occasions trop émouvantes pour lui!... Il pleurait... Aux funérailles de son frère Édouard, il se sentit incapable d'entrer dans l'église de Saint-Honoré car il ne pouvait contrôler ses larmes. Il avait la même attitude quand il retournait à son ancienne paroisse en entendant les applaudissements de la foule dès qu'il apparaissait dans le chœur.

À Noël, tous les Grégoire survivants, où qu'ils vivent, apprirent la nouvelle d'un décès qui les remua sans les étonner. Celui qui avait rendu l'âme à 85 ans resterait un personnage tout aussi inoubliable que Freddé, dont il avait été l'ami toute sa vie durant.

Napoléon Lambert, l'aveugle qui avait traversé la vie avec bonheur malgré son pénible handicap, lui qui avait eu le temps de voir les couleurs, les choses, les visages avant de subir deux accidents qui lui avaient ravi ce précieux sens de la vue, lui que son épouse avait éclairé tout au long de ses jours par sa tendresse, sa bonté et son empathie, n'eut pas à fermer pour toujours des yeux qui l'étaient déjà depuis si longtemps. Ce qui avait fait s'agrandir considérablement les yeux de son âme...

Les uns dirent qu'il devait être le commissionnaire de saint Pierre là-haut. D'autres, qu'il devait sûrement transporter la 'malle' du curé Ennis. D'autres, enfin que son bonheur devait être immense de pouvoir enfin tout voir ce qu'il avait toujours si bien évalué de son vivant...

∞∞∞∞∞∞∞

Chapitre 45

1974

Ce 25 janvier, Gabrielle Michaud, inquiète du sommeil prolongé de sa tante Alice, la découvrit inconsciente dans son lit. Transportée d'urgence à l'hôpital, on constata qu'un caillot de sang s'était logé dans son cerveau et qu'aucun espoir de récupération n'était possible. Elle mourut sans avoir repris connaissance le lendemain soir. Son corps fut exposé à Québec et enterré à Lac-Mégantic dans le cimetière de Sainte-Agnès, auprès de son cher époux, qui l'avait précédée quelque dix années plus tôt.

Plusieurs neveux et nièces garderont en mémoire l'image de cette dame digne et énergique. Ceux qui ont eu la chance de la côtoyer plus intimement se souviendront de l'attention qu'elle savait porter aux enfants. D'un simple coup d'œil et d'un seul sourire, elle leur faisait sentir toute leur importance. Les tout-petits l'adoraient purement et simplement. Les plus grands étaient fascinés par son avant-gardisme et son perfectionnisme. Pour tous, elle aura été un modèle... Son souvenir soutiendra le développement de bien des petites personnalités et leur enseignera les voies du dépassement..."

Un clocher dans la forêt, par Hélène Jolicœur

La première génération de la famille Grégoire achevait de s'éteindre. Alfred parti en 1972, Éva en 1940, Ildéfonse en 1908, Alice en 1974, Henri en 1969, trois enfants, Bernadette

1, Armandine et Maurice, morts en bas âge, Eugène en 1919, Armand en 1956. Et les parents, Émélie et Honoré, respectivement en 1930 et 1932. Restaient sur terre Pampalon, 77 ans, Bernadette, 70 ans et Berthe, 64... Leur temps était maintenant compté, et ils se le disaient...

∞∞∞

Mais les descendants de troisième génération embrassaient la vie, quoique les familles, comme il se doit, fussent toutes dispersées. Ceux qui avaient atteint l'âge adulte survivaient tous à l'exception de Lucienne Boutin. Mais la descendance était dispersée aux quatre vents de l'Amérique, de l'Abitibi aux vastes États-Unis, de Montréal à Saint-Séverin en passant par Notre-Dame-de-la-Guadeloupe, Stornoway et Notre-Dame-des-Bois, de Québec à Lac-Mégantic, sans oublier les deux seules qui habitaient encore le nid des ancêtres à Saint-Honoré: Rachel, l'aînée des filles à Freddé, et Solange, la cadette muette.

Avec les ans, depuis Saint-Honoré-de-Shenley, les descendants d'Émélie et d'Honoré Grégoire poursuivaient une véritable invasion de territoire. Et la quatrième génération apparaissait qui, à son tour, serait porteuse du rire immense de l'ancêtre et de la vaillance incommensurable d'Émélie...

∞∞∞

Ce soir d'orage, Hélène Jolicœur était assise sur son lit dans la chambre qu'elle occupait à Saint-Georges, dans un motel à la sortie de la ville. Toute la journée, elle avait travaillé dans le bois pour le compte du service de la Faune du gouvernement du Québec. Son travail consistait à faire le décompte de crottins de chevreuil et de nourriture disponible dans des ravages de la région d'Armstrong. Son rêve d'enfance s'était réalisé : devenue biologiste, elle se consacrait maintenant aux animaux et à leur protection de même qu'à la survie des espèces sauvages. Une occupation qui n'était pas de tout repos. Ce jour-là, au petit matin, elle était entrée dans la forêt d'Armstrong et, guidée par sa boussole, elle avait marché et marché jusqu'à trouver un ravage puis un autre puis un troisième et un quatrième afin d'en inventorier la végétation.

Mais un bain encore plus chaud que le repas du soir lui avait refait le plein d'énergie sans avoir raison toutefois d'un certain stress inhabituel que les menaces du ciel lui avaient fait subir. Par chance, l'orage s'était tenu à distance tout au long du jour. Et elle aurait bien voulu que cela continue ainsi pour la soirée et pour la nuit. Malheureusement, le ciel décide seul, et voici que le roulement du tonnerre se rapprochait, se rapprochait...

Quand il fut évident qu'un orage électrique imposerait bientôt sa loi sur le motel et ses environs, son imagination se brancha sur les souvenirs d'enfance, et l'un d'eux lui revint avec une intensité telle qu'il lui parut qu'elle retournait corps et âme dans le passé, du temps de Pitou, un chien qui avait une peur bleue des orages électriques... De l'époque aussi d'Ovide, un homme qui adorait ces excès du temps et les admirait comme le plus beau spectacle de l'été, installé le soir sur la galerie couverte afin de voir les éclairs zébrer le ciel et entendre le tonnerre rouler tel un orchestre formé uniquement de tambours.

Quand les coups de tonnerre devenaient plus forts, Hélène se ruait dans le lit de sa sœur Christine (elles couchaient dans des lits jumeaux de la même chambre) et 's'abriait' par-dessus la tête pour ne pas voir tous ces éclairs, se recroquevillant avec toute sa terreur dans cet abri de fortune. Un soir que ça frappait fort, Pitou monta dans la chambre pour y trouver refuge et rassurance. Il s'approcha du lit. D'instinct, la petite fille sortit sa tête de sa prison protectrice et survint alors un événement kafkaïen, cauchemardesque : l'animal sauta sur le lit alors même qu'un éclair allumait toute la chambre d'une blancheur aveuglante. Hélène aperçut en suspens dans la lumière cette image d'un chien éclairé par la foudre en même temps que le tonnerre claquait : spectacle hallucinant qui la figea un moment et s'imprima dans toutes ses mémoires pour l'éternité...

Et dans la réalité de 1974, le tonnerre frappa tout proche. En ce secteur, la présence de cap affleurant le sol attire la foudre qui cogne plus dur qu'ailleurs. Hélène eut l'idée de se réfugier sous les couvertures, puis elle se dit qu'une femme de 22 ans, bien que consciente des choses à éviter par temps d'orage à l'extérieur, ne pouvait faire mieux, à l'intérieur, que de s'éloigner de la salle de bains et des appareils électriques.

Peut-être que la meilleure façon de se rassurer serait de regarder une photo de cet animal remarquable qu'on avait dû faire euthanasier plusieurs années auparavant vu son vieil âge et sa santé en complet délabrement. Elle se rendit à sa valise posée sur la table ronde et trouva une enveloppe qu'elle ramena au lit.

Elle posa l'enveloppe sur la couverture, ramena sur elle les pans de sa robe de chambre comme pour se protéger du froid alors que c'était plutôt du tonnerre qu'elle cherchait à se garder. Puis, sortit trois photos qu'elle fit glisser les unes sur les autres afin de voir celle qu'elle cherchait.

Pitou avait conservé sa bonté dans l'œil, mais la jeunesse l'avait déserté. Revint en la jeune femme le souvenir du dernier jour du chien dans la maison. Le pauvre animal, bourré d'arthrite, et que Berthe tâchait de soulager en lui écrasant tous les jours de l'aspirine dans sa viande, avait fini par paralyser. Ses pattes arrière ne fonctionnaient plus, et il devait, pour avancer le moindrement, se tirer péniblement par les pattes avant. Les gens de la SPA étaient venus. La dernière image restée en le cœur d'Hélène avait été celle de cet arrière-train déjà mort.

La tristesse traversa alors le temps comme un éclair et vint la frapper au cœur du cœur...

Hélène regarda vers la fenêtre. La foudre éclata encore. Alors, elle prit les deux autres photos entre ses mains, l'une étant celle de son ami Émile Audy, l'autre de son nouvel ami Jean-Pierre Ducruc. Le premier était en quelque sorte son premier ami de cœur. C'est en Mauricie que leurs routes s'étaient croisées en 1972. Ils se fréquentaient depuis, sans trop de conviction amoureuse, toutefois, le métier les rapprochant plus que les émotions.

Puis, Hélène, pour répondre à des exigences académiques, avait dû trouver une problématique de recherche et monter un protocole, faire la cueillette de données, les analyses, l'écriture du rapport et la présentation des résultats devant l'ensemble du groupe. Elle, qui avait constaté l'importance de l'érable à épi dans l'alimentation hivernale des orignaux et des cerfs, désirait en connaître plus sur l'écologie de cette espèce. Bref, et en fin de compte, il lui fallait un superviseur. Elle se mit à la recherche de quelqu'un ; on la renvoya de Caïphe à Pilate jusqu'au moment où on lui dit qu'il lui fallait un écologiste. Un jeune Français arrivé en 1968, mais pas un émeutier de la grande année française, lui fut alors conseillé. Ainsi, Jean-Pierre Ducruc, étudiant en quête de son doctorat en foresterie, entra-t-il dans la vie de la jeune femme.

Et voici qu'en ce soir d'orage, au fond de la Beauce, elle en était venue à choisir. Émile ou Jean-Pierre ? Jean-Pierre ou Émile ? Si Pitou avait donc pu se détacher de sa photo et sauter sur son lit pour lui dire quoi faire. Elle aurait lu dans ses yeux ; il était toujours de si bon conseil !...

Et la foudre continuait de tapager, de multiplier dans les fenêtres ses effets stroboscopiques. Et la petite fille en Hélène avait le goût de se coucher et de se cacher sous la couverture. Mais la scientifique en elle s'opposait farouchement à un pareil comportement puéril. Et la femme, quant à elle, pataugeait dans l'incertitude... Émile ou Jean-Pierre ? Ils étaient tous les deux disposés envers elle, donc disponibles, donc prêts pour plus que le partage de travaux en forêt...

Au plus fort de l'orage lui vint une inspiration alors qu'elle songeait à sa grand-mère Émélie, dont Berthe disait qu'il lui arrivait de s'asseoir devant les portes du magasin pour interroger la nuit qui prévalait dans le cœur du village, presque abandonné en cette époque puisqu'il ne se trouvait personne habitant les trois maisons en face.

Et comme à la télévision dans *Mission Impossible*, elle fit le tri des photos. Celle de Pitou pour sa valise. Celle d'Émile pour la poubelle. Et celle de Jean-Pierre pour son portefeuille.

Mission accomplie ! soupira-t-elle alors que l'orage commençait à s'amenuiser.

Elle ne regrettait qu'une toute petite chose : que Jean-Pierre ait perdu son accent français avant même qu'elle le connaisse...

Et elle se demandait ce que le lendemain lui réservait. Car ce 25 juillet serait le jour de son vingt-troisième anniversaire de naissance. Il se pourrait fort bien qu'Émile et Jean-Pierre viennent tous deux la voir... Quel inconfort s'ils devaient se croiser devant sa porte ! Seigneur, c'était bien moins compliqué avec Pitou...

∞∞∞∞∞∞

Chapitre 46

1974-1992

Dix-sept années devaient alors traverser le ciel au-dessus de Bernadette à Saint-Honoré et de sa sœur Berthe à Québec. L'une écrivait régulièrement à l'autre afin de lui faire savoir qui venait de rendre l'âme là-bas, dans la paroisse natale du fond de la Beauce. Chaque fois, Bernadette se montrait d'une tristesse à faire pleurer. Berthe toutefois attribuait une part de l'affliction de sa sœur à ses fréquents états dépressifs.

En octobre, l'homme que la mort terrifiait le plus, à part peut-être Pit Roy, fut mis en terre. Deux personnes seulement assistèrent à ses funérailles à l'église et suivirent la dépouille jusqu'au cimetière: Bernadette Grégoire et Éveline Martin. Après quelques années de retraite dans une solitude profonde et de sempiternelles questions sur le sens qu'il faut donner à la vie et à sa fin, Philias Bisson, le garagiste aux flamboyantes voitures, s'était endormi pour toujours à l'âge de 70 ans. Sa mort avait été douce, en pleine nuit, au cœur du sommeil: un cœur qui s'arrête simplement et sans douleur, tel un moteur privé de carburant.

Pauvre Philias, il aurait bien accepté de changer sa carcasse trop vite usée pour la carrosserie de madame Arsène Demers. Car la vieille dame s'éteignit quant à elle le 2 novembre à l'âge de 100 ans. Mais qu'aurait-il bien pu lui donner en retour?

En 1975, c'est avec regret que Berthe dut quitter sa chère maison du boulevard Laurier, si chargée de souvenirs. Après avoir élevé et instruit tous ses enfants dans la foulée des préceptes de son père Honoré, elle emménagea dans un appartement situé non loin de son ancienne demeure. Elle y commença une nouvelle vie, entourée de l'affection et du soutien de ses enfants et petits-enfants.

Un clocher dans la forêt, Hélène Jolicœur

Le 22 mai, usé par l'alcool, Dominique Blais, le moins sage des fils d'Uldéric, mourut à 61 ans. Et à l'automne 1975, la mort frappa Shenley d'une façon spectaculaire et brutale. Madame Armand Bolduc, qui avait tant fait pour sa paroisse lors des préparatifs du centenaire, fut tuée sur le bord du chemin avec une compagne, madame Clément Champagne. Les deux amies allaient jouer aux cartes ; une voiture les happa, et leur mort fut aussi rapide que violente.

Les avait précédées de quelques semaines dans la tombe Pit Veilleux, l'homme à tout faire de la famille Grégoire durant un bon demi-siècle. Il avait eu 77 ans de labeur sur terre pour persuader le ciel de lui ouvrir ses portes.

Et en 1976, alors que Montréal avait passé l'été à s'amuser et à divertir le monde entier par ses Jeux olympiques haut de gamme, un homme d'une grande humilité agonisait chez lui à Notre-Dame-de-la-Guadeloupe. Pampalon Grégoire subit une attaque cardiaque et rendit son âme à Dieu le 18 octobre. Il était resté actif jusqu'à sa mort et toujours aussi blagueur. Ce père de famille nombreuse n'avait jamais cessé de semer du bonheur autour de lui. Ses petits-enfants, pour lesquels il organisait chaque année des Noëls de trois jours remplis de surprises et de bonnes choses, furent ceux qui le pleurèrent le plus. Le service eut lieu dans l'église de sa paroisse adoptive, mais, conformément à ses désirs, on l'enterra à Saint-Honoré, afin qu'il repose aux côtés de son frère Alfred et des autres de la famille Grégoire.

Bernadette sentait le besoin d'un changement à chaque décès d'un proche. Cette fois, il lui parut qu'il serait préférable pour elle de déménager et d'aller vivre au foyer avec Solange qui s'y trouvait déjà vu que sa mère Amanda, maintenant âgée de 90 ans, ne pouvait pas veiller sur sa fille handicapée de 45 ans, et ce, depuis peu après la mort d'Alfred.

Et ça mourait ! Et ça mourait !

Fernand Rouleau à 54 ans : suicide.

Odilon Bolduc à 92 ans : vieillesse.

Arthémise Boulanger, son épouse, à 89 ans : vieillesse.

Florian Morissette, le barbier cardiaque : cœur.

Narcisse Jobin, la puissante voix qui tant d'années avait donné la réplique chantante au curé Ennis, le dimanche, à la messe.

Et d'autres dont une femme de 78 ans...

Si les êtres de l'au-delà exercent une influence sur les vivants, se pourrait-il que cette défunte du début avril 1977 ait suggéré à un homme encore jeune de prendre sa plume et de se mettre à écrire des textes ?

Ce deuxième jour d'avril, la veuve Éveline Martin-Poulin mourut. Et ce même jour, André Mathieu, qui vivait maintenant dans la région de Laval après avoir enseigné pendant 15 ans dans la Beauce, s'attablait pour écrire. Et qui dit écriture dit souvenirs. Son entourage lui demanda ce qu'il faisait en ayant l'air de ne rien faire (comme tous les écrivains) ; il répondit qu'il voulait écrire des livres. En commençant par l'histoire romancée de sa vie, la tradition voulant qu'un premier ouvrage soit forcément autobiographique.

Une année plus tard paraîtra ce roman-récit aux éditions Québec-Amérique. Farci de scènes égrillardes et croustillantes, le livre ne parlait aucunement d'Éveline. Si elle avait inspiré le futur auteur un an plus tôt, ce n'était sûrement pas pour qu'il ponde ce livre-là... Mais les morts ne sont guère pressés ; ils ont tout leur temps puisque le temps n'existe pas pour eux...

Après la publication d'un premier livre, processus au cours duquel l'éditeur ramasse l'argent et l'auteur les flatteries, le jeune auteur prit la décision d'écrire pour de bon, pour de vrai, et de faire de ce métier le sien. Pour ça, il fallait des sous de survie. La solution lui apparut des plus simples : se débarrasser de son éditeur... Mais du même coup, il devait s'ouvrir sur autre chose que son propre personnage, tâcher de mettre en veilleuse l'ego qui refuse de dormir et devoir le museler tant bien que mal, et proposer aux lecteurs ses observations des autres et de la vie à travers des personnages réels ou de sa création, et le plus possible un mélange des deux.

Quoi écrire quand on a claqué la porte de son éditeur et que, malgré son succès de librairie, le premier livre a déjà connu ses quinze minutes de gloire ? Passer à autre chose mais à quoi ?

Peut-être qu'un autre décès survenu au cœur de son village lui donna la réponse ? Le 27 novembre, Amanda Nadeau, veuve d'Alfred Grégoire, mourut à l'âge de 93 ans. Le jeune romancier l'apprit, alors pourtant qu'il vivait à Laval, et quelque chose le poussa à se rendre dans la Beauce. Il s'arrêta chez son frère à la maison familiale et prit des nouvelles des Grégoire. On lui dit qu'Honoré se trouvait dans la demeure de ses parents ce jour-là pour disposer des biens ordinaires. Il n'en fallait pas plus pour que l'auteur s'y rende, en quête d'il ne savait quoi. Honoré le conduisit dans ce qui avait été autrefois le salon d'Émélie et lui montra deux caisses de vieux documents.

– Des livres, des cahiers d'école de mon père, de mon grand-père, des catalogues... J'ai pas tout regardé...

– Si tu veux me les vendre, je les prends.

L'auteur reçut une réponse de Grégoire :

– Si tu les veux, ça me fait plaisir de te les donner.

Au dépouillement de ces documents à son retour chez lui, le jeune homme comprit qu'il avait devant lui une source vive d'idées, de mots, de sentiments, de souvenirs... Peut-être même qu'il lui passa par la tête l'idée d'écrire un jour une saga sur cette famille Grégoire dont il avait si bien connu au moins Bernadette, Alfred et Pampalon. Et dans une moindre mesure Armand, Berthe et le grand Luc...

(Et en 1980, l'auteur publierait *Un amour éternel*, un roman dans lequel il serait question de plusieurs Grégoire dont Bernadette ainsi décrite : *Un rien la faisait rire ; un rien l'attristait mais rien ne la faisait jamais sortir de ses gonds. Son cœur était grand comme celui de tous les Grégoire : Pampalon son frère, Luc son neveu et les autres de cette même famille. Une bonté naïve éclairait son regard quand elle parlait. Elle était une de ces personnes dont la seule présence met la joie dans l'atmosphère et qui ne représente aucune menace pour qui que ce soit.*)

Deux mois avant cet événement (le don à l'auteur des caisses de documents anciens de la famille Grégoire), un autre décès atteignait Bernadette au plus profond d'elle-même. Le 30 septembre, l'abbé Eugène Foley, son ami de toujours, celui qu'elle avait tant aimé en secret toute sa vie durant, mourut à 76 ans.

Les forces n'en pouvaient plus. On l'avait hospitalisé à l'Hôtel-Dieu, où l'on avait diagnostiqué un cancer des os. La fin était survenue dans d'atroces douleurs. Entouré de prières, il s'en est allé, accompagné de cette foi inaltérable qui a marqué toute sa vie.

Les restes mortels de cet homme de Dieu ont été inhumés au cimetière Saint-Michel de Sherbrooke, dans le lot familial près de sa sœur Alice et de son mari Albert Fortier. L'abbé Foley n'est pas mort et ne mourra jamais car son âme vivra éternellement parmi ceux qui l'ont connu et aimé.

Pit Roy, Jean Pelchat, Barthélemy Maheux, Louis Paradis prirent aussi le train pour les terres sacrées de l'au-delà. Chaque fois qu'elle se rendait au salon funéraire, Bernadette revoyait par le souvenir, tout en récitant son chapelet, l'image aux couleurs vives de tous ceux qui étaient partis : ses parents, Ildéfonse, Eugène, Éva, Armand, Alice, Pampalon et, au milieu de tous, endormi dans son cercueil, au repos enfin, son si cher ami d'enfance. Et elle priait pour que tout ce monde vienne la chercher.

Mais les morts ne sont guère pressés ; ils ont tout leur temps puisque le temps n'existe pas pour eux...

Et les années passèrent, se succédèrent comme les grains du chapelet. Bernadette veillait sur Solange et sur elle-même. Elle ne faisait plus le porte à porte pour livrer les bonnes nouvelles. Ce temps était maintenant révolu. Les nouvelles se transmettaient rapidement sans plus personne pour les commenter. Et les plus mauvaises le plus vite !

Les familles Mathieu et Grégoire furent touchées de 1983 à 1985. Victor mourut à 54 ans. Sa sœur Fernande, à 57. Son frère Gilles, à 45. Et Jeannine, la seconde fille de Pampalon, disparut à 58 ans. Ti-Lou Boutin qui avait échappé aux ravages de la tuberculose naguère fut rattrapé par une maladie des poumons : le cancer. Il s'éteignit à son tour.

Philippe et Mathias Dulac, personnages colorés s'il en fut à Shenley, disparurent à un an d'intervalle. Tandis que les parents des deux enfants St-Pierre noyés 15 ans plus tôt furent emportés à quelques mois de distance par la maladie que le chagrin avait semée et fait croître en chacun d'eux.

Chaque année venait ponctionner son lot d'âmes à Saint-Honoré en même temps que de nouvelles générations s'installaient et que la physionomie du village changeait. En 1988, Jean-Paul Racine disparut, suivi l'automne suivant de Fortunat Fortier puis de Rachel Grégoire un an plus tard.

En mai 1991, Bernadette se rendit au funérarium une fois de plus. Sa belle-sœur Ida Bisson avait rejoint Pampalon dans l'autre monde dit meilleur. Au moment des poignées de main avec les enfants de la défunte, elle savait qu'elle ne les reverrait plus.

L'automne suivant, elle put aller au corps de Donat Bellegarde, cet homme sympathique et généreux qui avait joué un rôle important à un moment donné de sa vie en tant que voisin et propriétaire de la terre à Foley devenue la terre à Honoré. Et c'est lui aussi qui avait acheté sa maison...

Cet été-là, elle avait cessé de fleurir sa grotte. Mais elle payait quelqu'un pour le faire. La fin approchait, et elle l'appelait par hâte de revoir tous ceux qu'elle avait tant aimés.

Elle ressentit bientôt ses premiers malaises qu'elle attribuait à la chaleur. Les autorités du foyer l'hospitalisèrent à Saint-Georges. C'est là qu'elle fit un infarctus et qu'un caillot se forma dans son cerveau. Ses jours étaient comptés. Puis, contre toute attente, elle émergea du semi-coma dans lequel elle était plongée depuis son attaque et fit en peu de temps des progrès remarquables. Elle demeura cependant à demi paralysée, comme son père, pendant plusieurs mois. Les infirmières qui en prenaient soin disaient d'elle : « On l'aime, mademoiselle Grégoire, elle est si peu exigeante. Elle est persuadée qu'on en fait trop pour elle. Elle s'excuse toujours de nous déranger. C'est une bonne personne ! »

Dans les premiers jours de décembre 1992, Bernadette fit un œdème pulmonaire et ne put surmonter ce nouveau stress physique. Elle s'éteignit doucement le 5 décembre, et son service funèbre fut célébré la veille de l'Immaculée Conception. Pour elle, qui était si pieuse et qui vouait une telle admiration à la Vierge Marie, ce fut là une des dernières grâces à lui avoir été accordée. Son humilité, sa générosité et son dévouement lui valurent certainement d'être accueillie dans les rangs de ceux et celles qui comprirent le véritable message chrétien et qui firent de leur vie une démonstration quotidienne de son essence.

Le corps de Bernadette repose pour toujours dans le lot familial au cimetière de Saint-Honoré.

Un clocher dans la forêt, par Hélène Jolicœur

∞∞∞

Sa vue faiblissant sérieusement, impressionnée par la disparition de sa sœur, la dernière survivante de seconde génération des Grégoire décida finalement, non sans hésitation, d'aller loger dans une résidence pour personnes âgées. Berthe avait maintenant 82 ans...

∞∞∞∞∞∞

Chapitre 47

1995[3]

Mon chemin du romancier m'avait conduit à Victoriaville, où je vivais maintenant après une douzaine d'années à Laval et deux douzaines de livres publiés. Divorcé, je m'étais remarié avec la solitude requise par mon métier.

Ce jour-là, j'étais à écrire le premier d'une série de romans dont le titre inclurait le prénom féminin de Rose, l'action se situant en 1950 dans mon village natal de Saint-Honoré. Et la figure centrale de cette quadralogie était nulle autre que cette femme d'exception, Éveline Martin, qui avait choisi de vivre à sa manière en une époque qui ne le voyait pas d'un très bon œil.

La sonnerie du téléphone se fit entendre. Je restai assis et me déplaçai en faisant rouler ma chaise vers le bureau où était posé l'appareil.

– Allô !

– André Mathieu ?

– C'est moi.

– Odette Fleming.

– Qui ?

3.Note de l'auteur : Étant au centre de ce dernier chapitre, je l'écris au je en parlant de moi. Au 'il', ça sonnait faux, malgré la véracité des événements relatés et qui sont arrivés à la fête des Grégoire en 1995 à Saint-Honoré alors que je fus mis en contact avec deux êtres magnifiques sans lesquels cette saga n'aurait jamais vu le jour : Hélène Jolicœur et sa grand-mère Émilie Allaire, décédée en 1930.

– Odette Jolicœur, ça t'en dit plus ?

– Ça oui : c'était hier... Mais ça fait proche 50 ans.

– Eh oui ! Saint-Honoré, années 1940 début 1950.

– Bizarre que tu m'appelles, je suis à écrire, et il est question de tes grands-parents Jolicœur.

– Communication à distance. Ça arrive.

– Qu'est-ce qui me vaut ton appel ?

– Une invitation.

– Ah !

– C'est la fête des Grégoire à Saint-Honoré dans un mois, et on aimerait que tu sois là.

– Moi ? En quel honneur ?

– Étant donné que tu écris des choses sur Saint-Honoré et un peu sur les Grégoire... pis que t'as grandi devant le magasin et tout...

– Odette, suis pauvre comme la gale. De la misère à manger deux fois par jour. J'ai choisi le métier le plus misérable au monde, savais-tu ça ?

– Tes livres se vendent.

– Oui, mais il reste rien en bout de ligne. Les intermédiaires bouffent tout ou font faillite. Et surtout bon nombre de lecteurs empruntent les livres dans les bibliothèques, et les auteurs ne sont pas dédommagés par l'État comme le voudrait une justice élémentaire. Emprisonné par la pauvreté, on se tait pis on bûche.

– On te demande pas une contribution. Juste ta présence.

– Sais pas trop... C'est quelle date ?

– Samedi le 20 mai.

Odette savait vendre une idée. Au tout début de sa vie adulte, elle avait vendu des cartes de Noël par les portes et, après ses études, avait travaillé à Radio-Canada. Plus tard avait agi comme conseillère municipale à Sainte-Foy et, en 1987-1988, comme présidente de la Chambre de Commerce de Sainte-Foy. Et voici qu'elle représentait maintenant son district au conseil de Sainte-Foy au sein de l'équipe de la mairesse Andrée Boucher.

Elle n'était pas femme à se laisser dire non sans chercher des arguments de persuasion. Après avoir jeté plusieurs lignes à l'eau, elle trouva le bon appât : sa sœur Hélène, la dernière de la famille Jolicœur, née à Québec, et dont j'ignorais même l'existence, avait fait des recherches approfondies sur la famille Grégoire et rédigé un volume d'une centaine de pages, y incluant plusieurs photos d'époque et des témoignages originaux.

– Un énorme travail ! fit valoir Odette quand elle sentit que j'étais hameçonné. On va t'en donner un si tu nous fais l'honneur de ta présence.

– Honneur, honneur, c'est pas ma tasse de thé. Par contre, les recherches de ta sœur m'intéressent pas mal...

∞∞∞

Et ce samedi, 20 mai 1995, je me présentai à la salle paroissiale de Saint-Honoré. Les tout premiers de la famille que je croisai à l'extérieur, au pied de l'escalier, furent Lise Boutin et son époux, le docteur Huard. Je les connaissais par ma sœur Dolorès. On se salua.

– Paraît que je devais venir et dire un mot en public.

– Merveilleux !

Et l'on échangea plaisamment en gravissant les marches des escaliers extérieur et intérieur, retrouvant la même odeur caractéristique dégagée par les matériaux de la bâtisse depuis sa construction 55 ans auparavant et si imprégnée dans mes mémoires du temps de mon enfance et de ma fréquentation de l'école à Laval durant trois ans, de 1953 à 1956.

En haut, là où se tenait Auguste Poulin autrefois pour déchirer les billets aux mémorables soirées de Ti-Blanc

Richard, Odette me reconnut et me fit bon accueil. Et ne tarda pas à me présenter à sa sœur Hélène. Des atomes crochus passèrent de suite entre nous deux, de se savoir peut-être une plume dont l'encre prend aisément la couleur du passé, de penser qu'on avait vécu les mêmes attentes, les mêmes hésitations, les mêmes joies aussi à écrire.

On communiqua aussitôt à travers le livre d'Hélène intitulé *Un clocher dans la forêt*. Mais j'en avais vu d'autres, de ces documents boudinés que l'on dit extraordinaires et aptes à marquer la société, et qui, à l'examen un peu exhaustif, apparaissent ennuyeux, sans profondeur ni capacité d'émouvoir. Avant de me commettre en donnant une opinion, je devrais en parcourir plus d'une page, ce que le temps ne me permettrait certainement pas en ce jour de fête, alors qu'il y aurait banquet, laïus et fraternisation. Aussi des visites au cimetière, sur le cap à Foley et à la maison rouge.

– Et madame Berthe ?

– Malade. Presque aveugle. Impossible pour elle de venir.

– Dommage ! La dernière de la seconde génération.

– Elle sait que vous êtes venu, Monsieur Mathieu, et dit qu'elle se souvient bien de vous.

C'est à ce moment que je demandai à Hélène le tutoiement, qui rajeunit illusoirement. Et je l'obtins aussitôt...

D'autres désiraient s'entretenir avec elle ; je pris donc congé et me rendis serrer des mains de Grégoire que je connaissais et n'avais pas revus depuis un grand nombre d'années, les fils à Pampalon encore vivants (Benoît était mort des suites de son diabète), Yves, Gilles, André ; les enfants d'Alfred, Raoul, Honoré, Monique, Hélène, Thérèse ; les Jolicœur, Christine, André. Et Aline Boutin (et ses enfants), la seule des enfants à Éva encore vivante à part Lise, les quatre autres, Alfred, Lucienne, Marielle et Raymond, tous décédés.

On me fit connaître des descendants de la troisième génération puis, d'un échange à l'autre en passant par une exposition de photos dans le couloir d'en bas, vint le temps du repas. Là j'eus l'occasion de converser avec la mairesse de Saint-Honoré, Hélène Boucher, ainsi, occasionnellement, qu'avec Raoul Grégoire maintenant octogénaire et visiblement proche de la fin de son voyage. Il fut question du livre d'Hélène Jolicœur, que je gardais près de moi avec ma caméra vidéo.

Je déclarai en l'arborant :

– J'ignore si c'est bon, mais c'est drôlement bien documenté et construit, me semble-t-il, à première vue.

La mairesse me dit de la maison rouge que son conseil municipal l'avait achetée et fait déménager sur le terrain où se trouvait jadis le moulin à Uldéric Blais. Qu'il y avait à l'intérieur une exposition d'objets antiques, que ce lieu devenu musée paroissial de la Haute-Beauce ferait l'objet de meilleurs soins dans le futur que dans le passé récent...

On se promettait aussi à Saint-Honoré de conserver toutes les pierres tombales et de garder l'ancien cimetière intact ; donc de ne pas altérer son caractère historique en rasant le passé jugé trop coûteux à entretenir pour céder la place à un futur qui le serait à son tour un jour.

Et la fête se poursuivit, Hélène Jolicœur agissant comme maître de cérémonie ainsi que le notaire Paul Poirier.

Appelé à monter sur la scène pour adresser la parole aux invités, je fus pris d'un malaise au bout de quelques phrases seulement. Chaleur excessive, tremblements, violent mal à la poitrine, faiblesse générale. Je m'excusai et me retirai dans les coulisses, où j'avais préalablement laissé caméra et livre des Grégoire. Au micro, Hélène Jolicœur appela sa cousine infirmière, Suzanne Breton, à la rescousse de même que sa sœur Christine. L'on me fit absorber un breuvage sucré, qui me ramena à un état plus normal. Plus d'une demi-heure me fut alors donnée pour lire, allongé sur un sofa, plusieurs pages biographiques sur Émélie Allaire et Honoré Grégoire. D'eux, je ne connaissais alors que le nom, un nom que j'avais lu et relu sur leur pierre tombale dans ses randonnées exploratoires au cimetière, du temps de mon enfance et de mon adolescence.

Plus tard, toute la salle se rendit au cimetière où l'on entoura la pierre tombale des Grégoire. Deux comédiens incarnant Émélie et Honoré, portaient des habits 1900 et firent parler leurs personnages de leurs enfants et petits-enfants, de leur époque, de leurs tragédies et de leurs amours. Et deux violonistes leur donnaient la réplique en une musique dont les notes avaient un écho dans tous les cœurs présents, y compris le mien malgré la double fascination exercée sur moi par le personnage d'Émélie et le livre des Grégoire.

« Et toi, Emil Foley, te souviens-tu la fois où... »

« Et toi, Raoul Grégoire... »

Sur des textes préparés par Hélène Jolicœur, Honoré et son épouse s'adressaient parfois à d'aucuns qu'ils avaient connus, et ceux-là en furent fort étonnés et enchantés. « Le temps suspendit son vol. » Et non seulement le suspendit, mais s'empara de toute l'assistance pour la ramener en arrière de 75 ans.

Puis, les deux aïeuls invitèrent les gens à les suivre sur le cap à Foley voisin, où l'on blagua aux alentours des pistes du diable tout en relatant quelques faits soi-disant arrivés là.

Émélie et Honoré donnèrent ensuite rendez-vous à tous dans leur chère maison rouge et s'y dirigèrent main dans la main en avant du joyeux convoi sous un soleil brûlant.

Et moi, j'oubliais ma caméra suspendue en bandoulière à mon épaule pour ne m'intéresser plus qu'au livre des Grégoire. Toutefois, j'avais du mal à lire en raison de l'éclat du soleil sur le papier blanc.

Une fois à l'intérieur de la maison rouge, je fus de nouveau submergé par la chaleur. On me regardait comme si j'étais venu d'une autre planète tant la sueur s'échappait de mon visage, alors que personne ne donnait de signes aussi évidents d'hyperthermie.

Il me fallut sortir. Et dehors, je me replongeai dans le livre d'Hélène, glanant çà et là du texte concernant l'un ou l'autre des enfants d'Émélie et d'Honoré. Ceux que je n'avais jamais connus mais dont j'avais souventes fois entendu parler au cours de mon enfance, Ildéfonse et Eugène, m'accaparèrent plus que les autres. Comme si je devais me hâter de lire leur histoire en pensant que je lirais sur les autres une fois à la maison. Donc ces deux-là, pourquoi étaient-ils morts si jeunes ? Qui étaient-ils dans la famille ? Et voilà qu'à travers leur drame, je découvris le cœur d'Émélie, son incroyable capacité à souffrir devant la mort d'un enfant et sa façon masculine de rejeter sa douleur au fond de sa poitrine, de l'y museler, sans doute, croyant ainsi l'exorciser.

Il était arrivé à quelques reprises depuis la première fois que je l'avais vue au cimetière de sentir sur moi le regard de la comédienne Isabelle Vachon, fille du docteur Vachon de Saint-Honoré. Et j'avais cru qu'elle se demandait qui était cet inconnu aux airs familiers. Peut-être avait-elle vu ma photo sur un des mes livres ? J'en doute...

Mais quand j'eus fini de lire les quatre pages consacrées à Eugène Grégoire et que je vis une fois encore, par l'embrasure de la porte ouverte, ce nouveau regard d'Émélie, alors je me dis que ce n'était peut-être pas la comédienne qui me jetait ce coup d'œil, mais Émélie elle-même à travers elle.

Et le sceptique en moi se mit aussitôt à rire de ma propre imagination trop fertile...

Nous retournâmes tous bientôt à la salle paroissiale.

Hélène et Odette Jolicœur avaient eu l'idée de procéder autrement pour me faire parler, vu ma faiblesse du matin et parce que je n'avais rien dit du tout au micro. L'on fit un cercle autour de moi. Bien assis, je ne pouvais pas tomber en bas de ma chaise à moins de voir apparaître une créature d'outre-tombe...

Et je parlai de mon métier, de ses misères, des interventions inéquitables de l'État dans mon domaine. On me demanda pourquoi je parlais souvent des Grégoire dans mes livres. J'élude toujours les questions qui font appel aux émotions. J'ai donc répondu rationnellement :

– Parce que la première image que j'ai vue de toute ma vie après celles de l'intérieur de ma maison fut celle du magasin H. Grégoire, de l'autre côté de la rue.

On aurait voulu me faire dire simplement que j'aimais les Grégoire, mais pareil aveu ne se pouvait pas. Et je me rendis compte sur place que ma réaction était celle d'Émélie devant les sentiments. Car dire que j'aimais les Grégoire, c'était souffrir de les savoir tous partis pour l'au-delà sans qu'il ne me soit possible d'entrer en contact avec eux, leur belle humeur, leur bonne âme, leur cœur joyeux et chaleureux...

À moins...

– Qu'est-ce que tu penses du livre d'Hélène ? demanda alors Odette Jolicœur à brûle-pourpoint.

Cette fois, une réponse jaillit d'une même voix de mon rationnel et de mon émotionnel, peut-être même me fut-elle inspirée par Émélie Allaire, dont l'incarnation n'était pourtant plus là :

– Il faudrait que j'en fasse une trilogie. Hélène a fait des recherches approfondies sur la famille. Elle a fait le tableau de chacun des Grégoire. Par contre, elle est née à Québec et ne connaît pas beaucoup Saint-Honoré. Moi si. Je suis né ici. J'ai grandi ici. J'ai eu la chance de vivre au cœur du village et de connaître au moins deux mille personnes de par ici dans mon enfance. Si on mélangeait ces deux bassins de connaissances en utilisant pour vase communicant ma modeste plume de romancier, on pourrait peut-être faire connaître à tout le Québec Honoré, son épouse et leurs descendants. En vous avouant que la personne éclatante, celle qui me fascine particulièrement, c'est Émélie, cette jeune fille de 15 ans venue ouvrir un magasin dans la maison rouge en 1880. C'est à travers elle et son vécu que je voudrais écrire... disons une saga des Grégoire...

– Je pourrais te révéler bien des choses qui ne sont pas écrites dans mon livre, intervint Hélène, le regard allumé.

– Est-ce à dire que ma proposition de vases communicants t'intéresse ?

– Ma grand-mère Émélie en serait la première heureuse, je pense.

Ce furent des sourires approbateurs et des applaudissements exprimés par tout le cercle...

∞∞∞

Onze ans s'écouleraient entre cette première fois où je parlai de la saga des Grégoire et le moment où j'écrirais le dernier mot de ladite saga, et que voici, après sept livres et 3700 pages d'écriture.

FIN